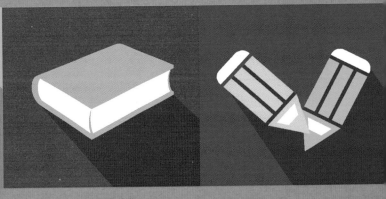

Preparación al examen

Especial

DELE B2

Curso completo

Curso:
Pilar Alzugaray
Modelos de examen:
Pilar Alzugaray
María José Barrios
Paz Bartolomé

D1486610

edelsa

1.ª edición: 2016
5.ª impresión: 2020

© Edelsa Grupo Didascalia, S.A. Madrid, 2016.
Autora curso completo y características y consejos: Pilar Alzugaray.
Autoras modelos de examen: Pilar Alzugaray, Paz Bartolomé, María José Barrios.
Dirección y coordinación editorial: Departamento de Edición de Edelsa.
Diseño de cubierta: Departamento de Imagen de Edelsa.
Diseño y maquetación interior: Carolina García.

ISBN: 978-84-9081-680-6
Depósito legal: M-23967-2016

Impreso en España/*Printed in Spain*

CD Audio:
Locuciones y montaje sonoro: ALTA FRECUENCIA MADRID. Tel. 915195277, www.altafrecuencia.com
Voces: Juani Femenia, José Antonio Páramo, Ariel Tobillo (voz argentina), Octavio Eguiluz (voz mexicana).
Las locuciones en las que aparecen personajes famosos son adaptaciones de entrevistas reales. Sin embargo, las voces son interpretadas por actores.

Nota:
La editorial Edelsa ha solicitado todos los permisos de reproducción correspondientes y da las gracias a quienes han prestado su colaboración.

PRÓLOGO

ESPECIAL DELE B2 CURSO COMPLETO

Desde que existen los exámenes DELE hemos trabajado como preparadores del diploma B2 del Instituto Cervantes, título que cada vez resulta más necesario, e incluso imprescindible, tanto para acceder a un trabajo como para poder realizar estudios de grado o de máster.

En esta tarea muchas veces los profesores nos hemos sentido frustrados e impotentes por no poder solventar de un modo eficaz las carencias y lagunas que presentaban nuestros estudiantes. En este *Curso completo Especial DELE B2* ofrecemos un material que puede ser útil tanto a profesores como a alumnos para conseguir el objetivo de abarcar todos los contenidos imprescindibles de este nivel, así como para cumplir el objetivo de que estos aprueben el examen.

Este libro puede usarse como **curso intensivo** (seleccionando solo lo que interese al alumno o al profesor) o como **curso regular** de un semestre, cuatrimestre o **curso escolar completo**, adaptando, en estos casos, el ritmo de trabajo y los contenidos al tiempo disponible. Y se puede trabajar con él, tanto de forma **individual** por parte del estudiante como **en clase** con la ayuda del profesor.

Este libro consta de **siete modelos de examen completos** agrupados **por ámbitos temáticos**, en los que **hemos incorporado,** al principio de cada uno, **el trabajo de distintos contenidos léxicos, gramaticales y funcionales**, relacionados con el tema correspondiente.

Cada modelo de examen incluye **de una a tres unidades de léxico** basadas en los *Niveles de referencia (Plan curricular del Instituto Cervantes)* y relacionadas con los temas de cada uno, presentadas de forma didáctica y **orientadas hacia las tareas reales del examen**. También ofrecemos cuatro series de **gramática** que, de forma resumida y **en forma de test**, recogen todos los contenidos establecidos para el nivel B2, lo que puede ser una buena herramienta de repaso, activación e incluso de presentación de temas gramaticales nuevos. Hemos incluido, asimismo, una sección de **contenidos funcionales** (expresión de la opinión, acuerdo, desacuerdo, probabilidad, etc.), que consta de tres series en cada examen, en las que recogemos las **principales fórmulas y exponentes lingüísticos** de este nivel.

Este *Curso* también contiene una sección de **corrección de errores**, que hemos decidido incorporar debido a que la corrección gramatical es uno de los criterios de evaluación de las pruebas escritas y orales. La selección está basada en producciones reales de los estudiantes y en errores generalizados. Por último, hemos incluido una pequeña **sección de preposiciones de uso frecuente** en este nivel.

Al final del libro, aparece una sección con las **características** de cada prueba y de cada tarea y **consejos** para ayudar al alumno a realizarlas con éxito.

En un libro aparte se presentan las **respuestas explicadas** de todos los ejercicios. Estas soluciones ofrecen una explicación detallada tanto del ítem correcto como de los incorrectos.

Pilar Alzugaray

ÍNDICE

INFORMACIÓN GENERAL

Los diplomas de Español como Lengua Extranjera (DELE) son títulos oficiales de validez indefinida del Ministerio de Educación de España. La obtención de cualquiera de estos diplomas requiere una serie de pruebas.

El diploma DELE B2 equivale al nivel **avanzado**, el cuarto de los seis niveles propuestos en la escala del *Marco común europeo de referencia para las lenguas* (*MCER*). Acredita la competencia lingüística, cultural e intercultural que posee el candidato para:

- **Entender las ideas principales** de textos complejos que traten de temas tanto concretos como abstractos, incluso si son de carácter técnico, siempre que estén dentro de su campo de especialización.
- **Relacionarse con hablantes nativos** con un grado suficiente de fluidez y naturalidad, de modo que la comunicación se realice sin esfuerzo por parte de los interlocutores.
- **Producir textos claros y detallados** sobre temas diversos, así como defender un punto de vista sobre temas generales, indicando los pros y los contras de las distintas opciones.

   http://dele.cervantes.es/informacion/niveles/nivel_b2.html

INSTRUCCIONES GENERALES

Como candidato a este examen, deberá:

- Presentarse a las pruebas con **su pasaporte, carné de identidad, carné de conducir** o cualquier documento de identificación oficial.
- Llevar **un bolígrafo** o algo similar que escriba con tinta y un **lápiz del número 2**.
- Tener a mano **las cuatro últimas cifras del código de inscripción**, ya que tendrá que anotarlas en las hojas de respuestas.
- Ser muy puntual.

Antes de cada prueba, el candidato debe:

- Comprobar la hoja de confirmación de datos.
- Completar o confirmar el número de inscripción de las hojas de respuesta.
- Aprender a rellenar con bolígrafo o con lápiz las casillas de las hojas de respuestas:
  - Hay una hoja de respuestas para las pruebas 1 y 2 y el cuadernillo n.º 1.
  - La prueba 3 se presenta en un único cuadernillo, el cuadernillo n.º 2 donde también se escriben las respuestas.
- La **hoja de respuestas** se rellena de la siguiente manera:
  - Apellido(s) y nombre, centro de examen, ciudad y país donde se examina, en mayúsculas y con bolígrafo.
  - Las cuatro últimas cifras del código de inscripción (con lápiz del n.º 2). El código se pone dos veces, una con número y otra sombreando las casillas.
  - Tiene que marcar las respuestas del examen con lápiz del número dos, como se indica a continuación:

¡ATENCIÓN!
EJEMPLO DE FORMA DE MARCAR

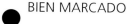 BIEN MARCADO

  MAL MARCADO

USE ÚNICAMENTE LÁPIZ DEL NÚMERO 2.
CORRIJA BORRANDO INTENSAMENTE.

Ojo: En algunos países o ciudades las hojas de respuesta vienen ya con los datos del candidato y las respuestas se rellenan solo con bolígrafo.

Importante: Se requiere la calificación de *apto* en cada uno de los dos grupos de pruebas en la misma convocatoria de examen.

Grupo 1: Comprensión de lectura y Expresión e interacción escritas.

Grupo 2: Comprensión auditiva y Expresión e interacción orales.

Cada grupo se puntúa sobre 50. La puntuación mínima para resultar apto es de 30 puntos.

PRUEBA N.º 1 Comprensión de lectura (70 minutos) 36 ítems.

Esta prueba se encuentra en el Cuadernillo n.º 1 y consta de 4 tareas:

Tarea 1: • Comprender las ideas esenciales y la información específica en textos complejos.
• Selección múltiple: 6 ítems y 3 opciones de respuesta.
• Textos informativos complejos del ámbito público, profesional o académico. (400 a 450 palabras)

Tarea 2: • Localizar información específica en textos e inferir información.
• Relacionar 4 textos de entrada con 10 ítems. (130-150 palabras)
• Textos expositivos del ámbito personal y público.

Tarea 3: • Reconstruir la estructura global de un texto. Completar párrafos con 6 ítems (15-20 palabras) de los 8 enunciados propuestos.
• Artículos de opinión, noticias, cartas al director, guías de viaje… (400-450 palabras)

Tarea 4: • Identificar estructuras gramaticales. *Cloze* cerrado de 14 ítems con 3 opciones de respuesta.
• Textos literarios o históricos. (400-450 palabras)
  Ver descripción detallada de cada tarea, pág. 252-258.

PRUEBA N.º 2 Comprensión auditiva (40 minutos) 30 ítems.

Esta prueba se encuentra en el Cuadernillo n.º 1 y consta de 5 tareas:

Tarea 1: • Captar las ideas fundamentales y extraer información. Selección múltiple: 6 ítems y 3 opciones de respuesta.
• 6 conversaciones formales e informales. (40-60 palabras cada una)

Tarea 2: • Reconocer información específica. Asociación de ideas: 6 ítems con una persona determinada.
• Conversación entre dos personas. Ámbito público y personal. (450-500 palabras)

Tarea 3: • Extraer información e inferir implicaciones. Selección múltiple: 6 ítems y 3 opciones de respuesta.
• Entrevista radiofónica o televisiva de los ámbitos público, profesional y académico. (400-450 palabras)

Tarea 4: • Captar la idea fundamental de monólogos o conversaciones breves.
• Correspondencias: 6 ítems y 9 opciones de respuesta.
• Monólogos cortos de los ámbitos profesional y académico. (50-70 palabras)

Tarea 5: • Extraer información e inferir implicaciones. Selección múltiple. 6 ítems y 3 opciones de respuesta.
• Conferencia, discurso o monólogo extenso de los ámbitos público, profesional y académico.
  Ver descripción detallada de cada tarea, pág. 259-260.

PRUEBA N.º 3 Expresión e interacción escritas (80 minutos)

Esta prueba se encuentra en el Cuadernillo n.º 2 y consta de 2 tareas:

Tarea 1: • Comprender un texto oral informativo y redactar una carta o un correo electrónico.
• Redactar un texto epistolar, formal o informal. (150-180 palabras)
• Se parte de un estímulo oral: noticias, anuncios, comentarios... (200-250 palabras)
• Pautas para redactar el texto.

Tarea 2: • Redactar un texto argumentativo con opiniones y valoraciones a partir de gráficos, textos o tablas.
• Redactar en un registro formal un artículo de opinión (entre 150 y 180 palabras) a elegir entre 2 opciones:
  – Opción A: Se comentará un gráfico o una tabla con datos estadísticos.
  – Opción B: Se comentará un artículo en un blog o una reseña. (200-250 palabras)
• Pautas para redactar el texto.
  Ver descripción detallada de cada tarea, pág. 261-265.

PRUEBA N.º 4 Expresión e interacción orales (20 minutos + 20 minutos de preparación)

Esta prueba consta de 3 tareas:

Tarea 1: • Valorar ventajas y desventajas de una serie de propuestas a partir de las que se intentará resolver una situación problemática.
• Monólogo breve y conversación posterior (6-7 minutos). Dos opciones. Se elige una y se prepara.
• Lámina con una situación problemática y de 5 a 7 propuestas para solucionarla.

Tarea 2: • Descripción de una situación a partir de un enunciado, una foto y unas pautas.
• Monólogo breve y conversación posterior (5-6 minutos). Dos opciones. Se elige una y se prepara.
• Lámina con una foto, un enunciado y pautas para el candidato.

Tarea 3: • Conversación a partir de un estímulo escrito o un gráfico. (3-4 minutos)
• Dos opciones. Se elige una y no se prepara antes.
• Una o dos láminas con instrucciones de la tarea y estímulo para la conversación.
  Ver descripción detallada de cada tarea, pág. 266-271.

En los exámenes originales los temas de cada una de las pruebas son diferentes entre sí. En este libro se ofrecen modelos de exámenes englobados por temas para facilitar el aprendizaje del vocabulario y el desarrollo de estrategias por parte del candidato.

Para más información le recomendamos que visite la dirección oficial de los exámenes http://dele.cervantes.es/informacion/niveles/nivel_b2.html donde encontrará fechas y lugares de examen, precios de las convocatorias, modelos de examen y demás información práctica y útil para que tenga una idea más clara y precisa de todo lo relacionado con estos exámenes.

examen 1

INFORMACIÓN,
MEDIOS DE COMUNICACIÓN
Y SOCIEDAD

Curso completo

▶ **Léxico** ■ Información y medios de comunicación

▶ **Gramática**

▶ **Funciones**

Modelo de examen 1

Especial DELE B2 Curso completo

8

PRENSA Y TELEVISIÓN

Artículo de opinión (el) ....
- de fondo ....
Audición (la) ....
Cámara (el) ....
Censura (la) ....
Corresponsal (el/la) ....
Dato (el) ....
Emisión (la) ....
Enviado/a especial (el/la) ....
Espacio publicitario (el) ....
Informativos (los) ....
Libertad de prensa (la) ....
Medio audiovisual (el) ....
Noticias de actualidad (las) ....
Noticia fiable (la) ....
- de última hora ....
Oyente (el/la) ....
Parte meteorológico (el) ....
Prensa rosa (la) ....
- del corazón ....
- amarilla ....
Pie de foto (el) ....
Portada (la) ....
Programa televisivo (el) ....
Programación apta para todos los públicos (la) ....
Redactor/-a (el/la) ....
Reportero/a (el/la) ....
Rumor (el) ....
Telespectador/-a (el/la) ....
Teleadicto/a (el/la) ....
Titular (el) ....
Última hora (la) ....

Verbos y expresiones

Cambiar de canal ....
Dar una rueda de prensa ....
Enterarse de una noticia por casualidad ....
Formular una crítica ....
Mantener el contacto ....
Perderse un programa ....
Suscribirse a un periódico ....
Zapear ....

CORRESPONDENCIA ESCRITA

Carta confidencial (la) ....
Carta de solicitud de trabajo (la) ....
Certificar una carta ....
Correo certificado (el) ....

Verbos y expresiones

Entregar en mano ....
Recoger la correspondencia en mano.............................

PUBLICIDAD

Buzoneo (el) ....
Campaña publicitaria (la) ....
Estudio de mercado (el) ....
Lanzamiento de un producto (el) ....
Propaganda (la) ....
Publicidad subliminal (la) ....

TELÉFONO, ORDENADORES E INTERNET

Altavoz (el) ....
Base de datos (la) ....
Chat (el) ....
Compañía telefónica (la) ....
Curso presencial (el) ....
- virtual ....
Cursor (el) ....
Derecho a la propiedad intelectual (el) ....
Descarga (i)legal (la) ....
Disco duro (el) ....
Equipo informático (el) ....
Escritorio (el) ....
Foro (el) ....
Hoja de cálculo (la) ....
Intercambio de archivos (el) ....
Internauta (el/la) ....
Monitor (el) ....
Pantalla plana (la) ....
Recibo (el) ....
Redes sociales (las) ....
Servidor (el) ....
Tecnología multimedia (la) ....
Transferencia de ficheros (la) ....
Vídeo casero (el) ....

Verbos y expresiones

Abrir(se) una cuenta de correo ....
Acceder a ....
Adjuntar un documento ....
Apuntarse en una lista de distribución ....
Bloquear(se) el ordenador ....
Cambiar la configuración ....
Colgar algo en la web ....
Configurar ....
Contratar una tarifa plana ....
Cortar(se) la comunicación ....
Dar de alta/de baja la línea ....
Dar un buen/mal servicio ....
Hacer una llamada local ....
- interurbana ....
Llamar a cobro revertido ....
Pinchar en un enlace ....
(Re)iniciar el ordenador ....

9

1 Sustituye las palabras marcadas por otras equivalentes de esta lista.

a. No tienes que dar credibilidad a *esas informaciones que corren entre la gente.*
.......1. rumores...............

b. No te preocupes, lo que van diciendo son informaciones *no oficiales.*
....

c. Para poder hablar primero tienes que *iniciar* .... la comunicación con él.

d. ¿Hay alguien que quiere *hacer* .... alguna pregunta?

e. *He sabido* .... la triste noticia por la prensa.

f. Para poder opinar con fundamento hay que *estar siempre* .... bien informado.

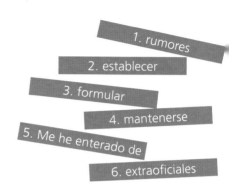

1. rumores
2. establecer
3. formular
4. mantenerse
5. Me he enterado de
6. extraoficiales

2 Relaciona estas palabras con su imagen correspondiente. Después, completa la frase con ellas.

1.	El sobre
2.	El sello
3.	El destinatario
4.	El buzón
5.	El remitente

e. ☐

a. ☐

b. ☐   Rafael Gil Armesto
C/ Leñeros, 33, Bajo D
28011 - Madrid - España

Montse García de Soto
C/ Cienfuegos, 69, 4.º Izq.
28015 - Madrid - España

d. ☐

c. ☐

Después de escribir una carta hay que guardarla en el ___, y luego, escribir el nombre del ___ y detrás el del ___. Por último, se pega un ___ y se echa al ___.

3 Completa estos diálogos seleccionando entre las trece palabras propuestas las seis adecuadas.

a. prefijo
b. a mano
c. guía telefónica
d. en mano
e. apdo.
f. casualidad
g. p.º
h. oralmente
i. por escrito
j. fiable
k. páginas amarillas
l. rumores
m. extensión

1. Las cartas certificadas deben entregarse siempre ___.

2. Los procesadores de texto como Microsoft Word ofrecen la opción de escribir textos ___.

3. La abreviatura de apartado de correos es: ___.

4. Me he enterado de la noticia por pura ___. La prensa no ha dicho nada sobre el tema.

5. Cuando se contrate un servicio por teléfono, se debe recibir también el contrato ___.

6. ¿Sabes cuál es el ___ para llamar a Barcelona?

4 Selecciona la opción correcta.

a. Hoy en día la mayoría de los teléfonos utilizan la tecnología *digital/analógica.*

b. No funciona bien Internet, voy a llamar al servicio de atención al *cliente/personal.*

c. Ya he pagado el móvil, pero todavía no me han mandado *el recibo/la factura.*

d. Como no tengo mucho dinero, voy a llamar a mi familia a cobro *pagado/revertido.*

e. Creo que es mejor contratar una tarifa *plana/económica*, así pagas lo mismo cada mes.

f. Siempre que quiero hacer una reclamación me salta el *buzón/contestador* de voz.

g. Me he quedado sin *energía/batería*, así que no puedo llamar.

h. Me voy a dar de *baja/alta* con esta compañía, siempre me da problemas.

i. ¡Qué rabia, me he quedado sin *dinero/saldo* y aquí no puedo recargar la tarjeta!

j. Voy a salir a la calle para hablar. En este local no hay *cobertura/línea.*

5 ¿Te ha pasado anteriormente alguna de las situaciones del ejercicio 4? Cuenta o escribe una anécdota. Tienes que usar cinco palabras o expresiones nuevas del ejercicio anterior.

Pues a mí una vez se me estropeó el coche y, cuando fui a llamar para pedir ayuda, me di cuenta de que no tenía batería en el móvil. Entonces…

6 Lee este titular de prensa, analiza el gráfico y explica si la situación en tu país es similar a esta.

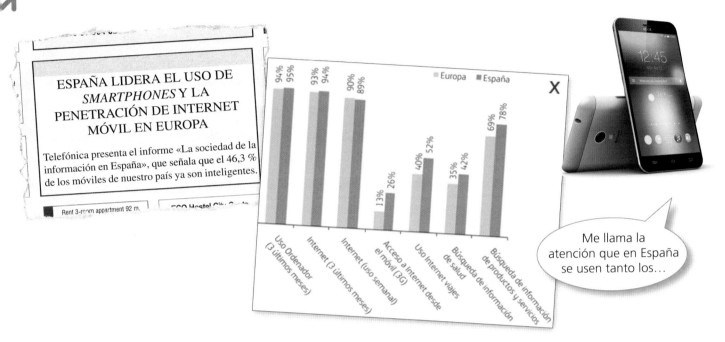

ESPAÑA LIDERA EL USO DE *SMARTPHONES* Y LA PENETRACIÓN DE INTERNET MÓVIL EN EUROPA

Telefónica presenta el informe «La sociedad de la información en España», que señala que el 46,3 % de los móviles de nuestro país ya son inteligentes.

Rent 3-room appartment 92 m.

■ Europa ■ España

Uso Ordenador (3 últimos meses)	94%	95%
Internet (3 últimos meses)	93%	94%
Internet (uso semanal)	90%	89%
Acceso a Internet el móvil (3G)	13%	26%
Uso Internet desde viajes	40%	52%
Búsqueda de información de salud	35%	42%
Búsqueda de información de productos y servicios	69%	78%

Me llama la atención que en España se usen tanto los…

7 Describe esta foto.

- ¿Quiénes son estas personas?
- ¿Dónde están?
- ¿Qué están haciendo?
- ¿Qué opinas sobre ello?

Parece que es un grupo de amigos que…

8 Selecciona tres ventajas y desventajas de los teléfonos inteligentes y da tu opinión.

En mi opinión, las principales ventajas de los teléfonos inteligentes son la comodidad de… porque…

☺ VENTAJAS
- ☐ La comodidad: el tamaño, la pantalla táctil.
- ☐ La facilidad para comunicarse: chatear, usar redes sociales…
- ☐ La posibilidad de instalar muchas aplicaciones.
- ☐ La facilidad para conectarse a Internet.
- ☐ La realización de distintas operaciones: comprar, enviar correos…
- ☐ El entretenimiento: juegos, música…
- ☐ Otros…

☹ DESVENTAJAS
- ☐ El elevado precio.
- ☐ Los altos gastos en tarifas, aplicaciones…
- ☐ El aislamiento social.
- ☐ La dependencia y posible adicción.
- ☐ La pérdida de intimidad al publicar datos, fotos.
- ☐ La escasa duración de la batería.
- ☐ Otros…

9 La prensa escrita. Busca el significado de las palabras nuevas de este apartado y clasifícalas todas.

el titular c.   la primera página   el suplemento   el/la redactor/-a (jefe)   la prensa deportiva
la crónica   la prensa amarilla   la crítica   la noticia de actualidad   la prensa económica
el corresponsal   el editorial   la redacción   el artículo de opinión   la carta al director
el pie de foto   la prensa escrita a.   la prensa rosa   la edición   el artículo de fondo
el editor   la prensa gratuita   la portada   el enviado especial   el subtítulo

a. Tipos de prensa	b. Secciones de un periódico	c. Partes de una noticia	d. Profesión de prensa
La prensa escrita		El titular	

10 Responde brevemente a estas preguntas sobre la prensa, también llamada *el cuarto poder*.

- ¿Crees que desaparecerá la prensa en papel o escrita por culpa de la prensa digital?
- Según tu opinión, ¿existe algún tipo de censura en los medios periodísticos?
- ¿Debería existir la censura en algún caso concreto o crees en la libertad de expresión sin restricciones?
- ¿Sueles leer algún tipo de prensa? ¿Estás suscrito a algún periódico o revista?
- ¿Cuál es la sección de un periódico o revista que más te interesa?

11 Coloca estas palabras relacionadas con la radio y con la televisión en la columna adecuada.

a. El programa radiofónico   f. El oyente
b. La cadena   g. El telespectador
c. El locutor   h. El programa televisivo
d. La emisora   i. El teleadicto
e. El canal   j. Zapear

 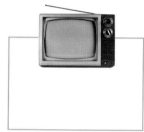

12 Escribe la palabra correspondiente a la definición.

a. Cambiar de canal frecuentemente con el mando a distancia es: Z_ _ _ _ _.
b. Una persona que escucha la radio es un: _ _ _ N_ _.
c. Una persona que ve la televisión es un: _ _ _ _ _ _ _ _ _ _ _ R.
d. La persona que habla en la radio es el: _ O_ _ _ _ _.
e. El lugar donde se emite el programa de radio es la: E _ _ _ _ _ _.
f. El conjunto de emisoras donde se emiten programas de radio es la: _ A _ _ _ _.

13 Di si estás de acuerdo o no con estas opiniones.
Yo no estoy de acuerdo con la idea de que la televisión…

a. La televisión es una pérdida de tiempo, fomenta el sedentarismo.
b. Deberían prohibir la telebasura y fomentar la calidad de los programas.
c. En horario infantil solo habría que dar programas aptos para todos los públicos.
d. Los horarios deberían revisarse: terminan muy tarde y eso afecta al sueño y al descanso, especialmente de los niños.
e. Los jóvenes ya no ven mucho la tele: prefieren ver series por Internet o usar Netflix.
f. Lo mejor de la tele son los informativos y los documentales.

14 Selecciona dos programas que recomendarías a un niño, un adolescente, un joven de 25 años, un hombre de 50 y una mujer de 80.
A un niño le recomendaría ver…

Parte meteorológico   Informativos   Espacio publicitario   Capítulo… de la serie…
Telenovela, culebrón   Concurso de…   Debate sobre…   Documental sobre…
Película   Dibujos animados   Reportaje sobre…   Deportes
Partido de fútbol entre… Rueda de prensa de…   Programa de entretenimiento Crítica de espectáculos

15 Relaciona estas palabras con las imágenes.

a. La pantalla
b. La pantalla táctil
c. El ratón
d. El teclado
e. El ordenador portátil
f. La tableta
g. La conexión a Internet

1.
2.
3.
4.
5.
6.
7.

16 A. Relaciona las palabras de cada columna.

a. Pinchar
b. Instalar
c. Eliminar
d. Introducir
e. Escribir
f. Bajarse
g. Colgar
h. Adjuntar
i. Enviar, reenviar

1. un programa
2. un correo electrónico
3. la contraseña
4. el nombre de usuario
5. un documento
6. una película
7. un virus
8. un archivo
9. un enlace

B. Completa las frases con el vocabulario anterior.

1. Para iniciar sesión en un ordenador, hay que…
2. Para enviar por correo electrónico un trabajo, hay que…
3. Para que el ordenador funcione rápido y bien, hay que…
4. Para acceder a una página dentro de un documento, hay que…
5. Para poder ver una serie o escuchar música, hay que…

17 ¿Qué opinas de la piratería en Internet? ¿Con qué opciones estás más de acuerdo? ¿Y menos? Argumenta tu respuesta.

Yo no estoy de acuerdo con la idea de que se pongan…

- Poner fuertes multas a quienes bajen contenidos ilegales.
- Permitir el acceso gratuito a todo tipo de contenidos de Internet.
- Hacer campañas para que la gente tome conciencia de que no pueden ser gratis todos los contenidos en la red.
- Llevar a prisión a los responsables de la creación de páginas con contenidos ilegales.

18 Elige la palabra adecuada de cada expresión o locución.

a. Hoy por *hoy/ahora* la prensa escrita supera a la digital.
b. He echado un *ojeo/vistazo* a la programación y no he visto nada interesante.
c. La noticia de la boda de la pareja corrió de *oreja/boca* en boca por toda la sala.
d. El delegado se hizo un *lío/tío* al explicar las razones de su dimisión.
e. Sé de buena *tinta/manera* que hoy van a entrevistar a Messi en la radio.
f. No sé qué pasa que cada dos por *tres/cuatro* se me va la conexión a Internet.
g. La sala donde se celebraba la rueda de prensa estaba de *lote/bote* en bote.
h. El señor ministro se fue por las *flores/ramas* en su explicación.
i. Al final, el mejor concursante del programa pagó el *pavo/pato* y fue expulsado.
j. Venga, sé valiente y pon los puntos sobre las *íes/aes* de una vez.

1 Completa estas frases seleccionando la opción correcta.

SERIE 1

1. Una pareja de ancianos ha sido asesinada esta mañana. Aún no ha aparecido el autor ni ____ arma del crimen.
   a. la   b. el   c. una

2. En las noticias dicen que se ha roto una tubería en nuestra calle y se está saliendo ____ agua.
   a. todo el   b. toda el   c. toda la

3. ¿Sabes? El nuevo presentador de los informativos de Canal 20 es un ____ amigo mío.
   a. grande   b. gran   c. bueno

4. La hija de la famosa actriz Tania Valero es un bebé ____ y muy sonriente.
   a. bueno   b. buena   c. buen

5. Mi hijo quiere ser ____ periodista, pero yo preferiría que estudiara Informática, la verdad.
   a. un   b. Ø   c. una

6. Pues mi cuñado es ____ periodista muy reconocido y suele tener buenos trabajos.
   a. un   b. Ø   c. una

7. Yo no tengo ____ móvil. Me parece que esos aparatos te quitan tiempo para hacer cosas más importantes.
   a. un   b. Ø   c. el

8. El nuevo director de nuestro periódico antes fue redactor jefe ____ *Correo* de Bilbao.
   a. del   b. de un   c. de El

9. ¿Ya te has enterado de ____ Ángela García y Ramón Jurado?
   a. lo de   b. la de   c. esto de

10. José siempre ha trabajado en museos y ahora es jefe de prensa ____ Reina Sofía.
   a. de la   b. de   c. del

11. Me gustaría ir hoy al museo ABC, pero voy a mirar el horario porque no sé si cierra ____ lunes.
   a. en   b. por   c. los

12. En ese canal son ____ irresponsables. Dan siempre noticias basadas en rumores y no en fuentes fiables.
   a. unos   b. mucho   c. nada

2 Completa estas frases seleccionando la opción correcta.

SERIE 2

1. ¿Que si tenía teléfono cuando era joven? ¡Qué va, en ____ tiempos no existían los móviles!
   a. estos   b. unos   c. aquellos

2. En mi oficina somos muy pocos. Te los presento: Ana y Rosa son ____ y Alberto, el técnico informático.
   a. mis compañeras   b. algunas compañeras   c. unas compañeras mías

3. En este momento Juan no se puede poner al teléfono: está hablando con una amiga ____.
   a. suyo   b. suya   c. de ella

4. ¿Cómo terminó el episodio de ayer? Es que me dolía mucho ____ cabeza y me fui a dormir sin ver el final.
   a. mi   b. la   c. una

5. Mira, te he dejado ____ portada preparada. Solo falta poner los pies de foto y los titulares.
   a. la mitad   b. la media   c. media

6. ¿Que yo estoy más tiempo que tú conectado a Internet? Qué va, tú estás el ____ que yo.
   a. triple   b. tercio   c. tres veces más

7. En mi opinión, la cifra de españoles que lee la prensa todos los días no llegará ni a un ____ de la población.
   a. tercio   b. triple   c. tercera parte

8. ¡No me digas que ya ha acabado el telediario! ¡Pero si no han dado ____ noticia del accidente de ayer!
   a. alguna   b. ninguna   c. nada de

9. ¿Que qué motivos tengo para quitarte el móvil? Pues tengo ____ fundamental: tienes que estudiar.
   a. alguno   b. ninguno   c. uno

10. Carlos es ____ descuidado en su aspecto físico. Debería arreglarse más para salir en la tele. ¿No te parece?
   a. poco   b. algo   c. nada

11. ____ persona puede cumplir sus sueños si está convencido de ello.
   a. Cualquiera   b. Cualquiera de   c. Cualquier

12. ¡Me he perdido el último capítulo de la serie! ¡Y no era un capítulo ____: era donde se descubría al asesino!
   a. cualquiera   b. cualquier   c. cualquier otro

3 Completa estas frases seleccionando la opción correcta.

1. Podríamos participar en un concurso de televisión. ¿Quieres apuntarte _____ a *Caiga quien caiga*?
     a. con mi   b. contigo   c. conmigo

2. Jaime, esto no puede ser. A partir de ahora, la factura del teléfono _____ pagas tú.
     a. te lo   b. te la   c. se la

3. Javier García y Adriana Romero han roto. Pero no _____ digas a nadie. Aún no es oficial la noticia.
     a. le   b. se la   c. se lo

4. ¿Que si estoy seguro de que el de la foto es Pepe? Pues claro que _____ estoy. ¡Estaba yo allí también…!
     a. yo   b. si   c. lo

5. ¡Aquí me ves, desesperada! Es que _____ ha borrado un archivo importante y no lo puedo recuperar.
     a. Ø   b. se me   c. me lo

6. ¿Quieres que _____ esta noche con Fernando y Alicia? Podemos salir a tomar algo o ir al cine.
     a. quedemos   b. nos quedemos   c. vengamos

7. El corresponsal en Londres _____ mucho a un compañero que tuve en la facultad de Periodismo.
     a. parece   b. se parece   c. es parecido

8. ¿_____ de tus amigos leen la prensa deportiva?
     a. Cuál   b. Cuántos   c. Quién

9. ¿Puedes explicarme _____ diferencia hay entre una señal analógica y otra digital?
     a. que   b. qué   c. cuál

10. No voy a decirte _____ no podemos publicar esto. Tú sabes de sobra la razón.
     a. por que   b. por qué   c. porque

11. ¿Por qué no voy a poder dar mi opinión sobre la política actual? ¿_____ tú lo digas?
     a. Por que   b. Por qué   c. Porque

12. ¡Qué bien que estés aquí! No sabes _____ te agradezco que hayas venido al debate.
     a. que   b. cómo   c. qué

4 Completa estas frases seleccionando la opción correcta.

1. El niño _____ sale en el reportaje que vimos ayer es un huérfano de guerra.
     a. quien   b. a que   c. que

2. La chica _____ te hablé ayer es la redactora jefe de nuestra revista.
     a. por quien   b. a quien   c. de quien

3. Ese joven, _____ ha perdido a sus padres en la guerra, ha sido acogido por una familia española.
     a. que   b. por que   c. a quien

4. Tu, _____ eres mi mejor reportero, deberías preparar un documental sobre los refugiados.
     a. quien   b. que   c. el que

5. _____ estén suscritos a nuestra revista este mes participarán en el sorteo de un ordenador.
     a. Quien   b. Los que   c. Las que

6. No puedo llevarme bien con _____ no me respeta.
     a. quien   b. la que   c. los que

7. El editor del periódico, _____ se ha peleado toda la redacción, ha decidido cambiarse de trabajo.
     a. con la que   b. con el que   c. de quien

8. Puede enviar el paquete _____ le venga mejor, por correo ordinario o certificado.
     a. donde   b. como   c. cuando

9. Este es el pueblo _____ íbamos durante las vacaciones de verano. Entonces no había Internet.
     a. dónde   b. adonde   c. en donde

10. Mira, este es el lugar _____ se rodó aquel documental sobre la guerra civil.
     a. donde   b. el que   c. adonde

11. Me parece admirable _____ ha conseguido trabajando toda la vida en la radio.
     a. lo que   b. las que   c. el que

12. Ayer nos dijiste una mentira, _____ hoy te quedas castigado sin videojuegos.
     a. por el que   b. por quien   c. por lo que

1 SERIE 1

Elige la opción correcta y completa el cuadro de funciones con las fórmulas correspondientes a cada una.

1. ¿Qué pensáis __ despido de la presentadora de *Sálvame*?
   a. en lo del   b. de lo de   c. de lo del

2. ¿__ lo del divorcio de Pedro y Amelia?
   a. Qué piensas   b. Qué te parece   c. Cuál es tu opinión

3. ¿__ que deberíamos asistir a la entrevista de Pablo?
   a. Consideras   b. En tu opinión   c. Qué piensas

4. __, no es bueno que los niños usen el móvil.
   a. Yo veo   b. Yo opino   c. A mi modo de ver

5. __ los expertos, los virus informáticos nunca desaparecerán.
   a. En la opinión   b. Según   c. Consideran que

6. Yo __ que no hay libertad de expresión en esta cadena.
   a. diría   b. me pareció   c. creí

7. Voy a cambiar de compañía telefónica. ¿__ ves?
   a. Qué tal   b. Cómo   c. Cómo lo

8. ¿__ buena idea que contratemos televisión por cable?
   a. Te parece   b. Qué te parece   c. Qué tal es

9. Todo el día está viendo telenovelas…Yo __ una tontería.
   a. considero   b. veo   c. lo encuentro

10. __ fatal que no entregaras el paquete en mano.
   a. Parece   b. Estuvo   c. Lo veo

11. ¡__ que den publicidad! ¡Está tan emocionante la película…!
   a. Qué mal   b. Qué bien   c. Qué buena

12. Tiene demasiada suerte en todo. No sé, me __ extraño.
   a. considero   b. veo   c. resulta

Tu listado

a. Pedir opinión
   ¿(Tú) qué piensas de que…?
   1. ....
   2. ....
   3. ....

b. Dar opinión
   A mí me pareció que…
   4. ....
   5. ....
   6. ....

c. Pedir valoración
   ¿Te parece bien/mal lo de…?
   7. ....
   8. ....

d. Valorar
   El examen me salió genial.
   9. ....
   10. ....
   11. ....
   12. ....

2 SERIE 2

Elige la opción correcta y completa el cuadro de funciones con las fórmulas correspondientes a cada una.

1. Yo prohibiría escenas de violencia en horario infantil. ¿__ yo?
   a. Ves como   b. Lo ves como   c. Lo ves así

2. ¿Estás __ adelantar los horarios nocturnos de la televisión?
   a. de acuerdo con   b. de acuerdo   c. de acuerdo de

3. Pues sí, a mí también __.
   a. lo veo así   b. lo creo   c. me lo parece

4. Y yo también __ tu opinión sobre el tema.
   a. comparto   b. lo creo   c. estoy de acuerdo

5. A mí tampoco __ agradable que den ese tipo de programas.
   a. lo veo   b. lo encuentro   c. me resulta

6. Yo estoy de acuerdo contigo __ que dan mucha telebasura.
   a. en lo de   b. de lo de   c. a lo de

7. __ que sí. Deberían ofrecer más contenidos culturales.
   a. Sin duda   b. Desde luego   c. Tienes razón

8. Pues yo no estoy __ de acuerdo contigo en este tema.
   a. gran parte   b. del todo   c. casi todo

9. Pues yo pienso justo __ que tú.
   a. te equivocas   b. lo contrario   c. no tienes razón

10. Yo __ es justo que dudes de los datos oficiales.
   a. no lo veo que   b. no me parece   c. opino que no

11. Yo no estoy __ de acuerdo contigo. Los datos son falsos.
   a. en lo de   b. con lo de   c. en absoluto

12. Pues yo __ que tú.
   a. no lo veo igual   b. lo veo igual   c. no lo veo así

Tu listado

e. Preguntar si se está de acuerdo
   ¿Qué te parece que…?
   1. ....
   2. ....

f. Expresar acuerdo
   (¿No te parece que…?) Pues sí.
   3. ....
   4. ....
   5. ....
   6. ....
   7. ....

g. Expresar desacuerdo
   (¿No te parece que…?) Pues no.
   8. ....
   9. ....
   10. ....
   11. ....
   12. ....

3 SERIE 3

Elige la opción correcta y completa el cuadro de funciones con las fórmulas correspondientes a cada una.

1. __ que no respondieras a mi llamada. Eso no se hace.
   a. A mí no me parece   b. Me pareció fatal   c. Me pareció bien
2. __ haberte bajado ese programa, era muy poco fiable.
   a. Tendrías que   b. Qué mal que   c. No deberías
3. Dicen que van a poner wifi gratis en todo el barrio. Yo __.
   a. según se mire   b. lo dudo   c. es bastante dudoso
4. No me creo que en esa tienda regalen móviles, pero __…
   a. si tú lo dices   b. yo lo veo claro   c. según se mire
5. __ , pero de verdad lo he leído, aunque parezca raro.
   a. Puede que   b. No dudo que   c. Puede que tengas razón
6. __ el artículo esté bien escrito, pero el contenido es malo.
   a. Dudo que   b. No dudo (de) que   c. Puede que sí
7. __ de que hemos enviado el correo esta mañana.
   a. Sin duda   b. No hay duda   c. Es obvio
8. Estoy absolutamente __ de que esta serie es un plagio.
   a. convencido   b. sin duda   c. cierto
9. __ , el editorial de esta mañana ha sido muy acertado.
   a. No dudo que   b. No hay duda de   c. Sin duda
10. __ que el presidente haya hecho esas declaraciones.
   a. Es cierto   b. Es evidente   c. No es verdad
11. No estoy del todo __ de que la noticia sea cierta.
   a. seguramente   b. segura   c. con seguridad
12. __ que la contraseña será la misma, ¿no?
   a. Supongo   b. Es dudoso   c. No está claro
13. Tengo la __ de que las encuestas van a acertar esta vez.
   a. seguridad   b. duda   c. sensación
14. Yo __ que lo de su dimisión no está tan claro.
   a. no estoy seguro   b. diría   c. afirmo

Tu listado

h. Expresar aprobación y desaprobación
   1. ....
   2. ....

i. Mostrar escepticismo
   3. ....
   4. ....

j. Presentar un contraargumento
   Bueno/Ya, pero…
   5. ....
   6. ....

k. Expresar certeza y evidencia
   Evidentemente…
   7. ....
   8. ....
   9. ....
   10. ....

l. Expresar falta de certeza y evidencia
   Me imagino que…
   11. ....
   12. ....
   13. ....
   14. ....

4 Corrección de errores

Identifica y corrige los errores que contienen estas frases. Puede haber entre uno y tres en cada una.

a. Llama mi atención que el radio se usa tanto en España.
b. Me parece que libertad de expresión sea un derecho importante de las personas.
c. La problema es la libertad de expresión no existe en muchos países.
d. En mi punto de vista todo el mundo necesitan tener conexión a Internet.
e. Hay una diferencia entre mí y los españoles en usando Internet.
f. Supongo que sea verdad que dices.
g. No pienso que es buena idea de tener gratis la música en Internet.
h. Es raro que la gente no usan WhatsApp en muchos países.
i. Me he enterado que ha ganado un premio con un foto de su perro.
j. Podría ser muy bien que dices, pero no estoy de acuerdo con.

5 Uso de preposiciones

Tacha la opción incorrecta en estas frases.

a. Yo pienso *en/a* ello constantemente.
b. No estoy de acuerdo *con/en* mi madre en casi nada.
c. No me entero *de/Ø* nada de lo que dice ese político.
d. Estoy convencido *Ø/de* que no es él.
e. Me he dado *en/de* baja de mi compañía telefónica.
f. El paquete se lo entregarán *a/en* mano.
g. Por favor, ¿puede ponerse *en/al* teléfono?
h. Me voy a suscribir *a/en* una revista de decoración.
i. Los medios de comunicación pueden influir *a/en* nuestras ideas.
j. Me he dado cuenta *en/de* que no he guardado mis documentos.

Comprensión de lectura

70 min

Tiempo disponible
para las 4 tareas.

TAREA 1

(Ver características y consejos, p. 252)

A continuación va a leer un texto. Después, deberá contestar a las preguntas, 1-6, y seleccionar la respuesta correcta, a), b) o c).

¿Facebook o Twitter? Depende de si uno tiende al exhibicionismo o al narcisismo. Facebook, la mejor opción para los exhibicionistas, ofrece un espléndido escaparate para aquellos que necesitan compartir su vida con el mundo, desde el beso con la novia al cruasán del desayuno o las nuevas zapatillas. Twitter, por el contrario, se acomoda al narcisista, al que tiene que demostrar al máximo número de gente posible lo listo que es o lo informado que está. Da igual generar admiradores o enemigos, con tal de que se cumpla el requisito primario de que se le preste atención.

Según un estudio realizado en Australia hace un par de años, existe una correlación entre las horas que la gente dedica a las redes sociales y el grado de soledad que siente en su vida. Esto no significa que todos los que navegan por las redes sociales sean unos tristes ineptos en el cara a cara. Seguramente se podrá decir que cuantas más horas uno pase en las redes mayor posibilidad hay de sufrir un trastorno depresivo o antisocial.

El diálogo es constante y atraviesa fronteras, pero la calidad de la comunicación es limitada. Al no poder ver al otro, al no detectar sus momentos de duda o rabia, la conexión no es humanamente completa. Uno muestra su mejor cara, sin dejar entrever sus puntos débiles, con lo que proyecta una visión idealizada de uno mismo. En el mundo físico, uno se delata, por más que pretenda vender una imagen de autosuficiencia. Es así como se crean relaciones de auténtica amistad.

Con las redes sociales vemos la telenovela o el partido y al mismo tiempo compartimos por el telefonito comentarios sobre lo que vemos. Siempre y cuando uno tenga también una vida fuera del terreno informático, las redes sociales ofrecen la posibilidad de hacer algo menos complicado o ambicioso que forjar relaciones nuevas o sondear en las profundidades de nuestro ser: nos permiten pasar un rato divertido.

¿Es esto peligroso? Twitter puede crear complicados problemas legales en el caso de que más países decidan seguir el ejemplo del Reino Unido. Allá se considera que los tuiteros están sujetos a las mismas leyes de difamación que los periódicos. En el Reino Unido, en noviembre, un hombre fue acusado falsamente de pederastia en Twitter. Ahora, tanto la persona que publicó el tuit original como los que le retuitearon viven bajo la amenaza de una demanda.

Finalmente, ¿con quién voy? Decididamente con Twitter. Muchos periodistas dicen que se han metido en esta profesión para cambiar el mundo, para defender los derechos humanos, incluso para contar la verdad. Algo de eso hay, sin duda. Pero negar que, como todos los escritores, lo hacemos también por vanidad, para ser admirados y llegar a muchos lectores es caer en el autoengaño. Twitter alimenta el narcisismo y no es ninguna casualidad que muchísimos periodistas seamos tuiteros.

John Carlin
Adaptado de *http://sociedad.elpais.com*

PREGUNTAS

1. Según el texto,…
   a) Facebook es más usado entre la gente enamorada.
   b) Twitter es más apropiado para personas egocéntricas.
   c) en Twitter se generan más enemigos que en Facebook.

2. En el texto se indica que el uso de las redes sociales…
   a) es propio de personas que están deprimidas.
   b) hace más difíciles las relaciones sociales en la vida real.
   c) es mayor entre personas solitarias.

3. Una relación humana auténtica, según el texto,…
   a) es posible si uno habla de sus puntos débiles.
   b) exige que la persona no sea autosuficiente.
   c) no puede crearse a través de las redes sociales.

4. En el texto se señala que las redes sociales…
   a) son recomendables si se tienen también relaciones en el mundo real.
   b) ofrecen diversión sin complicaciones.
   c) ofrecen una vida distinta dentro del terreno informático.

5. Según el texto, Twitter puede causar problemas legales…
   a) a los que comuniquen información no verificada.
   b) en países que tienen el mismo sistema legal del Reino Unido.
   c) solo a los que comienzan un rumor en Twitter.

6. El autor del texto indica que, en su opinión,…
   a) el fin básico del periodismo es contar la verdad.
   b) los periodistas ambicionan la admiración de la gente.
   c) los periodistas engañan a veces a los lectores para ser admirados.

Especial DELE B2 Curso completo

TAREA 2

(Ver características y consejos, p. 254)

A continuación va a leer cuatro textos en los que cada persona habla de la formación en línea. Después, tendrá que relacionar las preguntas, 7-16, con los textos, a), b), c) y d).

PREGUNTAS

	a) Óscar	b) Raquel	c) Eduardo	d) Elena
7. ¿Quién considera que los tipos de educación tradicional y *on-line* se completan uno a otro?				
8. ¿Quién dice que con la enseñanza en línea es más fácil plantear los sistemas de examen?				
9. ¿Quién juzga que elegir un curso será más sencillo cuando se estabilice el sistema de enseñanza *on-line*?				
10. ¿Para quién es fundamental un cambio en la forma de pensar de los directivos de una empresa ante la enseñanza *on-line*?				
11. ¿Quién indica que la imagen que se tiene de la enseñanza tradicional es falsa?				
12. ¿Quién indica que la enseñanza *on-line* debe mucho a la tradicional?				
13. ¿Quién afirma que muchos centros están reconsiderando sus métodos de enseñanza?				
14. ¿Quién considera que la formación *on-line* no debería necesitar de la formación tradicional para su progreso?				
15. ¿Quién juzga imprescindible adaptarse a los nuevos tiempos para no estar fuera del mundo laboral y educativo?				
16. ¿Quién señala que en un principio el miedo a lo nuevo fue un obstáculo para el desarrollo de la enseñanza en línea?				

a) Óscar

La formación a través de Internet ofrece costes menos elevados que la formación tradicional, debido a la reducción considerable del tiempo que es necesario invertir en la formación, tanto por parte del alumno como, por supuesto, por parte del instructor, lo que implica un menor gasto. Otra ventaja es la flexibilidad en la evaluación: el propio sistema puede evaluar, previamente a la presentación del curso, a cada alumno en particular, para saber en qué nivel de conocimientos se encuentra y poder así adaptar la formación más adecuadamente según sus competencias. Por supuesto, también es posible realizar una evaluación al final de cada curso o módulo del mismo, para comprobar la efectividad de la formación. Es además un sistema con un alto grado de interactividad: por estar diseñado con tecnología multimedia se puede acceder a vídeos, imágenes, vocabulario, referencias cruzadas, etc.

b) Raquel

Todas las personas que trabajamos en el sector de la formación somos conscientes de que la formación en línea todavía no ha calado lo suficiente ni en el ámbito empresarial ni en el sistema educativo reglado. En el ámbito empresarial, este sistema implica un cambio de mentalidad en la dirección de formación de la empresa, así como un profundo dominio de los empleados en nuevas tecnologías. No obstante, todos los que trabajamos en ámbitos formativos somos conscientes de que la formación virtual no sustituirá en el futuro a la tradicional; ambas se complementarán y apoyarán. Todos los directamente implicados en tareas de formación y desarrollo, tanto corporaciones como universidades o escuelas de negocios, sabemos que no podemos dar la espalda a esta nueva concepción. Quien piense lo contrario y no esté en línea de salida cuando sea el momento, quedará irremediablemente fuera.

c) Eduardo

La educación virtual es una revolución sin vuelta atrás. Ha nacido una educación distinta a la tradicional, en muchos casos complemento de esta, pero esencialmente diferente. Esta caracterización permite inferir que la evolución de la educación virtual no debería depender de la tradicional. Sin embargo, en esta etapa inicial, la mayor parte de las acciones provienen de las estructuras tradicionales, y esto es lógico, pero también es lógico prever una incorrecta evolución si la educación virtual tiene que depender de la educación tradicional para su desarrollo. Estoy convencido de que la educación virtual cada vez tendrá más porcentaje de participación dentro del campo educativo porque sus fundamentos son sólidos y coincidentes con la evolución tecnológica del mundo y su presencia significativa será inevitable. No es *hija* de la educación tradicional, es *hermana*, llevan la misma sangre, se ayudan, se complementan, se necesitan, pero son dos vidas distintas.

d) Elena

Las primeras ofertas de formación *on-line* competían contra el temor hacia lo desconocido que inspiraba Internet y contra el mito de la educación presencial y participativa de la universidad. Cualquiera que haya pasado por las aulas universitarias españolas puede asegurar que eso es educación a distancia: clases masificadas, carentes de medios y donde la relación con el profesor es meramente protocolaria. Todo ello, junto a las ventajas del *e-learning*, propició un panorama muy prometedor que ha llevado a numerosas instituciones a replantearse sus cursos presenciales. En la actualidad se vive una proliferación de empresas que imparten cursos de posgrado y másteres *on-line*, por lo que el alumno debe realizar un cuidadoso proceso de selección. Todo apunta a que, cuando este fenómeno educativo esté más consolidado, los centros que imparten formación *on-line* alcanzarán mayor difusión social y consideración, con lo que será más fácil determinar las ofertas de calidad.

Adaptado de www.educaweb.com

TAREA 3

(Ver características y consejos, p. 255)

A continuación va a leer un texto del que se han extraído seis fragmentos. Después, lea los ocho fragmentos propuestos, a)-h), y decida en qué lugar del texto, 17-22, hay que colocar seis de ellos. Cuidado, hay dos fragmentos que no tiene que elegir.

---

el portal para el marketing, publicidad y los medios   los medios

Portada   Tarifas   Newsletter   Titulares en RSS   Contacto

Actualidad   Especiales   Creacion   Vídeo   Punto de Vista   Bolsa de Empleo   Servicios

LO ÚLTIMO » 08:30 **Anunciantes** Si los eslóganes de las grandes marcas fueran realistas…

Google™ Búsqueda personalizada   Buscar ×
con la tecnología de   Google™

30 mayo 2011

Exactamente… ¿Qué es la publicidad subliminal?

La publicidad subliminal es algo que sabemos que existe, aunque no es fácil de reconocer y, de alguna forma, nos influye sin saber cómo. **17.** _____.
Sin embargo, nuestro cerebro sí es capaz de hacerlo. Este mecanismo de acción puede repercutir en nuestro organismo de dos formas. Una es incitando al consumo directo. Y otra acción de la publicidad subliminal es provocarnos una sensación de necesidad, por ejemplo, sed, hambre, etc. **18.** _____.
La publicidad subliminal fue estudiada por James McDonald Vicary (1915-1977), famoso publicista estadounidense, muy conocido por sus polémicos métodos. Realizó un falso experimento en el que acreditaba la efectividad de la publicidad subliminal. **19.** _____. Este prohibió la publicidad de este tipo, catalogándola por encima de la publicidad engañosa o la comparativa.
El experimento de Vicary es considerado como una leyenda urbana. Lo que hizo fue emitir una imagen de pocas décimas de segundo durante la filmación de una película en un cine. **20.** _____.
El resultado del experimento hizo aumentar la venta de palomitas en un 58% y del refresco en un 18%.

La revista de la Asociación Estadounidense de Psicología se ha tomado en serio los resultados del efecto de la publicidad subliminal. **21.** _____. Es decir, si tienes sed, te dan aún más ganas de beber, por decirlo de alguna manera.
La doctora en economía Annette Schäfer publicó un estudio bajo el nombre de *Neuromarketing* analizando por qué Coca-Cola se ha convertido en una de las marcas de refrescos más valoradas y vendidas, cuando en las catas a ciegas se suele preferir Pepsi. **22.** _____.
Se les evaluaron sus actividades cerebrales mientras recibían treinta y cinco refrescos diferentes con cafeína parecidos a la Coca-Cola. Los resultados están llenos de curiosidades. Resulta que la Pepsi producía una mayor actividad en una zona del cerebro relacionada con los sentimientos de satisfacción, pero sin embargo, la mayoría de los participantes del experimento preferían la Coca-Cola. ¿Estaban sugestionados por la publicidad subliminal? Sea publicidad subliminal o publicidad consciente, el conocer la marca lleva a un cambio básico en la actividad cerebral.

Adaptado de www.lavidacotidiana.es

FRAGMENTOS

a)

Los investigadores realizaron el experimento con el fin de examinar la actividad cerebral de los participantes.

b)

En un artículo demuestra que un anuncio de estas características potencia el efecto y refuerza una determinada conducta.

c)

Al emitirse un vídeo con una cadencia de catorce imágenes por segundo, no podemos percibir conscientemente cada una por separado.

d)

Resulta que Read Montague, un neurólogo y divulgador científico americano, realizó en el año 2003 un curioso experimento a cuarenta personas.

e)

Algo como «coma palomitas y beba Coca-Cola», imperceptible para el ojo humano pero no para el cerebro.

f)

Sin embargo, no se sabe con exactitud su alcance o hasta qué punto puede funcionar.

g)

A pesar de eso, se aplica a aquellos mensajes visuales con información que no se puede observar a simple vista.

h)

A pesar de tratarse de un mito, fue tenido en cuenta por muchos gobiernos, incluido el de Estados Unidos.

TAREA 4

(Ver características y consejos, p. 258)

A continuación va a leer un texto. Complete los huecos, 23-36, con la opción correcta, a), b) o c).

MUERTE ENTRE POETAS

Doña Agustina estaba sentada en una mecedora alfonsina de finales del siglo xix, de madera tan brillante _____23_____ los ojos de su dueña. Un secreter de líneas sencillas estaba abierto a su lado, pegado a la pared junto a una chimenea de azulejos pintados _____24_____ mano. En el ambiente anticuado de la habitación solo desentonaba un ordenador portátil Macintosh de última generación que lucía encima de una mesa camilla. No _____25_____ extrañó que la vieja señora _____26_____ informatizada. Su propia tía Pau era una forofa de las nuevas tecnologías, y le resultaba de una gran utilidad en la gestión de la revista electrónica. Nacho sospechaba que tía Pau mantenía relaciones a través de Internet no del todo apropiadas para su edad y condición. Su tía no estaba para muchos trotes sentimentales, _____27_____ también era perfectamente consciente de las ventajas de mantener líos amorosos en la distancia del ciberespacio.

Nacho contempló pasmado las oscilaciones de la pantalla y luego la cara de doña Agustina.

–Buenos días –dijo ella–. Aunque, _____28_____, eso de «buenos»… Vamos a dejarlo.

Se rebulló en el asiento y acarició al gato, un abisinio delgado, musculoso y tranquilo, de ojos avellana y una coqueta nariz con orla negra. Tenía el pelaje anaranjado y su cola enlutada parecía un látigo de peluche. Entornó sus bellos ojos y envió un maullido displicente rumbo a Nacho, que lo miró tan sorprendido como si acabara _____29_____ hablar.

–Siéntate, hijo –doña Agustina señaló otra mecedora, gemela de la que ella ocupaba, al otro lado de la mesa–. Disculpa que no me _____30_____, pero estoy algo mareada. Tú debes de ser Ignacio Arán, ¿verdad? El joven poeta meteorólogo. El único que faltaba en esta desgraciada reunión…

–Empujó dulcemente al gato, que saltó desde sus piernas hasta el suelo de baldosines hidráulicos, de colores pastel deslucidos por el paso del tiempo.

–Llámeme Nacho. Así es _____31_____ me conoce todo el mundo.

–Si me _____32_____ de mejor humor, te diría que yo no soy todo el mundo, y que te llamaré como me dé la gana. Pero, ya ves… Hoy ni _____33_____ tengo sentido del humor. Lo he perdido, juntamente con el resto de mis sentidos, después de este desdichado…, hum, accidente.

–¿Accidente? He leído en Internet que al señor Arjona lo han apuñalado.

–Quiero decir que, lo más probable, a pesar de mis bromas al respecto, es que _____34_____ alguien de fuera, un intruso, un ladrón o alguien así, quien lo ha asesinado. Lo del «accidente» es una manera de hablar, joven.

–Ah, vale.

Nacho _____35_____ tendió la mano a doña Agustina y se asombró de sí mismo al _____36_____ haciendo una leve inclinación de cabeza.

Texto adaptado, Ángela Vallvey

23.	a) que	b) como	c) de
24.	a) a	b) por	c) en
25.	a) le	b) lo	c) se
26.	a) estuvo	b) estaba	c) estuviera
27.	a) sino	b) más	c) pero
28	a) en fin	b) por fin	c) a fin
29	a) al	b) de	c) con
30.	a) levantaré	b) levanto	c) levante
31.	a) como	b) para	c) que
32.	a) sentía	b) sentiría	c) sintiera
33.	a) además	b) siquiera	c) incluso
34.	a) haya sido	b) ha sido	c) había sido
35.	a) la	b) lo	c) le
36.	a) descubrió	b) descubrirse	c) descubriéndose

Anote el tiempo que ha tardado:

Recuerde que solo dispone de **70 minutos**

PRUEBA 2

Comprensión auditiva

40 min Tiempo disponible para las 5 tareas.

CD I
Pistas
1-6

TAREA 1

(Ver características y consejos, p. 259)

A continuación va a escuchar seis conversaciones breves. Oirá cada conversación dos veces seguidas. Después, tendrá que seleccionar la opción correcta, a), b) o c), correspondiente a cada una de las preguntas, 1-6.
Dispone de 30 segundos para leer las preguntas.

PREGUNTAS

Conversación 1   Pista 1
  1. En esa conversación…
     a) el hombre cuenta una noticia sin confirmar aparecida en la prensa rosa.
     b) la mujer se sorprende mucho de la noticia.
     c) la mujer dice que la cantante se ha separado recientemente.

Conversación 2   Pista 2
  2. La Sra. de Alonso…
     a) recibirá en mano el correo certificado recogido por Víctor.
     b) tiene miedo de que el correo certificado sea una multa de tráfico.
     c) está molesta porque tiene que ir a Correos, que está al final del parque.

Conversación 3   Pista 3
  3. En esta conversación telefónica…
     a) la mujer considera que no está bien explicada la factura del teléfono.
     b) el hombre confirma que la mujer realizó una llamada a Alemania el día 7 de abril.
     c) la mujer asegura que ella no aceptó ninguna llamada desde Alemania.

Conversación 4   Pista 4
  4. De este diálogo se desprende que…
     a) para la mujer es una sorpresa que el hombre no le haya informado de una noticia muy importante.
     b) el hombre tiene mal aspecto porque no ha podido dormir en toda la noche.
     c) la mujer y el hombre van a ver en la televisión un reportaje sobre el ministro.

Conversación 5   Pista 5
  5. En esta conversación…
     a) la madre le pide a su hijo que le deje cambiar de canal porque quiere ver las noticias.
     b) el hijo le dice a la madre que en la Cadena 8 empieza un programa tras los anuncios.
     c) la madre le reprocha al hijo que ya hayan empezado las noticias.

Conversación 6   Pista 6
  6. En esta audición…
     a) Jaime explica a su abuela cómo puede encontrar un documento en Internet.
     b) la abuela quiere que su nieto hable con su tío Luis, que está en Alemania.
     c) la abuela consiguió instalar el antivirus de prueba con ayuda de su hija.

CD I
Pista 7

TAREA 2

(Ver características y consejos, p. 259-260)

A continuación va a escuchar una conversación entre dos personas que hablan sobre los vídeos relacionados con una posible conspiración en Internet, especialmente el más visitado de todos ellos, Zeistgeist. Después, indique si los enunciados, 7-12, se refieren a lo que dice Iker, a), Soledad, b), o ninguno de los dos, c). Escuchará la audición dos veces.
Dispone de 20 segundos para leer los enunciados.

PREGUNTAS

	a) Iker	b) Soledad	c) Ninguno de los dos
0. Hay documentales en los que, curiosamente, nadie reacciona.			✔
7. Peter Joseph es el productor de Zeistgeist.			
8. Zeistgeist ha tenido críticas positivas y negativas.			
9. En la tercera parte de Zeistgeist se dice que Jesucristo es la unión de otros mitos antiguos.			
10. Internet ha cambiado la forma de transmitir información.			
11. Los contenidos de Zeistgeist no son novedosos, pero la forma de presentarlos es atractiva.			
12. Aunque Zeistgeist no ha tenido publicidad, ha llegado a mucha gente.			

Especial DELE B2 Curso completo

Comprensión auditiva

**CD I
Pista 8**

TAREA 3

(Ver características y consejos, p. 259-260)

A continuación va a escuchar parte de una entrevista a Carlos Iglesias, secretario general de la Asociación Española de Distribuidores y Editores de Software de Entretenimiento (aDeSe) que habla de los videojuegos. Escuchará la entrevista dos veces. Después, conteste a las preguntas, 13-18. Seleccione la respuesta correcta, a), b) o c).
Dispone de 30 segundos para leer las preguntas.

PREGUNTAS

13. En la entrevista se dice que…
   a) los más afortunados siempre reciben videojuegos en Navidad.
   b) en Navidad todo el mundo recibe alguna vez un videojuego.
   c) los videojuegos son uno de los regalos que se hacen en Navidad.

14. En el audio escuchamos que…
   a) la producción de videojuegos atraviesa un buen momento en España.
   b) tanto la producción como el consumo de videojuegos atraviesan un buen momento.
   c) a pesar de la crisis económica, las familias consumen videojuegos.

15. Carlos Iglesias dice que…
   a) en España no hay muchas empresas creadoras de videojuegos.
   b) hay una industria de creación de videojuegos muy importante.
   c) los creativos de videojuegos se desarrollan profesionalmente.

16. En la entrevista se dice que…
   a) el 50% de las descargas de Internet es de videojuegos.
   b) no es fácil controlar la descarga ilegal de videojuegos.
   c) es imposible controlar del 50 al 60% de las descargas de Internet.

17. En el audio se dice que…
   a) hay gente que opina que los videojuegos son violentos.
   b) la opinión negativa hacia los videojuegos violentos ha cambiado.
   c) los niños que usan videojuegos son más inteligentes.

18. En la audición escuchamos que…
   a) los niños más sociables juegan con videojuegos.
   b) el uso correcto de los videojuegos une a padres e hijos.
   c) ha cambiado la opinión negativa sobre la influencia de los videojuegos en los niños.

Especial DELE B2 Curso completo

CD I
Pistas
9-15

TAREA 4

(Ver características y consejos, p. 259-260)

A continuación va a escuchar a seis personas hablando sobre Internet y sus peligros. Escuchará a cada persona dos veces.
Después, seleccione el enunciado, a)-j), que corresponde al tema del que habla cada persona, 19-24. Hay diez enunciados incluido el ejemplo. Seleccione únicamente seis.

Dispone de 20 segundos para leer los enunciados.
Escuche el ejemplo:
   Persona 0
   La opción correcta es el enunciado **f**.

ENUNCIADOS

a) Desconfía de Internet por conocer una experiencia negativa cercana.

b) Para algunas personas Internet es como una droga, y no son conscientes del tiempo que pasan ante el ordenador.

c) Nos aconseja tener un buen antivirus en el ordenador para que no puedan robar nuestra información personal.

d) Un adicto a Internet está conectado más de 30 horas a la semana y, como consecuencia, no atiende bien ciertas actividades diarias.

e) Le robaron la contraseña de una red social y los ladrones la usaron para insultar a otros en su nombre.

f) *A más de la mitad de los jóvenes les parece imposible vivir sin Internet.*

g) El sexo es el tema principal de los vídeos que busca la gente adulta en Internet.

h) Con los niños hay que tener sentido común y permitirles usar Internet para buscar información.

i) Cree en la responsabilidad a la hora de usar Internet, pero no le parece que se deban prohibir contenidos.

j) Como utiliza el ordenador durante muchas horas en el trabajo, en su casa apenas lo usa.

	PERSONA		ENUNCIADO
	Persona 0	Pista 9	f)
19.	Persona 1	Pista 10	
20.	Persona 2	Pista 11	
21.	Persona 3	Pista 12	
22.	Persona 4	Pista 13	
23.	Persona 5	Pista 14	
24.	Persona 6	Pista 15	

CD I
Pista 16

TAREA 5

(Ver características y consejos, p. 259-260)

A continuación va a escuchar a Mila Cahue, psicóloga, que nos da consejos sobre la forma de encontrar pareja en Internet y las características del medio. Escuchará la audición dos veces. Después, conteste a las preguntas, 25-30. Seleccione la respuesta correcta, a), b) o c).
Tiene 30 segundos para leer las preguntas.

PREGUNTAS

25. En este audio se dice que…
    a) Internet es el medio principal para encontrar pareja.
    b) podemos oír historias de todo tipo sobre la gente que usa Internet.
    c) cada vez hay más gente que usa Internet para conocer a otras personas.

26. Esta psicóloga dice que…
    a) en Internet se demuestran las habilidades sociales y personales.
    b) al principio, cuando se conoce a alguien por Internet, puedes sentirte confundido.
    c) las características de la red influyen en las primeras etapas de una relación.

27. En la audición escuchamos que…
    a) en Internet hay que aceptar que no le agrademos a alguien.
    b) mucha gente entra en Internet, por lo que hay que actuar con subjetividad.
    c) la primera regla de oro de Internet es actuar con subjetividad.

28. En la audición nos explican que…
    a) cuando accedemos a Internet tenemos que devolver el saludo a quien nos saluda.
    b) en la Red no es muy difícil que otras personas se comuniquen con nosotros.
    c) en la Red debes ignorar y borrar a quien te saluda.

29. Mila Cahue dice que…
    a) Internet no se ha inventado para ganar tiempo.
    b) leer todos los correos que nos mandan es otra regla de oro.
    c) no hay que molestarse por ciertas ofertas que nos puedan hacer en Internet.

30. La mujer dice que…
    a) es difícil no perder el tiempo en Internet.
    b) la Red sirve para ganar tiempo.
    c) conocer a alguien en Internet no siempre es una forma de perder el tiempo.

**Anote el tiempo
que ha tardado:**

Recuerde que solo
dispone de **40 minutos**

 **Expresión e interacción escritas**

Tiempo disponible para las 2 tareas.

TAREA 1

(Ver características y consejos, p. 261)

A usted le han dado de baja su línea telefónica sin haberlo solicitado. Tras varios intentos de solucionar el problema, no ha obtenido ningún resultado. Ha escuchado en la radio las quejas de algunos usuarios de su misma compañía, y ha decidido escribir una reclamación formal a la compañía. Escriba un correo electrónico al Departamento de Atención al Cliente. En el correo debe:

- presentarse;
- aducir el motivo de su reclamación;
- explicar los problemas previos que ha tenido y que le han llevado a solicitar una reclamación formal;
- dar cuenta de las medidas legales que tomará si no solucionan su problema.

Número de palabras: entre 150 y 180.

**CD I
Pista 17**

*Va a escuchar a un **cliente afectado por un problema con su compañía de teléfonos, que comenta su experiencia en un programa de radio.***

Reclamación por fallo en el servicio

IMPORTANTE
- No olvide adjuntar cualquier tipo de documento que presente pruebas para su reclamación.
- Dé todas las explicaciones precisas. Si es posible, especifique fechas, horas y nombres de las personas con quienes habló.
- Mantenga una postura firme, pero cortés y educada.

1. El motivo de la presente carta es expresarles mi descontento por…
2. Considero que no soy responsable de la situación en la que me encuentro…
3. Les agradecería que me respondieran con la mayor brevedad posible…

MODELO DE CARTA DE RECLAMACIÓN A UN SEGURO

MOTIVO DEL CORREO

ENCABEZADO

PROBLEMAS ACONTECIDOS

DESPEDIDA

RECLAMACIÓN Y SOLICITUD DE RESPUESTA

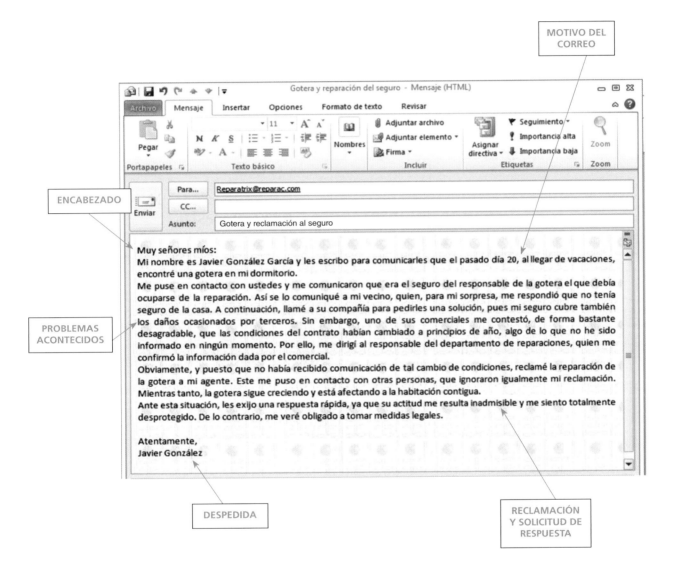

Gotera y reparación del seguro - Mensaje (HTML)

Archivo Mensaje Insertar Opciones Formato de texto Revisar

Para... Reparatrix@reparac.com
CC...
Asunto: Gotera y reclamación al seguro

Muy señores míos:
Mi nombre es Javier González García y les escribo para comunicarles que el pasado día 20, al llegar de vacaciones, encontré una gotera en mi dormitorio.
Me puse en contacto con ustedes y me comunicaron que era el seguro del responsable de la gotera el que debía ocuparse de la reparación. Así se lo comuniqué a mi vecino, quien, para mi sorpresa, me respondió que no tenía seguro de la casa. A continuación, llamé a su compañía para pedirles una solución, pues mi seguro cubre también los daños ocasionados por terceros. Sin embargo, uno de sus comerciales me contestó, de forma bastante desagradable, que las condiciones del contrato habían cambiado a principios de año, algo de lo que no he sido informado en ningún momento. Por ello, me dirigí al responsable del departamento de reparaciones, quien me confirmó la información dada por el comercial.
Obviamente, y puesto que no había recibido comunicación de tal cambio de condiciones, reclamé la reparación de la gotera a mi agente. Este me puso en contacto con otras personas, que ignoraron igualmente mi reclamación. Mientras tanto, la gotera sigue creciendo y está afectando a la habitación contigua.
Ante esta situación, les exijo una respuesta rápida, ya que su actitud me resulta inadmisible y me siento totalmente desprotegido. De lo contrario, me veré obligado a tomar medidas legales.

Atentamente,
Javier González

Especial DELE B2 Curso completo

TAREA 2

(Ver características y consejos, p. 262)

Elija solo una de las dos opciones que se le ofrecen a continuación:

OPCIÓN A

Usted colabora con una revista universitaria y le han pedido que escriba un artículo sobre los hábitos de los usuarios de Internet en los últimos años. En él debe incluir y analizar la información que se ofrece en el siguiente gráfico.
Número de palabras: entre 150 y 180.

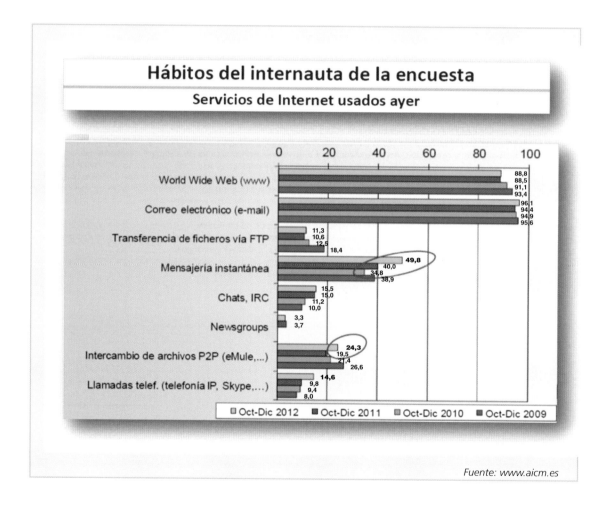

Fuente: *www.aicm.es*

Redacte un texto en el que deberá:
- hacer referencia a los servicios más empleados por los españoles en Internet;
- señalar la evolución del uso de estos servicios en los últimos cuatro años;
- resaltar los datos que considere más relevantes del estudio;
- expresar su opinión sobre la información recogida en el gráfico;
- realizar una breve conclusión y hacer una previsión sobre el futuro de Internet en España.

OPCIÓN B

Usted forma parte de una asociación que fomenta los valores de la juventud y le han pedido que dé una charla sobre el cambio de hábitos ocasionados por el uso de Internet. Debe señalar los principales problemas y proponer soluciones. Para preparar el texto que va a leer cuenta con unas notas que ha tomado de un informe sobre el tema.
Número de palabras: entre 150 y 180.

DISMINUCIÓN DEL TIEMPO DEDICADO A ESTAS ACTIVIDADES POR EL USO DE INTERNET

- Trabajar… casi un 5%
- Estar con amigos o con la pareja… casi un 10%
- Pasear… 9,7%
- Estudiar… 9,8%
- Practicar algún deporte… un 15%
- Dormir… más de un 15%
- Ir al cine… 17,4%
- Oír la radio… sobre un 18%
- Leer… un 26%
- Buscar información en catálogos, guías… un 36%
- Estar sin hacer nada… casi un 54%
- Ver la tele… un 64%
- Otras actividades… un 1,5% más o menos

Adaptado de www.aicm.es

Redacte un texto en el que deberá:
- hacer una pequeña introducción sobre los principales valores que hay que fomentar en los jóvenes;
- señalar los aspectos positivos que tiene Internet;
- destacar los cambios de hábitos que se están produciendo por su uso;
- contar algún caso concreto o ejemplo donde se advierta este cambio de hábitos;
- proponer pautas de actuación para paliar los aspectos negativos.

Anote el tiempo que ha tardado:

Recuerde que solo dispone de **80 minutos**

Expresión e interacción orales

20 min — Tiempo disponible para las 3 tareas.

20 min — Tiempo disponible para la preparación de la intervención oral.

TAREA 1

(Ver características y consejos, p. 266)

Debe hablar durante 3 o 4 minutos de las ventajas e inconvenientes de una serie de soluciones que se proponen para un determinado problema. Después, conversará con el entrevistador sobre el tema. Tiempo total, 6-7 minutos.

PROBLEMAS DE INTERNET

Internet es un medio de comunicación que ofrece innumerables ventajas en este mundo globalizado. Sin embargo, presenta también numerosos problemas e inconvenientes que, en ocasiones, derivan en lamentables consecuencias.

Expertos sobre Internet se han reunido para denunciar los principales problemas y discutir algunas medidas que ayuden a remediarlos.

Lea las propuestas recogidas y explique las ventajas e inconvenientes de, como mínimo, cuatro de ellas.

Después de su monólogo conversará con el entrevistador sobre el tema y las propuestas.

En su exposición debe especificar por qué le parece una buena o mala solución esa propuesta, qué inconvenientes puede tener, a quién beneficia y a quién perjudica; si puede ocasionar otros problemas o si habría que precisar algo más…

Expresión e interacción orales

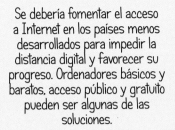

Se debería fomentar el acceso a Internet en los países menos desarrollados para impedir la distancia digital y favorecer su progreso. Ordenadores básicos y baratos, acceso público y gratuito pueden ser algunas de las soluciones.

Sería deseable que se ofreciera más seguridad en los pagos con tarjeta en la Red. Además habría que tener más control y prevención ante los virus.

Habría que controlar y vigilar más las redes sociales para evitar los ataques a la privacidad, los abusos y el acoso. Los niños y jóvenes tienen que estar protegidos de los peligros de la Red.

Sería conveniente establecer normas en el uso de la publicidad, que es excesiva e interfiere en los contenidos. Habría también que mejorar la calidad de acceso a la Red y bajar los precios, que son muy altos.

Yo crearía leyes para preservar el derecho a la propiedad intelectual. Los contenidos culturales como la música, la prensa, la literatura... tienen que pagarse. La cultura está en peligro si se toleran los contenidos piratas.

Creo que habría que dejar las cosas como están. Nadie puede impedir que los usuarios compartan los contenidos en la Red. Esto permite la democratización de los contenidos culturales.

EXPOSICIÓN
Ejemplo: *Yo estoy de acuerdo con la propuesta de establecer normas en el uso de la publicidad porque…*

CONVERSACIÓN
Cuando el candidato termine su monólogo sobre las propuestas de la lámina (3 o 4 minutos), el entrevistador le hará algunas preguntas sobre el tema durante otros 3 minutos.
La duración total de esta tarea es de 6 a 7 minutos.

EJEMPLO DE PREGUNTAS DEL ENTREVISTADOR
Sobre las propuestas
- ¿Está de acuerdo con todas las propuestas? ¿Eliminaría o añadiría alguna?

Sobre su realidad
- ¿Considera que en su país hay problemas en el uso de Internet? En caso afirmativo, ¿cuáles son los más importantes? ¿Se han tomado o se van a tomar medidas para resolverlos?

Sobre sus opiniones
- ¿Cuáles cree que son las principales ventajas y los inconvenientes de Internet? ¿No cree que puede ocasionar dependencia, adicción o depresiones en algunas personas? ¿Qué actividades se dejan de hacer por el uso de Internet? ¿Qué haría respecto a este tema si fuera médico, político o si tuviera hijos?

TAREA 2

(Ver características y consejos, p. 269)

Usted debe imaginar la situación que se está produciendo en la fotografía y, a continuación, tiene que describirla durante 2 minutos aproximadamente, a partir de unas preguntas que se le ofrecen. Puede haber más de una respuesta.
Después, hablará con el entrevistador y expresará sus opiniones sobre ese tema.

UNA NOTICIA INESPERADA

La persona que ve en la fotografía está recibiendo o trasmitiendo una noticia por teléfono. Imagine la situación y hable sobre ello durante 2 minutos aproximadamente. Puede centrarse en los siguientes aspectos:

- ¿Dónde cree que se encuentra esta persona? ¿Por qué piensa eso?
- Imagine quién es, cómo es, dónde vive, a qué se dedica…
- ¿Qué cree que ha sucedido? ¿Por qué?
- ¿Puede explicar, a partir de la imagen, cómo se siente esta mujer?
- ¿Qué cree que va a suceder después de esta conversación?

Después de la descripción, el entrevistador le hará algunas preguntas sobre el tema hasta completar el tiempo total de esta prueba, que es de 5-6 minutos.

EJEMPLOS DE PREGUNTAS DEL ENTREVISTADOR

- ¿Ha vivido alguna vez una situación como la de la foto? ¿Puede contar qué sucedió, cómo se sintió, qué hizo después…?
- ¿Cree que, en general, la gente está preparada para trasmitir o recibir malas noticias? ¿Qué consejos daría para actuar correctamente en este tipo de situaciones?

TAREA 3

(Ver características y consejos, p. 270)

Usted tiene que dar su opinión a partir de unos datos de noticias, encuestas, etc., que se le ofrecen (2-3 minutos). Después, debe conversar con el entrevistador sobre esos datos, expresando su opinión al respecto.
Esta tarea no se prepara previamente.

ENCUESTA SOBRE AUDIENCIA GENERAL DE MEDIOS

Aquí tiene los resultados de una encuesta realizada en España sobre medios de comunicación. Léala y responda a las preguntas:

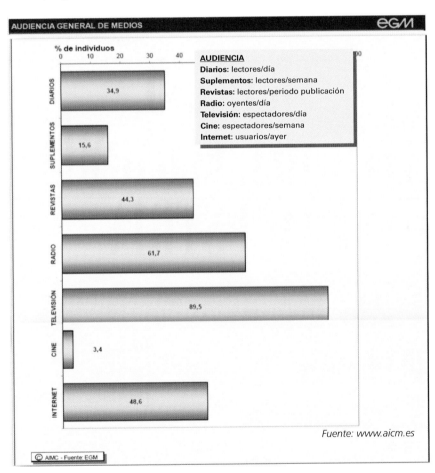

- ¿Le sorprende alguno de los resultados? En caso afirmativo, ¿por qué?
- ¿Cree que en su país los resultados serían los mismos? ¿Puede explicar su respuesta?
- En su caso, ¿podría señalar con qué frecuencia, diaria, semanal, mensual…, realiza las actividades que aparecen en el gráfico, como leer diarios, ir al cine, etc.?
- ¿Qué ventajas e inconvenientes ve en cada uno de estos medios de comunicación? ¿Cuál cree que va a ser el futuro de cada uno de ellos?

examen 2

TRABAJO, VIVIENDA, ECONOMÍA E INDUSTRIA

Curso completo

▶ **Léxico** ——————
{ ■ Trabajo
■ Vivienda
■ Economía e industria

▶ **Gramática**

▶ **Funciones**

Modelo de examen 2

TRABAJO

Anticipo (el) ....
Carta de recomendación (la) ....
Contrato indefinido (el) ....
- temporal ....
- basura ....
Dietas (las) ....
Desempleo (el) ....
Empresa de Trabajo Temporal (ETT) (la) ....
Flexibilidad horaria (la) ....
Ingresos (los) ....
Jornada laboral (la) ....
Jubilación (la) ....
Ocupación (la) ....
Retribución (la) ....
Verbos y expresiones
Cobrar un sueldo/una nómina ....
- una indemnización ....
Conseguir un puesto de trabajo ....
Contratar a alguien ....
Cotizar a la Seguridad Social ....
Ejercer una profesión ....
Estar de baja ....
- en el paro ....
Fichar ....
Hacer los papeles ....
Hacerse de oro ....
Jubilarse ....
Llamar para una entrevista ....
Negociar un contrato ....
Ocupar un puesto/cargo ....
Participar en un proceso de selección ....
Pedir un aumento ....
Perder el empleo ....
Renovar un contrato ....
Ser despedido ....
Tener referencias ....
Trabajar ....
- a tiempo completo/parcial ....
- por cuenta propia/ajena ....

VIVIENDA

Alojamiento (el) ....
Ático (el) ....
Bombilla (la) ....
Buhardilla (la) ....
Comunidad (de vecinos) (la) ....
Conserje (el) ....
Enchufe (el) ....
Gastos de comunidad (los) ....
Hogar (el) ....

VIVIENDA (continúa)

Interruptor (el) ....
Patio interior (el) ....
Plazos (los) ....
Portero (el) ....
Presupuesto de reforma (el) ....
Residencia (la) ....
Verbos y expresiones
Asomarse ....
Convivir ....
Dar a la calle ....
- de alta/baja un servicio ....
Estar bien/mal orientado ....
Estropearse ....
Hacer la mudanza ....
Limpiar a fondo ....
Pasar la aspiradora ....
- la fregona ....
Pintar a mano ....
Quitar el polvo ....
Recoger ....
Reformar un piso ....
Ser acogedor ....
Tener buena/mala distribución ....
Trasladarse ....

SERVICIOS URBANOS

Contenedor (el) ....
Establecimiento (el) ....
Marquesina (la) ....
Residuo (el) ....

ECONOMÍA E INDUSTRIA

Acciones (las) ....
Depósito (el) ....
Inversión (la) ....
Plan de pensiones (el) ....
Valores (los) ....
Verbos y expresiones
Ahorrar ....
Cobrar la pensión ....
Dar un tirón ....
Estar por las nubes ....
Hacer la declaración de la renta ....
Invertir ....
Pagar a plazos ....
- al contado ....
Prestar dinero ....
Solicitar un préstamo ....
Tener los pies en la tierra ....
- una deuda ....

Léxico

1

Según una encuesta de la universidad de Chicago estas son algunas de las profesiones que producen mayor bienestar a las personas. ¿En qué orden crees que aparecen en la lista? Numéralas justificando tu opinión. Puedes usar el vocabulario de la derecha. ¿Añadirías alguna más?

- Ingeniero
- Profesor
- Fisioterapeuta
- Artista
- Bombero

- Psicólogo
- Agente de ventas
- Médico
- Sacerdote
- Escritor

TRABAJO
- Físico
- Manual
- Intelectual
- Cualificado
- Especializado
- Creativo
- En equipo
- En cadena
- Por vocación

2

Relaciona cada lugar de trabajo con su profesión y con la imagen correspondiente.

a. El quirófano
b. El almacén
c. La granja
d. El bufete
e. El laboratorio

1. El agricultor
2. El abogado
3. El químico
4. El cirujano
5. El transportista

A.   B.   C.   D.   E.

3

Identifica esta ropa de trabajo y escribe las profesiones en las que se usa.

1. ....   2. ....   3. a. ....   4. ....   5. ....   6. ....

a. El casco ...albañiles, arquitectos...............

b. El mono ....

c. El delantal ....

d. Las gafas de protección ....

e. El traje y la corbata ....

f. El uniforme ....

4

Completa estos enunciados con las palabras adecuadas de los ejercicios anteriores.

a. Lugar donde se hacen operaciones quirúrgicas: _U_ R_ _ _ _O.

b. Lugar donde se crían animales: _ R _ _ _ A.

c. Lugar donde se hacen experimentos: _ A _ _ _ A _ _ _ _O.

d. Ropa de trabajo de una sola pieza: _ O_ _.

e. Prenda de trabajo que usan los cocineros: _ E _ _ _ T _ _.

f. Lugar donde trabaja un grupo de abogados: _U_ _ _ E.

5

Combina estos verbos relacionados con el trabajo con la opción más adecuada que hay en el círculo.

1. Ejercer ...una profesión...........
2. Llevar a cabo ....
3. Ocupar ....
4. Ascender a ....
5. Coordinar ....

a. un departamento
b. a una persona
c. una profesión
d. una tarea
e. un producto
f. un presupuesto
g. en malas condiciones
h. jefe de sección
i. un puesto
j. un empleado

6. Distribuir ....
7. Trabajar ....
8. Presentar al cliente ....
9. Contratar ....
10. Despedir a ....

6 Completa las frases con los verbos apropiados del ejercicio anterior.

a. Mi mujer ahora .... un cargo de mucha responsabilidad en su empresa.

b. Ana .... una profesión muy valorada socialmente: es cirujana.

c. Jaime .... un equipo de trabajo desde hace un año.

d. Estoy muy contenta porque van a .... a mi hija en la empresa donde trabaja.

7 Completa este texto sobre el desempleo a partir del gráfico y con las palabras de los cuadros, sin repetir ninguna. Usa los verbos en el tiempo adecuado.

| Subir el paro | Bajar el paro | Aumentar el desempleo | Disminuir el desempleo |
| Desempleados | Parados | Ser despedidos | Perder el empleo |

▶ **Tasa de desempleo**
IV trimestre de cada año, en %

En las tres zonas que contempla el estudio en el año 2009 a. .... En el año 2012 b. ....

.... en España y en la zona euro, mientras que en la OCDE c. .... ligeramente. En

España el número de personas que d. .... de su trabajo ese año llegó al 25,8 %, el más elevado

de los últimos diez años. En la zona euro el total de e. .... en 2007 era del 7,3 %, mientras que

cinco años después la cifra de personas que f. .... llegó al 11,7 %.

En la OCDE de 2009 a 2014 g. .... más de un punto. El número total de h. ....

.... es más bajo que en los otros países comparados.

8 Asocia las formas de contrato legal en España con sus características correspondientes.

TIPO DE CONTRATO
a. Contrato indefinido
b. Contrato temporal
c. Contrato para la formación
d. Contrato en prácticas
e. Contrato a tiempo parcial

CARACTERÍSTICAS DEL CONTRATO
1. Facilita la práctica profesional de titulados superiores.
2. Ocupa solo una parte de la jornada de trabajo.
3. Proporciona un puesto fijo y estable.
4. Es para un tiempo limitado por obra, baja, temporada…
5. Ofrece formación y aprendizaje para realizar un oficio.

9 Señala si son verdaderas (V) o falsas (F) estas recomendaciones para firmar un contrato de trabajo.

Antes de firmar o renovar un contrato de trabajo se recomienda…
☐ a. … haber empezado a trabajar.
☐ b. … leerlo completo, excepto las cláusulas y la letra pequeña.
☐ c. … que esté indicado el salario, las pagas extra, las vacaciones…
☐ d. … afiliarse a un sindicato y participar en la negociación colectiva.
☐ e. … verificar el tipo, su duración y el horario de trabajo.
☐ f. … saber cómo y cuándo se va a cobrar el sueldo.

10 Relaciona cada definición con su término correspondiente.

a. Contar con opiniones profesionales positivas.
b. Escrito con nuestras cualidades personales y profesionales.
c. Servicio público de empleo.
d. Reunión para tratar de conseguir un empleo.
e. Recibir una cantidad de dinero al ser despedido.
f. Escrito donde se comunica el fin de la relación laboral.
g. Escrito que contiene nuestra vida profesional.
h. Empresas de trabajo temporal.
i. Fases que hay que pasar para obtener un trabajo.

1. ETT
2. Carta de despido
3. Cobrar una indemnización
4. Carta de recomendación
5. Entrevista de trabajo
6. Proceso de selección
7. SEPE
8. Tener buenas referencias
9. Currículum vítae

11 Completa estos diálogos con la palabra adecuada.

- anticipo
- jornada
- de baja
- extra
- nóminas
- dietas
- cláusula
- jubilación
- en huelga
- laborable

a. ¿Cómo puedes tú ganar menos que yo si haces lo mismo? Vamos a comparar nuestras ....

b. La .... laboral normal es de ocho horas, pero hay muchas personas que trabajan más.

c. Este mes me deben dinero... Tengo que cobrar las .... del viaje que hice a Londres.

d. El día 6 tenemos que ir a trabajar porque, aunque en algunas comunidades es fiesta, aquí es día ....

e. No sé si vas a poder pedir un permiso sin sueldo de un mes, porque hay una .... en el contrato que dice que solo puede ser de quince días.

f. Uf, tengo que hacer un pago urgente y no tengo dinero... Voy a tener que pedir un .... a la empresa.

g. Me siento ya muy mayor y cansado... Voy a informarme en el SEPE para ver si puedo pedir la .... anticipada.

h. ¡Qué bien! Este mes cobramos una paga ....

i. No sé si vamos a poder viajar este fin de semana... Los trabajadores del aeropuerto están ....

j. Paula está .... por maternidad, así que no puedo pasarte con ella.

12 Estas son algunas de las ventajas e inconvenientes de trabajar por cuenta propia. Haz una lista similar (de las ventajas e inconvenientes) sobre el trabajo por cuenta ajena y explica cuál de las dos opciones de trabajo prefieres y por qué.

Yo prefiero trabajar por cuenta propia porque así no dependes de los contratos precarios actuales con bajos salarios y malas condiciones laborales...

TRABAJAR POR CUENTA PROPIA

☺ VENTAJAS

- ☐ No dependes de nadie para tomar tus propias decisiones: eres tu propio jefe.
- ☐ Puedes ganar más dinero que siendo asalariado.
- ☐ No dependes de los contratos basura.
- ☐ Tienes más flexibilidad de horario.
- ☐ Tú decides el ritmo de trabajo.
- ☐ Los sacrificios que haces son para ti.
- ☐ Mejora tu calidad de vida.
- ☐ Otros…

☹ INCONVENIENTES

- ☐ Exige mucha autodisciplina.
- ☐ Tienes peores condiciones laborales: no cobras pagas extra, anticipos, dietas…
- ☐ Tienes menos prestaciones: derecho al desempleo, a cobrar una indemnización…
- ☐ No tienes beneficios sociales: permisos de enfermedad, de embarazo, lactancia...
- ☐ Los ingresos no son regulares.
- ☐ Otros…

13 Aquí hay algunas opiniones sobre cómo encontrar trabajo. Selecciona tres y explica si estás de acuerdo o no con ellas y por qué.

Yo estoy de acuerdo con la idea de crear tu propia empresa porque…

a. Para mí lo mejor es ser funcionario (empleado público) o si no, marcharte al extranjero. Aquí es muy difícil encontrar trabajo.

b. Yo creo que no sirve de nada recurrir a las ETT y al SEPE. Allí solo hay ofertas públicas de empleo, que son muy pocas. Yo recomiendo buscar en Internet.

c. En mi opinión es muy importante la entrevista de trabajo: hay que llevarla muy bien preparada.

d. Desde mi punto de vista un buen currículum vítae es lo que marca la diferencia con el resto de candidatos. Y también una buena carta de recomendación.

e. Se puede aprovechar el importe de la indemnización por despido como pequeño capital para crear tu propia empresa.

14 Elige el significado correcto de estas expresiones y locuciones.

a. Juan es un manitas, ya lo verás. — torpe/habilidoso
b. Pedro es un manazas. — torpe/habilidoso
c. Mi jefe siempre pierde los papeles. — se olvida las cosas/pierde el autocontrol
d. Ana es el brazo derecho de su jefa. — la persona de confianza/la primera secretaria
e. Qué difícil es ganarse la vida hoy en día. — trabajar para mantenerse/vivir sin trabajar
f. ¡Otra vez tarde…! Voy a hacer la vista gorda. — hacer que no lo he visto/vigilarte
g. Desde luego Andrés no pega golpe. — no trabaja nada/no tiene fuerza
h. A María la han nombrado directora a dedo. — con proceso de selección/mediante designación personal
i. Con este negocio nos vamos a hacer de oro. — hacer ricos/gastar mucho
j. Venga, Raúl, ponte las pilas de una vez. — ponte la ropa de trabajo/reacciona, muévete

15 Completa las frases con la locución adecuada del ejercicio anterior en el tiempo correcto.

a. Has estado media hora fuera. Hoy no voy a decir nada, pero la próxima vez no pienso ....
b. Otra vez se ha estropeado la fotocopiadora. ¡Pero, Pedro, qué haces, eres un ....!
c. Míralo ahí sentado sin hacer nada. Desde luego este chico ....
d. Tenías razón en todo lo que dijiste, pero la verdad es que .... en la forma de decirlo.
e. Creo que si quieres montar tu propia empresa debes .... y empezar a trabajar.

1 Relaciona cada palabra con su imagen correspondiente. ¿Cuáles son materiales de construcción?

| **a.** El cemento | **b.** El albañil | **c.** El ladrillo | **d.** El carpintero | **e.** El fontanero |

1. ....
2. ....
3. ....
4. ....
5. ....

2 Identifica el tipo de reforma que estas personas quieren realizar en su casa: de albañilería, de carpintería o de fontanería.

Yo creo que los baños están ya muy viejos… Podríamos cambiar las bañeras por unas duchas. ¡Sería mucho más cómodo!

Deberíamos hacer un armario nuevo en la habitación del niño… Ya no le cabe toda su ropa.

Este piso está muy bien, pero creo que tenemos que cambiar la cocina, está muy anticuada.

1. ....
2. ....
3. ....

3 Estas son las herramientas de un electricista. Relaciona las imágenes con la palabra correspondiente.

a. El destornillador   b. El timbre   c. El enchufe   d. La bombilla   e. El interruptor   f. El cable

1. ....
2. ....
3. ....
4. ....
5. ....
6. ....

4 Completa el diálogo con algunas de las palabras del ejercicio anterior.

Tenemos que revisar la instalación eléctrica. Voy a llamar al a. _electricista_

¿Qué pasa?

Pues que el b. .... de la luz debe estar mal porque le he dado y se ha fundido la c. ...., así que estamos sin luz en la cocina. He usado un d. .... para quitar los tornillos de la lámpara. Además, el e. .... del baño se ha estropeado y vamos a tener que cambiarlo.

Pues qué mala suerte.

5 **¿Qué tipo de vivienda recomendarías a estas personas en estas situaciones? Piensa en otras situaciones para el resto de los tipos de vivienda.**

a. Un ático o un dúplex
b. Una buhardilla
c. Un piso compartido
d. Un apartamento
e. Una casa de campo
f. Una vivienda en alquiler
g. Una vivienda en propiedad
h. Una segunda residencia en la playa
i. Una segunda residencia en un pueblo

1. Una pareja de jubilados que quiere pasar la mitad del año en la ciudad y la otra mitad en la playa.

2. Un joven que se traslada a Madrid durante un año para estudiar y quiere convivir con otros estudiantes.

3. Un matrimonio que vive en la ciudad y quiere que sus hijos conozcan la vida rural y estén en contacto con la naturaleza.

4. Un artista que quiere instalarse en el centro de la ciudad para pintar y estar cerca de la vida cultural.

6 **Ana y Juan no saben si alquilar o comprar un piso. ¿Qué les recomiendas? Escribe dos argumentos a favor y en contra de cada opción. Para ayudarte te facilitamos unos datos y léxico.**

COMPRAR O ALQUILAR: ¿QUÉ ES MEJOR?

En España siempre se ha pensado que alquilar es «tirar el dinero». Por eso, la mayoría ha preferido invertir los ahorros en adquirir una vivienda, sobre todo, si no había mucha diferencia entre el importe de la hipoteca y del alquiler mensual.

Sería mejor que alquilaran porque…

PARA AYUDARTE

Firmar una hipoteca
Los gastos de comunidad
La inmobiliaria
La constructora
Dar de alta el gas, la luz…

7 **Ana y Juan ya han decidido: van a comprar un piso en las afueras. Escribe cómo les gustaría que fuera. Utiliza el vocabulario que te proponemos.**

Les gustaría encontrar un piso que tuviera pocos gastos de comunidad.

¿Cómo sería tu casa ideal?

PARA AYUDARTE

- Tener salida de emergencia
- Contar con un conserje
- Tener buena distribución
- Estar bien orientado
- Ser acogedor
- Ser espacioso
- Dar a un jardín, a un patio
- Tener mármol en los baños
- Dar a una calle con tiendas

8 Relaciona estos utensilios de limpieza con su imagen correspondiente.

1. La escoba
2. El recogedor
3. La fregona
4. El trapo
5. El lavavajillas
6. El detergente
7. El suavizante
8. La aspiradora
9. El cubo

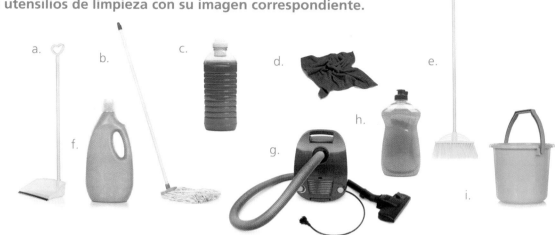

9 La familia García está haciendo las tareas domésticas. ¿Puedes decir lo que está haciendo cada uno?

El padre está quitando el polvo…

PARA AYUDARTE

- Arreglar la casa
- Quitar el polvo
- Hacer la cama
- Poner la mesa
- Planchar
- Limpiar los baños
- Recoger la ropa
- Pasar la aspiradora, la fregona

¿Qué es lo que más y menos te gusta de la limpieza?

10 Describe la decoración de estas habitaciones y di cómo te gustaría amueblar tu casa.

ME GUSTARÍA QUE…

- mi casa fuera…
- tuviera/estuviera…

Ambiente…	Decoración…	Iluminación, luz…
… cálido	… con o sin	… directa
… íntimo	adornos	… indirecta
… acogedor		… suave/tenue
… fresco		… alegre

11 Identifica estos electrodomésticos. ¿Usas alguno de ellos? ¿Y algún otro que no esté aquí? ¿Qué haces cuando se te estropea un electrodoméstico: lo llevas a arreglar o lo tiras?

a. La freidora   b. El robot de cocina   c. El exprimidor   d. La picadora   e. La batidora

1. ....
2. ....
3. ....
4. ....
5. ....

2 **A. El ayuntamiento quiere saber el grado de satisfacción de sus servicios públicos. Identifica cada servicio relacionando la palabra marcada con su imagen.**

¡MADRID!

- ☐ Número y estado de las papeleras.
- ☐ Contenedores de vidrio, papel, ropa, envases: número, ubicación y estado.
- ☐ Servicio de recogida de basura.
- ☐ Barrido de calles.
- ☐ Riego de parques, jardines y zonas verdes.
- ☐ Número y ubicación de los buzones.
- ☐ Iluminación de las calles: número y estado de las farolas.
- ☐ Mantenimiento de los parques infantiles
- ☐ Estado, limpieza y conservación de aceras y vías públicas.
- ☐ Pasos de cebra y semáforos.

B. Elige dos puntos anteriores y escribe una carta al ayuntamiento en la que expones algunos problemas en los servicios públicos de tu barrio y pides que se solucionen rápidamente.

3 **Relaciona cada expresión con su significado.**

- a. Tirar la casa por la ventana.
- b. Sacar de quicio.
- c. Estar en el quinto pino.
- d. Cruzársele los cables a alguien.
- e. Tener enchufe.
- f. (Ser algo) de segunda mano.
- g. (Estar alguien) como un trapo.
- h. Estar por las nubes.
- i. (Ser algo) como una casa.
- j. Dar de lado a alguien.

- 1. Ser muy caro. Tener un precio muy alto.
- 2. Gastar, derrochar el dinero para un evento o celebración.
- 3. Comprado a un antiguo propietario. No nuevo.
- 4. Excluir o apartar a una persona del trato normal.
- 5. Exasperar, poner furioso, dar motivo de enfado.
- 6. Ser muy grande.
- 7. Estar muy lejos.
- 8. Tener influencias o trato de favor para conseguir algo.
- 9. Estar muy cansado, con malestar en el cuerpo.
- 10. Perder momentáneamente el control de los propios actos.

4 **Completa estas frases con la expresión adecuada en el tiempo correcto, si contiene un verbo.**

- a. Mi hermano va a .... para la boda de su hija.
- b. Ya sé que los pisos de .... son más baratos, pero yo prefiero uno nuevo.
- c. Lo que dices es una mentira como .... No has limpiado el baño: está muy sucio.
- d. No sé por qué te vas a vivir a esa urbanización… Está ....
- e. Para los jóvenes es imposible comprarse una casa. Los precios están ....
- f. No sé qué le pasa a María, me .... desde que me he cambiado de departamento.
- g. He estado toda la noche con fiebre, congestión… Ahora estoy ....
- h. Todo el día estás sentado en el sofá sin ayudar en casa. ¡Es que me .... !
- i. De repente se le .... y empezó a gritar a todo el mundo.
- j. Cómo se nota que Alberto tiene .... ¡Ya le han hecho fijo en la empresa!

1 Completa las frases con estas palabras.

| recursos económicos | pérdidas | gastos | ingresos |

| ganancias | ahorros | préstamo |

a. La crisis económica ha hecho que nuestra empresa haya tenido muchas menos ………………………… que otros años… ¡Si tenemos tan pocos …………………………, no sé cómo vamos a mantenernos!

b. Este año hemos tenido muchos ………………………… en nuestra fábrica porque hemos hecho una reestructuración completa para que sea más competitiva.

c. Las grandes ………………………… de nuestro negocio nos van a obligar a pedir un ………………………… en algún banco, ya que no contamos con suficientes ………………………… debido a la crisis.

d. Próximamente se va a habilitar una oficina que atenderá a las personas sin trabajo que no tengan …………………………

2 Responde a las preguntas argumentando tus respuestas.

a.
Cuando viajas, ¿prefieres **cambiar dinero** en moneda extranjera o **usar cheques de viaje**?

b.
¿Crees que es una buena idea **pedir un préstamo** a un banco o a algún prestamista?

c.
¿**Prestarías** dinero a un familiar, a un amigo, a un compañero…?

d.
¿Cómo prefieres pagar un móvil o una tableta, **a plazos o al contado**?

e.
Si tienes que enviar o recibir dinero, ¿prefieres **un giro postal o una transferencia**?

3 **Pepe es un trabajador que tiene unos ahorros y no sabe si invertir en bolsa, prestar dinero, seguir ahorrando…**
¿Puedes darle algún consejo?
Usa el vocabulario que te proponemos.

Yo le recomendaría que ahora no invirtiera en…

PARA AYUDARTE

- Subir la bolsa
- Bajar la bolsa
- La acción
- El accionista
- La participación
- El tipo de interés
- La inversión
- Invertir
- El ahorro
- Ahorrar
- Tener un interés del… por ciento

La bolsa: Institución económica donde se compran o venden acciones o similares.

La acción: Parte económica del capital de una empresa o negocio que se compra como inversión.

Invertir: Emplear una cantidad de dinero en un proyecto o negocio para conseguir ganancias.

Interés: Dinero que se obtiene cuando se invierte un capital en una empresa o negocio. También, cantidad de dinero que tienes que pagar cuando devuelves un crédito o préstamo.

4 Se acerca la hora de pagar impuestos y en una revista en la que colaboras te han pedido que escribas un pequeño artículo recordándolo. En él tienes que utilizar todas estas palabras.

Ministerio de Hacienda
Hacer la declaración de la renta
Inspector de Hacienda
Inspección
Luchar contra el delito fiscal

OPINIÓN
¿Crees que todo el mundo debe pagar los mismos impuestos?
¿Por qué artículos o actividades se deberían pagar más impuestos?
¿Por cuáles menos?

5 Une estas palabras sobre comercio y di si se relacionan o se oponen entre ellas.

a. El transporte
b. La importación
c. La sociedad
d. Obtener un
e. Negociar una
f. Tener una
g. La factura
h. La distribución de

1. de consumo
2. un artículo
3. deuda
4. la exportación
5. descuento
6. de mercancías
7. venta
8. el recibo

6 Completa con algunas palabras del ejercicio 5.

La acción de pedir un producto es: la demanda.

a. El comercio de productos al exterior es: la…
b. Deber dinero a alguien es tener: una…
c. Para tener el recibo primero hay que pagar: la…
d. El reparto de un producto es: la...
e. La rebaja de un precio es: el…

7 Escribe un pequeño informe sobre la actividad industrial en España: principales sectores, distribución y diferencias regionales, etc. Puedes usar el vocabulario que te facilitamos. Después, contesta a las preguntas.

La actividad industrial en España…

PARA AYUDARTE

- Recursos naturales
- Revolución industrial
- Desarrollo industrial
- Crecimiento industrial
- Carbón/minería
- Petróleo/refinería

- *La industria*
  - *aeronáutica*
  - *del calzado*
  - *agroalimentaria*
  - *siderúrgica*
  - *química*
  - *automovilística*
  - *naval*
  - *textil*

¿Cómo es la situación de la industria en tu país?
¿Cómo evolucionará en el futuro?

8 Selecciona la opción correcta para completar las expresiones y definiciones y escribe un pequeño texto en el que uses cuatro expresiones nuevas.

a. Una persona rica e importante es: un pez *gordo/de oro.*
b. Ayudar a una persona que necesita algo es: echar *el brazo/una mano.*
c. El mes de enero recibe el nombre de: *la cuesta/la montaña* de enero.
d. El dinero que se escapa al control fiscal es: dinero *negro/marrón.*
e. Legalizar dinero negro es: *aclarar/blanquear* dinero.
f. Hacerse público algo que estaba oculto es: salir *a la luz/al aire.*
g. Trabajar o buscar medios para mantenerse es: *ganarse/jugarse* la vida.
h. Ser algo muy caro es: costar un ojo *derecho/de la cara.*
i. Ser un negocio muy bueno y rentable es ser: un negocio *cuadrado/redondo.*
j. Coloquialmente al *dinero* se le llama: *pasta/nata.*

Gramática

1 Completa estas frases seleccionando la opción correcta.

1. En una entrevista de trabajo debes mostrar tus opiniones _____ y educadamente.
   - a. sincera
   - b. sinceramente
   - c. sincero

2. A partir de ahora voy a trabajar _____ dos días a la semana fuera de casa.
   - a. lejísimos
   - b. continuamente
   - c. solamente

3. Eso me que me han contado del nuevo empleado es _____ falso.
   - a. totalmente
   - b. verdaderamente
   - c. nada

4. A pesar de que tus vecinos son muy antipáticos, me he quedado __ sorprendido por su amabilidad con nosotros.
   - a. agradablemente
   - b. desagradablemete
   - c. inevitablemente

5. Qué difícil es que los albañiles lo dejen todo limpio. Hay que estar siempre _____ de ellos.
   - a. muy encima
   - b. de lado
   - c. de frente

6. Parecía que el vecino del 5.º estaba de acuerdo con la comunidad, pero __ se levantó y se fue sin despedirse.
   - a. instantáneamente
   - b. repentinamente
   - c. continuamente

7. Juan nunca cumple con su jornada laboral y además falta mucho al trabajo: _____ es muy poco profesional.
   - a. definitivamente
   - b. repetidamente
   - c. continuamente

8. Desde luego, hay que reconocer que Pedro es muy valiente: se comportó _____ después del accidente laboral.
   - a. dolorosamente
   - b. desesperadamente
   - c. admirablemente

9. ¡Mucha suerte! Espero que _____ la entrevista de trabajo.
   - a. te salga bien
   - b. te salga mal
   - c. salga pronto

10. No sé por qué hablas tan mal de José María, a mí siempre _____ muy bien.
    - a. trata
    - b. trata de
    - c. me trata

11. Mi jefe tiene un carácter muy fuerte, pero se enfada muy _____.
    - a. diariamente
    - b. habitualmente
    - c. raramente

12. El nuevo director es jovencísimo._____, ¿sabéis que le han ascendido ya tres veces en un año?
    - a. Justamente
    - b. A propósito
    - c. Precisamente

2 Completa estas frases seleccionando la opción correcta.

1. Ven, mamá, que te ayudo a hacer la transferencia: mira, _____ el número de cuenta, el importe y ya está.
   - a. escriba
   - b. escribas
   - c. escribes

2. Ayer se me estropeó la lavadora y hoy __ por teléfono al técnico y no responde nadie. ¡Qué lata!
   - a. llamó
   - b. llamaba
   - c. llamo

3. ¿Por qué no _____ al seguro? Probablemente te cubra el arreglo y así no pagas nada.
   - a. llamas
   - b. llames
   - c. llamabas

4. ¿Todavía no _____ el técnico? Pues ya son las nueve de la noche, así que no creo que venga ya.
   - a. vine
   - b. ha venido
   - c. venía

5. El piso de Madrid lo tengo desde hace muchos años, pero el de la playa lo _____ hace poco como inversión.
   - a. compre
   - b. compraba
   - c. he comprado

6. La semana pasada hice un curso de formación en la empresa y la verdad es que me _____ mucho.
   - a. gustó
   - b. gustaba
   - c. gustaría

7. ¿Así que ahora trabajas por cuenta propia? ¡Qué sorpresa! La verdad es que no _____ nada.
   - a. he sabido
   - b. supe
   - c. sabía

8. ¿Que todavía no te han llamado para la entrevista de trabajo? ¡Qué faena, yo _____ que la habías hecho ya!
   - a. pensaría
   - b. pienso
   - c. pensaba

9. Ana, no puedo oírte bien con este ruido. ¿Qué me _____ diciendo?
   - a. estabas
   - b. estuviste
   - c. estarías

10. Anoche soñé que se _____ la crisis y que todas las personas tenían trabajo.
    - a. acabó
    - b. acababa
    - c. acabará

11. Mi cuñado Miguel perdió todos sus ahorros porque _____ todo su dinero en preferentes.
    - a. había invertido
    - b. invertía
    - c. invierte

12. Este fin de semana _____ ir de excursión, pero con el tiempo que hizo… ¿Y qué tal vosotros?
    - a. habíamos pensado
    - b. pensaría
    - c. pienso

3 Completa estas frases seleccionando la opción correcta.

1. No sé qué tal me ha salido la entrevista de trabajo. Solo me han dicho que ya me __.
    a. llamen   b. llamaran   c. llamarán

2. En mi nuevo empleo me parece que no ____ tanto como en el anterior. ¡Menos mal!
    a. viajaré   b. viaje   c. viajaba

3. ____ más de un centenar de empleados de metro en huelga. No sé cuándo vamos a llegar al trabajo.
    a. Habría   b. Habrá   c. Hubo

4. Cuando lleguemos a la oficina, ya se ____ todos nuestros clientes.
    a. habrían marchado   b. habían marchado   c. habrán marchado

5. Le aseguro que para el cinco de enero ya ____ el paquete.
    a. habría recibido   b. habrá recibido   c. recibiría

6. ¡Qué raro! No ha venido Juan todavía… Se ____.
    a. habría dormido   b. dormía   c. habrá dormido

7. No sé, ____ las dos de la mañana cuando empezó el incendio. Yo lo noté porque estaba despierta.
    a. fueron   b. serán   c. serían

8. Es raro que no haya llegado. Me dijo que ____ sobre las siete.
    a. vendría   b. venga   c. viene

9. De verdad te lo digo, si pudiera ir, ____ sin falta a tu fiesta, pero es que ese día estoy de viaje.
    a. fuera   b. iré   c. iría

10. Si lo hubiera sabido, te ____ una carta de recomendación para tu nuevo trabajo.
    a. habría dado   b. daría   c. diera

11. Yo en tu lugar ____ un día libre para el traslado de casa. Está en el convenio.
    a. pediré   b. pidiera   c. habría pedido

12. Supongo que no terminaron la obra a tiempo porque no ____ los materiales necesarios.
    a. habrían recibido   b. recibieran   c. reciban

4 Completa estas frases seleccionando la opción correcta.

1. Así que se va de la empresa… ¡Qué lástima! ¡Y yo que ____ ascenderla!
    a. pensé   b. había pensado   c. pensaría

2. ¡Yo ____ que los gastos de calefacción estaban incluidos en el alquiler!
    a. creería   b. creía   c. he creído

3. ¡Ah, estabas en casa! Es que como llamé y no contestaba nadie pensaba que ____.
    a. habrías salido   b. has salido   c. habrás salido

4. El electricista no está, pero ha dejado aquí todos los cables y los enchufes… ¡____ a comprar algo que le falta!
    a. Habrá ido   b. Ha ido   c. Habría ido

5. Vamos a leer y estudiar despacio el presupuesto, así que ya le ____ en cuanto nos decidamos.
    a. llamemos   b. llamaríamos   c. llamaremos

6. ¿Qué te parece lo de ayer? ____ al carpintero para empezar con los armarios y me dice que hasta febrero, nada.
    a. He llamado   b. Llamo   c. Llamaba

7. Cuando entramos en la casa nueva todavía no ____ de alta la luz y el agua. Fue horrible.
    a. han dado   b. daban   c. habían dado

8. Ana nos dijo que cuando llegáramos a casa ya os ____ todos, así que fue una sorpresa veros allí.
    a. habíais ido   b. hubierais ido   c. habríais ido

9. Mira, te voy a enseñar a arreglar el enchufe, es muy fácil: primero ____ el cable y luego…
    a. coges   b. cogerías   c. cojas

10. Dijeron que traían los muebles a mediodía. ¿____ ya las doce?
    a. Serían   b. Eran   c. Serán

11. No sé por qué te das tanta prisa, si cuando lleguemos ya se ____ la reunión.
    a. habría terminado   b. había terminado   c. habrá terminado

12. Si tuviera dinero, me ____ ese dúplex que vimos ayer: es precioso.
    a. compraré   b. compraría   c. habré comprado

1 SERIE 1

Elige la opción correcta y completa el cuadro de funciones con las fórmulas correspondientes.

1. Estos pisos no me gustan. __ vimos ayer estaban mucho mejor.
   - a. Los de
   - b. Los que
   - c. Esos de
2. Pues yo creo que __ la urbanización El Bosque son mejores.
   - a. los que
   - b. esos que
   - c. los de
3. __ tener que buscar piso es una lata.
   - a. Eso de
   - b. Eso que
   - c. Esos de
4. Aquí vivió Jardiel Poncela. __ un famoso dramaturgo español.
   - a. Trata de
   - b. Se trata de
   - c. Tratas de
5. __ saber si puedo solicitar un préstamo para comprar un piso.
   - a. Me gusta
   - b. Te gustaría
   - c. Me gustaría
6. De estas opciones de préstamo. ¿__ más le conviene?
   - a. Cuál es lo que
   - b. Qué es lo que
   - c. Cuál es la que
7. ¿Puede darme __ sobre la primera opción?
   - a. más detalles
   - b. explicación
   - c. especificación
8. No veo bien la letra pequeña. ¿__ que pone aquí abajo?
   - a. Qué es eso
   - b. Qué es lo de
   - c. Qué es aquello
9. ¿Me __ cómo funciona lo de los intereses?
   - a. debe explicar
   - b. puede explicar
   - c. gustaría explicar
10. Y si nos decidimos por este préstamo, ¿__ estará listo?
    - a. para cuando
    - b. para cuándo
    - c. en cuanto
11. ¿__ preguntarles si están ustedes casados?
    - a. Podría
    - b. Quería
    - c. Me gustaría
12. ¿__ que les haga una sugerencia? Yo la pagaría ahora.
    - a. Me dejas
    - b. Me deja
    - c. Me dejan

Tu listado

a. Identificar

Esta no es como las de siempre (inmobiliaria).
1. ....
2. ....
3. ....
4. ....

b. Pedir información

¿De qué está hecho ese mueble?
5. ....
6. ....
7. ....
8. ....
9. ....
10. ....
11. ....
12. ....

2 SERIE 2

Elige la opción correcta y completa el cuadro de funciones con las fórmulas correspondientes.

1. He encontrado el trapo del polvo, mira, está __.
   - a. encima de
   - b. encima
   - c. ahí encima
2. Pues es raro que no esté __. No quieres limpiar, ¿verdad?
   - a. adonde siempre
   - b. donde siempre
   - c. dónde siempre
3. No es que no quiera limpiar, __ es que tengo que estudiar.
   - a. lo que pasa
   - b. pasa que
   - c. eso pasa
4. Creo que __ con esa actitud. Tenemos que limpiar.
   - a. confundes
   - b. te equivocas
   - c. te confundas
5. ¡__ hay que limpiar! Pero no me des tantas órdenes.
   - a. Claro
   - b. Claro que
   - c. En absoluto
6. Oye, ¿es cierto __ van a subir la factura de la luz?
   - a. lo que
   - b. eso que
   - c. eso de que
7. Pues no sé, porque ya ha subido mucho últimamente. ¿__?
   - a. No es así
   - b. Es así
   - c. Es verdad
8. ¿__ que la luz tenue hace más acogedor el salón?
   - a. No creas
   - b. Lo crees
   - c. No crees
9. __ que van a poner el metro en el barrio. ¿Sabes algo?
   - a. Dicen
   - b. Lo dicen
   - c. Lo he oído
10. ¿__? Pues sería estupendo tener el metro cerca.
    - a. En verdad
    - b. De verdad
    - c. Es serio
11. __ de que va a mejorar mucho el barrio con el metro.
    - a. Dudo
    - b. Hay dudas
    - c. No hay duda
12. Pues __ que sí. Es mucho mejor ir en metro.
    - a. no dudo
    - b. no hay duda
    - c. claro

Tu listado

c. Dar información
1. ....
2. ....
3. ....
4. ....
5. ....

d. Pedir confirmación

Por favor, ¿podrías confirmarme la hora a la que van a venir a revisar el gas?
6. ....
7. ....
8. ....
9. ....
10. ....

e. Confirmar la información previa

Por supuesto que no.
11. ....
12. ....

SERIE 3
Elige la opción correcta y completa el cuadro de funciones con las fórmulas correspondientes.

1. ¿Tiene __ sobre comercio internacional?
   a. capacidades   b. habilidad   c. nociones
2. Ya sabe que está en periodo de prueba, __.
   a. supongo   b. supone   c. ¿sabe?
3. ¿Has oído__ sobre el convenio colectivo?
   a. alguno   b. algo   c. alguien
4. Nadie me __ de que había una reunión sindical el martes.
   a. había dicho   b. había avisado   c. había enterado
5. ¡No tenía __ de que te hubieran despedido! Lo siento.
   a. ninguna idea   b. alguna idea   c. ni idea
6. ¿Eres __ de arreglar un enchufe?
   a. hábil   b. capaz   c. bueno
7. Tengo __ para llevar la contabilidad de una empresa.
   a. facilidad   b. problema   c. incapaz
8. ¿Qué tal __ el bricolaje?
   a. se te da   b. lo haces   c. te da
9. Yo soy __ para las tareas de la casa. Las odio.
   a. negado   b. hábil   c. fácil
10. Pues yo no soy __ mala en fontanería.
   a. todo   b. en todo   c. del todo
11. ¿ __ de que hoy hay que sacar la basura?
   a. Recuerdas   b. Te acuerdas   c. Acordaste
12. ¡Ay, no, __! Ahora mismo la saco.
   a. se me ha olvidado   b. he olvidado   c. olvidé
13. Yo no __ que hayamos recibido el presupuesto.
   a. me acuerdo   b. acuerdo de   c. recuerdo
14. ¿Nos conocemos de algo? Es que tu cara __ mucho.
   a. se parece   b. me suena   c. es familiar

Tu listado

f. Hablar del conocimiento de algo
1. ....
2. ....
3. ....
4. ....
5. ....

g. Hablar sobre la habilidad personal
   Se me da bien la decoración.
6. ....
7. ....
8. ....
9. ....
10. ....

h. Hablar sobre recuerdos
   No me he olvidado de tu nombre.
11. ....
12. ....
13. ....
14. ....

4 Corrección de errores
Identifica y corrige los errores que contienen estas frases. Puede haber entre uno y tres en cada una.

a. La chica en negro está esperando a una entrevista de trabajo.
b. El hombre en la derecha ha perdido los dineros y no puede comprar una casa.
c. En mi punto de vista la habitación es un poco grande e iluminada.
d. Todo el mundo necesitan salario más alta.
e. Antes utilizamos dinero, pero ahora usamos más tarjeta de crédito.
f. Llama mi atención ver gente a las cuatro por la mañana en la calle.
g. Por un lado pisos son caros y otro lado hay la problema de prestar dineros.
h. La joven en la derecha no es muy bien preparada.
i. Quiero conseguir a vivir en el campo. Vivir en la ciudad puede prestar problemas.
j. Los jóvenes no serán capaz de comprar su propia casas.

5 Uso de preposiciones
Tacha la opción incorrecta en estas frases.

a. Tengo un buen contrato *en/de* alquiler.
b. Yo prefiero tener un piso *de/en* propiedad.
c. En 2010 estuve *de/en* baja dos meses.
d. En verano nos trasladamos *en/a* otra casa.
e. Este piso da *a/en* un parque y está muy bien orientado.
f. No me gusta pagar *en/a* plazos.
g. Prefiero pagar *en/al* contado.
h. Invertir *en/la* bolsa ahora es arriesgado.
i. En estos momentos no contratan *a/Ø* muchas personas mayores.
j. Los trabajadores estuvieron dos meses *en/con* huelga por el convenio colectivo.

70 min Tiempo disponible para las 4 tareas.

TAREA 1

(Ver características y consejos, p. 252)

A continuación va a leer un texto. Después, deberá contestar a las preguntas, 1-6, y seleccionar la respuesta correcta, a), b) o c).

CÓMO HACERSE MILLONARIO

El empresario estadounidense Robert Kiyosaki dice tener el secreto para que el dinero se multiplique. Y lo comparte con el mundo en un libro, Padre rico, padre pobre, superventas en su país durante casi seis años, donde ha resistido entre los cinco títulos más vendidos. Eso sí, sus enseñanzas se hallan a medio camino entre la economía y la autoayuda.

Andrea Aguilar

KIYOSAKI confiesa que, en su niñez, su familia era pobre. Él quería ser rico como sus compañeros de clase. Junto a su mejor amigo decidió hacer dinero por su cuenta. La fabricación de monedas fundiendo tubos de pasta de dentífrico, evidentemente, no tuvo éxito. Sin embargo, el padre de su amigo vio en aquella aventura de la pareja de escolares mucho potencial. Solo necesitaban una buena educación, de esa que no ofrecen las universidades ni las escuelas.

¿Cuál es la receta de Kiyosaki? Buscar inversiones que reporten beneficios en efectivo. Solo le interesan los cheques que llegan a su buzón. «A mí me gustan las cosas tangibles, terrenales. Yo quiero ver y tocar. Soy dueño de mis negocios». La cuantía de su fortuna sigue siendo un misterio. Asegura que oro, petróleo y mercado inmobiliario son la clave de su éxito.

Para Kiyosaki todo es cuestión de educación, pero no de brillantes expedientes académicos. Los profesores no pueden enseñar lo que no saben. «Bill Gates y Henry Ford dejaron la universidad. El sistema educativo es bueno para la formación de una persona, pero no lo es tanto para los negocios».

Una crisis puede ser un buen principio, si eres joven, para triunfar en las finanzas. Él la sufrió, «pero tuve tiempo de recuperarme y de aprender la lección». Ahora recuerda aquella época de pérdidas como algo francamente positivo. Su consejo para aquellos a quienes les salen mal las cosas o deben dinero: «Lo único que puedo decir es: "Ten fe, sé consciente de tus capacidades". Los que salgan adelante: no cometan los mismos errores».

¿Trabajar por cuenta ajena? Según Kiyosaki, no nos hará llegar lejos. Da igual que se trate de un abogado o de una cajera en un supermercado. El objetivo fundamental es hacer que el dinero trabaje para uno. «Hay que arriesgarse e invertir. Si te dan las cosas hechas no aprendes». Una importante lección que conviene aprender es la relativa al binomio socios-negocios. Kiyosaki es extremadamente cuidadoso al seleccionar a la gente con la que quiere hacer negocios. ¿Qué debe tener el socio ideal? «Lo primero es ver su historial, cuántos negocios ha sacado adelante. Luego, tienes que contratar a un abogado que vigile a tu abogado». Él está convencido de que todo el mundo puede hacerse rico. «Lo más importante es tu cabeza, es tu principal valor. Si no cambias tu manera de pensar, siempre serás pobre».

Adaptado de www.elpais.com

PREGUNTAS

1. En el texto se afirma que el libro de Kiyosaki…
   a) es el libro más vendido en los últimos seis años.
   b) puede ayudar a la gente a aumentar sus ingresos.
   c) está destinado a ayudar a los millonarios.

2. En el texto se indica que el negocio que hizo Kiyosaki con su compañero…
   a) fracasó porque trabajaron por su cuenta.
   b) valió la pena porque alguien se fijó en ellos.
   c) no salió bien porque no iban a la escuela.

3. En el texto se especifica sobre Kiyosaki que…
   a) no le gustan las tarjetas de crédito.
   b) parte de sus ingresos se debe a la compraventa de propiedades.
   c) prefiere los cheques al dinero en metálico.

4. En el texto se señala que, en opinión de Kiyosaki,…
   a) la educación formal no garantiza el triunfo en los negocios.
   b) los profesores no saben enseñar.
   c) un buen expediente académico no demuestra una buena educación.

5. En el texto se afirma que las dificultades económicas…
   a) pueden vencerse cuando se es joven.
   b) pueden contribuir al triunfo cuando se es joven.
   c) suelen deberse a una falta de confianza en las propias capacidades.

6. En el texto se indica que, para Kiyosaki,…
   a) tener un socio exige contratar a un abogado.
   b) tener una profesión cualificada permite llegar a ser rico.
   c) es imposible ser rico si se trabaja para otro.

TAREA 2

(Ver características y consejos, p. 254)

A continuación va a leer cuatro textos en los que cada persona habla sobre sus experiencias labora-
les. Después, tendrá que relacionar las preguntas, 7-16, con los textos, a), b), c) y d).

PREGUNTAS

	a) Javier	b) Merche	c) Josep	d) Mónica
7. ¿Quién afirma que su jefe llegó a ser ofensivo?				
8. ¿Quién cambió su actitud a partir de una serie de experiencias, alguna de las cuales afectó a su salud?				
9. ¿En qué texto se indica que el jefe de la persona entrevistada tenía poca confianza en sí mismo?				
10. ¿Cuál de los entrevistados señala que busca un desarrollo personal en su próximo trabajo?				
11. ¿Quién considera que sus jefes eran poco realistas y muy ambiciosos?				
12. ¿Quién dice que dio un cambio en la relación con sus empleados?				
13. ¿Quién cree plenamente en la profesionalidad de sus empleados?				
14. ¿Quién dice que presta atención a sus empleados, al mismo tiempo que les pide que cumplan con su trabajo?				
15. ¿Para quién es fundamental tener en cuenta el juicio y la actitud psicológica de sus potenciales empleados?				
16. ¿Quién juzga inapropiado vigilar a sus emplea-dos?				

Comprensión de lectura

a) Javier

No hay nada más rentable que tratar bien a tus empleados, fomentando un ambiente laboral donde la gente pueda trabajar con alegría y pasión. No creemos en los horarios. Aquí nadie ficha. Nuestros colaboradores pueden trabajar desde casa y confiamos en ellos cuando nos dicen que están enfermos. No queremos esclavos, sino gente responsable y libre. Cuando controlas el horario de tu gente, pones de manifiesto que no confías en ellos. Parte de nuestro éxito es que solo contratamos a personas maduras emocionalmente, capaces de generar su propia motivación, que no esperan a que los demás las motiven y las hagan felices. El objetivo es que nuestros colaboradores no tengan ningún motivo para quejarse de sus condiciones laborales. Solo así pueden centrarse en dar lo mejor de sí mismos. Y lo cierto es que funciona: ahora, en plena crisis, sabemos que el bienestar de nuestras cuentas es directamente proporcional al bienestar emocional de nuestros empleados.

b) Merche

No hay nada peor que trabajar para una persona infeliz. Durante los últimos ocho años he tenido jefes bastante tóxicos. Recuerdo que en una ocasión estaba debatiendo con mi jefe un proyecto. Mi criterio profesional difería bastante del suyo, y me sentí en el deber de hacérselo ver… Empezó a gritarme, diciendo que él era el único que sabía cómo debían hacerse las cosas. Y que le importaba muy poco lo que yo pensara, pues mi función se limitaba a cumplir sus órdenes. Es decir, que en vez de razonar, se puso a la defensiva, convirtiendo nuestra conversación en un ataque personal. Su inseguridad le impedía confiar en los demás. Se limitaba a vigilarnos todo el día, disminuyendo nuestra creatividad y motivación. Esta actitud refleja una profunda ignorancia y falta de autoconocimiento. Considero que respetarme a mí misma implica no resignarme a soportar ciertas actitudes y conductas. Por eso he decidido trabajar por mi cuenta.

c) Josep

Empecé a ser jefe a los 33 años, con un equipo de unas 25 personas. Adopté la imagen, falsa, de un profesional estricto. Y como tenía jefes que esperaban resultados, yo trasladaba diariamente esa presión a los profesionales que tenía a mi cargo. Muchas veces me sentía incomprendido por ambas partes. Finalmente me abrí a la autenticidad, a la sinceridad. Empecé a comunicarme con transparencia y honestidad. Así fue como comencé a dedicar parte de mi tiempo a escuchar las necesidades de mi equipo, tratando de facilitarles su trabajo sin dejar de exigirles. Al demostrar un sincero interés por la mejora y el aprendizaje de mis colaboradores, recibí una respuesta sorprendente, traducida en mayor productividad. La profesionalidad en la coordinación de un equipo de trabajo no se aprende en un máster. Para ello es imprescindible aprender a liderarse a uno mismo. Y para lograrlo solo hay un camino: conocer tus buenos y tus malos momentos.

d) Mónica

He vivido la época del *superboom* de la construcción. Llegué a coordinar un equipo de 600 trabajadores y he sido la única mujer en un mundo dominado por hombres. Con el tiempo, mi profesión se convirtió en una fuente constante de estrés. Mis jefes eran bruscos e insolidarios. Trabajaba fuera de horario, pero no se reconocía mi esfuerzo. Y finalmente, en 2008 tuve un ataque de ansiedad. Sentí que me moría allí mismo. Cambié de empresa, pero me encontré con la misma situación: demasiados jefes insensibles que pedían resultados imposibles. Con la excusa de la crisis, empezaron los despidos masivos. Fue entonces cuando decidí que era yo quien debía controlar mi vida. Para las empresas somos simples números con los que conseguir aumentar las ganancias. Y entonces, ¿para qué darlo todo a una compañía a la que no importas nada? Ahora ya no busco un lugar donde fichar, sino un proyecto más grande donde realizarme como ser humano.

Adaptado de http://sociedad.elpais.com

TAREA 3

(Ver características y consejos, p. 255)

A continuación va a leer un texto del que se han extraído seis fragmentos. Después, lea los ocho fragmentos propuestos, a)-h), y decida en qué lugar del texto, 17-22, hay que colocar seis de ellos. Cuidado, hay dos fragmentos que no tiene que elegir.

CONTENEDORES DE **RECICLAJE** INTELIGENTES

Las nuevas tecnologías también se pueden aplicar al sector del reciclaje. Del mismo modo que hay marquesinas de autobús inteligentes o neveras inteligentes, que ofrecen muchos servicios aparte del más obvio y principal, ahora hay contenedores inteligentes. **17.** _____.

El objetivo es mejorar las tasas de reciclado facilitando dicha labor a los ciudadanos e, incluso, motivar su uso (o penalizar a quien no recicle). Son contenedores con las últimas tecnologías.

Una de sus propiedades más sorprendentes es que están dotados de sistemas que conocen a la persona que recicla. **18.** _____. Además dan dinero al reciclar, avisan cuando están llenos y mandan un mensaje a la empresa encargada de la gestión del contenedor. Estos contenedores compactan los residuos para que ocupen menos espacio, ofrecen sistemas adaptados a personas con discapacidad e, incluso, llegan a contar con pantallas en las que ofrecen información. Así, puedes reciclar y, al mismo tiempo, te entretienes navegando por Internet.

En Holanda, país famoso por su respeto al medio ambiente, han ubicado, en la ciudad de Groningen, unos contenedores muy especiales: solo se abren si identifican al usuario. **19.** _____. Y es que los habitantes de Groningen pagan impuestos según la basura originada y reciclada, así que resulta más un control eco-

nómico que ecológico. Los contenedores inteligentes llevan la cuenta e impiden el fraude. **20.** _____.

Otros contenedores compactan la basura para permitir guardar más residuos. En Sant Cugat del Vallés (Barcelona) la empresa estadounidense BigBelly Solar instaló contenedores que realizan esta acción con la ayuda de la energía solar. Por su parte, la empresa gallega Formato Verde/TNL puso en Abu Dabi contenedores inteligentes subterráneos. **21.** _____.

Hay contenedores que están adaptados a personas con discapacidad visual y motora. Tienen una altura menor, mayor ergonomía, facilidad de apertura y cierre más accesible; colores visibles e información en pictogramas y lenguaje braille. Se han implantado en ciudades como Barcelona, Santander o Móstoles (en Madrid).

Si los ciudadanos no separan de modo correcto los residuos, los sistemas de recuperación y reciclaje se vuelven ineficientes. **22.** _____. En este sentido, las empresas Biouniversal y Telefónica han creado unos contenedores inteligentes que dan información a los responsables de la gestión sobre la cantidad depositada y los incidentes. Los operarios pasan a recoger el residuo cuando es necesario.

David Sanz
Adaptado de www.ecologiaverde.com

FRAGMENTS

FRAGMENTOS

a)

El objetivo es doble: evitar un mal uso del contenedor y conocer a los ciudadanos que no reciclan.

b)

Lo malo es que, a veces, es el ser humano el que no tiene la suficiente inteligencia para usarlos.

c)

Además, cuentan con un sistema de clasificación de la basura y de cálculo del importe que debe pagarse al ayuntamiento.

d)

Saben, también, el tipo de residuo que arroja al contenedor.

e)

Sin embargo, una de sus propiedades más sorprendentes es que están dotados de sistemas que conocen a la persona que recicla.

f)

Esto ocurre en el reciclaje de aceite doméstico, especialmente difícil de gestionar sin la colaboración del ciudadano.

g)

El pago por residuo se impulsa en varios países, a través de la compensación mediante dinero o premios.

h)

Además de compactar la basura y no ocupar espacio en la calle, su conexión wifi informa al ayuntamiento cuando están llenos.

TAREA 4
(Ver características y consejos, p. 258)

A continuación va a leer un texto. Complete los huecos, 23-36, con la opción correcta, a), b) o c).

ENTRA EN MI VIDA

Di una vuelta por la casa sin saber qué hacer. La recorrí centímetro a centímetro como si fuese la última vez que la veía. Entré en el cuarto de Ángel y me quedé ____**23**____ los pósteres de motos. Los cuadernos ordenados encima del escritorio y las motos en miniatura sobre la estantería, el balón en un rincón, la colcha estirada. Ángel ____**24**____ a ser tan ordenado como nuestros padres. Ninguno de los tres podía resistir el impulso de ordenar las cosas, de recoger ____**25**____ estuviera por en medio, de colgar la ropa en perchas y doblar las camisas y los jerséis y meterlos en los cajones correspondientes. En el cuarto de baño las cosas de Ángel ____**26**____ encontrarse en perfecto estado de revista, mientras que las mías estaban tan revueltas que a veces las tenía delante y no las encontraba. ¿Y si no volvíamos a ver a Ángel? En la puerta había pintado una luna con cráteres; de mayor quería ser astrónomo, y yo había pensado ____**27**____ un telescopio para su cumpleaños. Por primera vez en medio de la tragedia pensaba de verdad ____**28**____ mi hermano. Ahora el pensamiento de que le hubiese ocurrido ____**29**____ malo, de que le atropellase un coche era tan grande que salía de la cabeza y ocupaba todas las habitaciones y se pegaba al papel pintado de las paredes, se metía por todos los rincones y entre las páginas de los libros. Y no sabía si ____**30**____ algo tan terrible. Era imposible que nos ocurriese esta desgracia y me arrodillé para pedirle a Dios que nos devolviera a Ángel con sus piernas flacuchas y sus ganas de hacerme rabiar. Quería que ____**31**____ las tardes en que estábamos los dos en la cocina.

Sonó el teléfono. Era mi madre para preguntar ____**32**____ había aparecido el niño, y antes de que ____**33**____ contestar, colgó. Mi voz y mi respiración lo habían dicho todo.

Me asomé a la ventana. La oscuridad podría haberle confundido y encontrarse en calles completamente desconocidas. Podría haber echado a andar en dirección contraria y estar en otro barrio, y sin dinero para llamar por teléfono. ____**34**____ ni siquiera encontrara una cabina. Estaría asustado por el lío que se estaba montando por su culpa. Me senté en una silla con la espalda recta, respiré hondo y cerré los ojos con fuerza. Imaginé a Ángel y ____**35**____ pedí que se tranquilizara. Mira en las aceras a derecha e izquierda, busca una salida de metro. Si la ____**36**____ encontrado, métete dentro. En alguna pared tendrá que haber un plano. Busca la línea once. Creo que es verde. Ahí verás nuestra parada: Mirasierra.

Texto adaptado, Clara Sánchez

23.	a) mirar	b) mirado	c) mirando
24.	a) fue	b) iba	c) iría
25.	a) la que	b) el que	c) lo que
26.	a) habituaban	b) solían	c) acostumbraban
27.	a) regalarle	b) regalarlo	c) regalarse
28.	a) en	b) de	c) con
29.	a) algún	b) algo	c) nada
30.	a) soportara	b) soportaré	c) soportaría
31.	a) volviesen	b) volverían	c) volvieron
32.	a) que	b) si	c) por
33.	a) pudiera	b) podía	c) pudo
34.	a) Igual	b) Es posible	c) Quizá
35.	a) se	b) lo	c) le
36.	a) habrás	b) hayas	c) has

Anote el tiempo que ha tardado:

Recuerde que solo dispone de **70 minutos**

Tiempo disponible
para las 5 tareas.

**CD I
Pistas
18-23**

TAREA 1

(Ver características y consejos, p. 259)

A continuación va a escuchar seis conversaciones breves. Oirá cada conversación dos veces seguidas. Después, tendrá que seleccionar la opción correcta, a), b) o c), correspondiente a cada una de las preguntas, 1-6.
Dispone de 30 segundos para leer las preguntas.

PREGUNTAS

Conversación 1   Pista 18
1. En este diálogo se dice que…
   a) el hombre y la mujer se acaban de trasladar al piso para vivir en él.
   b) el chico va a limpiar el suelo con agua.
   c) a la mujer le parece bien ser ella la que limpie los baños y la cocina.

Conversación 2   Pista 19
2. Manolo le dice a su mujer que…
   a) le pase el enchufe.
   b) se ha roto el interruptor.
   c) le resulta muy difícil vivir con todos los gastos que tiene.

Conversación 3   Pista 20
3. Los novios…
   a) prefieren un piso luminoso y a buen precio.
   b) van a pintar a mano el piso que han elegido.
   c) deciden comprar un piso nuevo.

Conversación 4   Pista 21
4. En este diálogo…
   a) la mujer dice que va a ingresar en el banco unas ganancias que ha obtenido.
   b) la mujer quiere gastar el dinero que ha ido guardando.
   c) el hombre le dice a la mujer que le ayudarán todo lo que puedan.

Conversación 5   Pista 22
5. En esta conversación la mujer le dice al hombre que…
   a) tiene claro el arreglo que quiere hacer en su vivienda.
   b) el portero le enseñará el piso por la tarde.
   c) quiere que le hagan un cálculo del coste de la reforma.

Conversación 6   Pista 23
6. Matilde le dice a Paco que…
   a) va a ir a la Oficina de Empleo.
   b) ya tiene la edad para retirarse y cobrar la pensión.
   c) no va a tener que trabajar al aire libre.

CD I
Pista 24

TAREA 2

(Ver características y consejos, p. 259-260)

A continuación va a escuchar las opiniones de una persona que vive sola y de una directiva de una empresa de eventos para solteros o singles sobre el hecho de vivir solo. Después, indique si los enunciados, 7-12, se refieren a lo que dice Juan, a), Cristina, b), o ninguno de los dos, c). Escuchará la audición dos veces.
Dispone de 20 segundos para leer los enunciados.

PREGUNTAS

	a) Juan	b) Cristina	c) Ninguno de los dos
0. Vive solo por las circunstancias de la vida más que por haberlo elegido.	✔		
7. Sabe lo que es volver a crear un círculo de amigos cuando se es mayor.			
8. Con la crisis económica, los solteros salen menos que antes.			
9. Muchos alimentos se estropean cuando vives solo.			
10. Los *singles* suelen poner los pies sobre la mesa cuando llegan a casa.			
11. El vivir acompañado exige una mayor responsabilidad.			
12. La diferencia entre un *single* y un no *single* es que el primero tiene más tiempo libre.			

CD I
Pista 25

TAREA 3

(Ver características y consejos, p. 259-260)

A continuación va a escuchar parte de una entrevista a un especialista en imagen pública que habla sobre etiqueta y protocolo en las comidas de negocios. Escuchará la entrevista dos veces. Después, conteste a las preguntas, 13-18. Seleccione la respuesta correcta, a), b) o c).
Dispone de 30 segundos para leer las preguntas.

PREGUNTAS

13. El entrevistado dice que…
    a) es interesantísimo ir a comidas de negocios.
    b) el invitar a comidas de negocios es hoy en día algo habitual.
    c) una comida de negocios es contraproducente para la imagen personal.

14. En la entrevista se dice que…
    a) en las comidas de negocios se socializa mucho.
    b) lo primero que necesitamos saber es qué objetivos profesionales tenemos.
    c) si lo que buscamos es hablar de trabajo, hay otras opciones mejores que la comida de negocios.

15. Álvaro Gordoa cuenta que…
    a) tras una comida de negocios no siempre se vuelve a la oficina.
    b) no debes tomar alcohol en un desayuno de negocios.
    c) el desayuno de trabajo tiene varias ventajas.

16. En el audio escuchamos que…
    a) una mujer puede elegir si bebe alcohol o no en las comidas de negocios.
    b) la decisión de tomar o no alcohol en las comidas de negocios depende de la mujer.
    c) las normas de buena educación en las comidas de negocios son para hombres y mujeres.

17. En esta entrevista se nos explica que…
    a) es de sentido común pagar a medias cuando te invitan a comer.
    b) la reserva, elegir el restaurante y demás lo hace el que invita.
    c) el invitado paga si saca la tarjeta y dice: «yo pago».

18. Álvaro dice que…
    a) si tienes una llamada urgente en el móvil, puedes atenderla si pides disculpas y te vas de la mesa.
    b) los mafiosos siempre usan un palillo en las comidas de negocios.
    c) en una comida de negocios siempre vamos al baño para llamar por teléfono, lavarse los dientes…

**CD I
Pistas
26-32**

TAREA 4

(Ver características y consejos, p. 259-260)

A continuación va a escuchar a seis personas hablando sobre el tema del salario emocional. Escuchará a cada persona dos veces. Después, seleccione el enunciado, a)-j), que corresponde al tema del que habla cada persona, 19-24. Hay diez enunciados incluido el ejemplo. Seleccione únicamente seis.

Dispone de 20 segundos para leer los enunciados.
Escuche el ejemplo:
   Persona 0
   La opción correcta es el enunciado c.

ENUNCIADOS

a) No es bueno para la producción esperar hasta que tu superior se marche para dejar de trabajar.

b) Las ganas y el ánimo para trabajar bien hacen que el trabajador se sienta parte integrante de la empresa.

c) *Uno de los componentes del salario emocional es el de las relaciones personales.*

d) Muchas veces es difícil sentirse motivado, especialmente si no te pagan por algún trabajo.

e) El «menú cafetería» sirve para que los empleados no salgan a comer fuera de la empresa.

f) Prefiere que traten bien a los trabajadores que cobrar mucho dinero.

g) Le gustaría que le pagaran más si estuviera más tiempo en la empresa cada día.

h) Su empresa es como una ONG.

i) Hasta el momento actual, las horas extra en su empresa se las pagaban normalmente.

j) Según un estudio, hay algunas empresas españolas con buenas condiciones de trabajo.

PERSONA		ENUNCIADO
Persona 0	Pista 26	c)
19. Persona 1	Pista 27	
20. Persona 2	Pista 28	
21. Persona 3	Pista 29	
22. Persona 4	Pista 30	
23. Persona 5	Pista 31	
24. Persona 6	Pista 32	

CD I
Pista 33

TAREA 5

(Ver características y consejos, p. 259-260)

A continuación va a escuchar a un hombre que habla de cómo ha montado un comedor social gracias a la generosidad de otra persona. Escuchará la audición dos veces. Después, conteste a las preguntas, 25-30. Seleccione la respuesta correcta, a), b) o c).
Tiene 30 segundos para leer las preguntas.

PREGUNTAS

25. En este audio se dice que…
   a) Julio había telefoneado con anterioridad para contar su historia.
   b) Julio ha limpiado la churrería y así el dueño no le cobra alquiler.
   c) D. Alfonso ha cedido el local gratis gracias a que llevaba cerrado dos años y pico.

26. Julio dice que…
   a) el local está abierto en un complejo hotelero.
   b) el dueño de la churrería les presta el local sin pedir nada.
   c) los beneficiarios del comedor son 16 familias.

27. En la audición escuchamos que…
   a) Julio investigó entre los vecinos de su edificio la gente que iría al comedor.
   b) utilizan unas bandejas térmicas para calentar la comida en el hotel.
   c) D. Alfonso es suegro de un amigo de Julio.

28. Julio dice que…
   a) conoce mucho al dueño del local y sabe que es honesto y bueno.
   b) en el comedor social no tienen cocina.
   c) el dueño de la churrería tiene bastante dinero.

29. En este audio…
   a) Julio dice que hay una frutería que ayudará a principios de mes.
   b) nos cuentan que al día siguiente, en el comedor social, pondrán de desayuno café, Cola Cao y repostería.
   c) se dice que varios establecimientos ayudan a Julio a abastecerse de productos.

30. Julio…
   a) lleva menos de una semana con el comedor social abierto.
   b) suda mucho desde que abrió el comedor social.
   c) dice que esforzándonos un poco se consiguen grandes cosas.

Anote el tiempo que ha tardado:

Recuerde que solo dispone de **40 minutos**

Especial DELE B2 Curso completo

PRUEBA 3

Expresión e interacción escritas

Tiempo disponible para las 2 tareas.

TAREA 1

(Ver características y consejos, p. 261)

En su barrio ha crecido mucho el desempleo entre distintos sectores de la población. Usted, preo-cupado por la situación laboral y familiar de muchos de sus vecinos, decide escribir una carta a la Concejalía de Familia y Bienestar Social. Usted cree que el ayuntamiento de su ciudad puede orga-nizar distintos cursos de formación y grupos de apoyo que ofrezcan ayuda, tanto laboral y formati-va como psicológica. Escriba una carta para publicarla en la página web de su ayuntamiento solici-tando atención a este problema. En la carta debe:

- presentarse;
- explicar las características de los distintos sectores en paro (edad, discapacitados, inmigrantes, gravedad de la situación);
- explicar las ventajas que tendrían los cursos y la creación de los grupos de apoyo para su barrio;
- proponer su grado de implicación personal en esta cuestión.

Número de palabras: entre 150 y 180.

**CD I
Pista 34**

Va a escuchar una noticia relacionada con **el impacto psicológico que tiene la pérdida del traba-jo y las medidas que pueden ayudar a la persona que se encuentra en esta nueva situación.**

Instancia al ayuntamiento

CARACTERÍSTICAS	
La instancia es un modelo de escrito en el que se combinan la exposición y la argumentación. Es muy importante que los datos estén contrastados y que se aporten pruebas que apoyen los razonamientos.	1. Objetividad. 2. Exposición clara, ordenada. 3. Frases cortas. 4. Vocabulario conciso. 5. Estilo formal. 6. Evitar ataques personales o insultos. 7. Ofrecer alguna propuesta. 8. Claridad y corrección gramatical y ortográfica.

MODELO DE CARTA DIRIGIDA A UN ORGANISMO OFICIAL

TÍTULO IDENTIFICATIVO DEL PROBLEMA

ENCABEZAMIENTO
Ponemos Sr. seguido del apellido.
Si no sabemos el nombre: Estimado Sr., Muy Sr. mío.

¡¡¡RECUERDE!!!
Detrás del saludo se ponen siempre DOS PUNTOS.

ABANDONO MEDIOAMBIENTAL
DEL DISTRITO ESTE DE LA CIUDAD

Estimado Sr. García Roncal:

Le escribo desde el distrito este de la ciudad. El motivo de mi carta es poner en su conocimiento el abandono medioambiental que sufre la zona, una de las más deficitarias en infraestructuras y servicios.

La recogida de basura en la zona no es diaria, a diferencia de lo que veo en otros barrios de la ciudad, donde los servicios de limpieza actúan todos los días. Lo mismo ocurre con los servicios de reciclaje. La gente colabora llevando envases, papel y cartón y vidrio a los contenedores, pero nadie pasa a recogerlos. Los sábados y domingos, como puede ver en las fotos que le adjunto, las botellas y los plásticos se quedan en la calle, en medio de la acera, dificultando el paso, o acaban en la basura, con lo que el esfuerzo del ciudadano no sirve para nada.

Creo que el ayuntamiento ha de responder a la labor del ciudadano con la misma diligencia que este demuestra. De lo contrario, corremos el peligro de que los vecinos dejen de colaborar ante el lamentable estado de suciedad de nuestras calles y el escaso interés y falta de participación de los servicios de limpieza.

Atentamente,

Luis Fernández Cuesta

PRESENTACIÓN Y EXPOSICIÓN DEL PROBLEMA
- La razón por la que me dirijo a ustedes es la siguiente:…
- Como máximo responsable del área de medio ambiente, le escribo para comunicarle la situación del barrio…

MENCIONAR EL MAYOR NÚMERO DE DATOS POSIBLE
Aportar pruebas para la reclamación ayuda a delimitar el problema.

DESARROLLO DE LA INFORMACIÓN
- La zona se encuentra en un estado de total abandono…
- Las aceras no se limpian diariamente…
- Los jardines no tienen los cuidados necesarios y las plantas están secas…

CONVENCER DE LA NECESIDAD DE TOMAR MEDIDAS
- Avisar de las consecuencias del problema si este no se resuelve.

IDENTIFICACIÓN

67

TAREA 2

(Ver características y consejos, p. 262)

Elija solo una de las dos opciones que se le ofrecen a continuación:

OPCIÓN A

Usted colabora con el departamento de trabajo de su distrito y le han pedido que escriba un informe sobre las principales dificultades que tienen las personas que se trasladan a otro país en busca de empleo. En él debe incluir y analizar la información que se ofrece en el siguiente gráfico.
Número de palabras: entre 150 y 180.

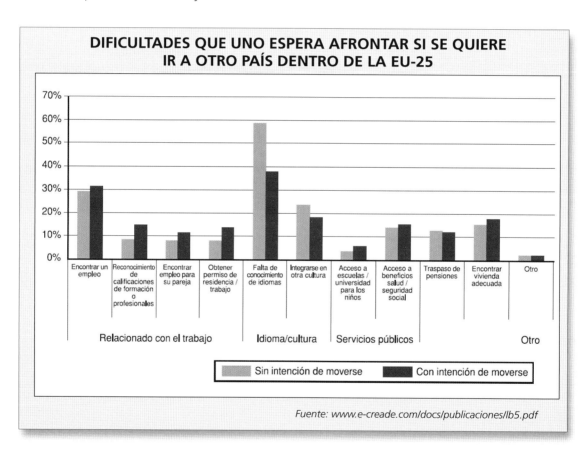

Fuente: www.e-creade.com/docs/publicaciones/lb5.pdf

Redacte un texto en el que deberá:
- hacer referencia a las principales dificultades de adaptación que tienen las personas que se trasladan a otro país;
- comparar de forma general los porcentajes de los dos grupos del estudio;
- resaltar los datos que considere más relevantes;
- expresar su opinión sobre la información recogida en el gráfico;
- recoger en una conclusión las recomendaciones que pueden darse a quienes decidan emigrar en busca de empleo.

OPCIÓN B

Usted debe dar una serie de recomendaciones sobre seguridad a un grupo de turistas que van a viajar a un país que usted conoce bien. Para ello cuenta con su experiencia y con una pequeña información que ha tomado de un blog:

¿Cómo podemos prevenir un robo? ¿Cómo actuar si nos roban?

Por la calle, en el autobús o en sitios muy transitados, vigila tus pertenencias. Lleva el bolso cerrado, pegado a ti y visible en todo momento; la cartera, en un lugar seguro. En un bar, cafetería o parque, no dejes el bolso donde cualquiera te lo pueda quitar. Si caminas por la calle, ve pegado a la pared y con el bolso en ese lado; a la hora de darte un tirón, será más difícil que el ladrón escape.

Deberías memorizar los siguientes teléfonos, o al menos tenerlos apuntados en tu móvil, para que las autoridades actúen con mayor diligencia y efectividad en caso de robo:

- 091: para llamar a la Policía Nacional;
- 062: para llamar a la Guardia Civil (sobre todo si ha ocurrido en un lugar que no disponga de comisaría de Policía);
- 112: Emergencias.

Si el robo se ha producido por la calle, aunque haya sido sin darnos cuenta, la policía recomienda denunciarlo siempre para facilitar cualquier tipo de detención. Además, lo que se suele robar con más facilidad (móviles, ordenadores, etc.) tiene un número de serie que puede facilitar, en caso de conocerlos, su posible recuperación. El IMEI de un teléfono es único, y se puede averiguar fácilmente pulsando la siguiente combinación en el mismo terminal *#06#.

Asimismo, las joyas y otros objetos de valor pueden ser identificados si dispones de fotografías de los mismos. Si estás de vacaciones en algún lugar y el robo se produce en tu habitación de hotel, debes saber que se considera como si te hubiesen robado en tu domicilio.

Elabore y redacte en un registro formal un texto informativo destinado al grupo de turistas antes mencionado. En él deberá:
- hacer una pequeña introducción sobre la importancia de tomar medidas de seguridad durante el viaje;
- dar consejos y recomendaciones para prevenir los robos;
- dar instrucciones para actuar en caso de hurto;
- contar algún caso concreto de robo que usted haya conocido o presenciado y advertir de las desagradables consecuencias que este hecho puede tener durante el resto del viaje.

Anote el tiempo que ha tardado:

Recuerde que solo dispone de **80 minutos**

Especial DELE B2 Curso completo

Expresión e interacción orales

20 min
Tiempo disponible para las 3 tareas.

20 min
Tiempo disponible para la preparación de la intervención oral.

TAREA 1

(Ver características y consejos, p. 266)

Usted deberá hablar durante 3 o 4 minutos de las ventajas e inconvenientes de una serie de soluciones que se proponen para un determinado problema. Después, conversará con el entrevistador sobre el tema. Tiempo total, 6-7 minutos.

PROBLEMAS DE LA VIVIENDA

El derecho universal a una vivienda, digna y adecuada, aparece recogido en la Declaración Universal de los Derechos Humanos en su artículo 25; sin embargo, este derecho se ve afectado en todo el mundo por numerosos factores: altos precios, problemas de financiación, desempleo, bajos salarios…

Expertos en vivienda se han reunido para discutir algunas medidas que ayuden a solucionar esta situación.

Lea las propuestas recogidas y explique las ventajas e inconvenientes de, como mínimo, cuatro de ellas.

Después de su monólogo conversará con el entrevistador sobre el tema y las propuestas.

En su exposición debe especificar por qué le parece una buena o mala solución esa propuesta, qué inconvenientes puede tener, a quién beneficia y a quién perjudica; si puede ocasionar otros problemas o si habría que precisar algo más…

Expresión e interacción orales

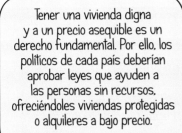

> Tener una vivienda digna y a un precio asequible es un derecho fundamental. Por ello, los políticos de cada país deberían aprobar leyes que ayuden a las personas sin recursos, ofreciéndoles viviendas protegidas o alquileres a bajo precio.

> Se debe evitar el excesivo proteccionismo de los gobiernos. Una vivienda es un bien privado y una inversión. Lo mejor es que los familiares se ayuden entre sí para adquirirla.

> Es preferible alquilar una casa o un piso que comprarlo. Con la crisis se ha demostrado que los precios de los pisos pueden bajar, por lo que no son una inversión fiable. Además, vivir de alquiler da más flexibilidad a tu vida.

> Alquilar un piso es tirar el dinero. Con una entrada y unos plazos mensuales a lo largo de tu vida laboral, al final tienes un piso en propiedad. Es un seguro de vida para tu jubilación y para el futuro de tus hijos.

> Los jóvenes tienen graves dificultades para acceder a la vivienda por su elevado precio, la falta de trabajo, los bajos salarios y la falta de estabilidad en sus empleos. Todo ello retrasa su independencia y les impide desarrollar su proyecto de vida.
> Es una pena.

> Algunas soluciones al problema actual de la vivienda podrían ser: compartir piso, construir casas más pequeñas y asequibles para personas que viven solas; volver al campo donde la vida es más humana y barata, bajar el precio del suelo, evitar la especulación...

EXPOSICIÓN
Ejemplo: *Yo estoy de acuerdo con la propuesta de alquilar en vez de comprar porque…*

CONVERSACIÓN
Cuando el candidato termine su monólogo sobre las propuestas de la lámina (3 o 4 minutos), el entrevistador le hará algunas preguntas sobre el tema durante otros 3 minutos.
La duración total de esta prueba es de 6 a 7 minutos.

EJEMPLO DE PREGUNTAS DEL ENTREVISTADOR
Sobre las propuestas
- ¿Está de acuerdo con todas las propuestas? ¿Eliminaría o añadiría alguna?

Sobre su realidad
- ¿Considera que en su país hay problemas para acceder a una vivienda? En caso afirmativo, ¿cuáles son?, ¿en qué sectores sociales es más apreciable el problema?, ¿se han tomado o se van a tomar medidas para resolverlo?
- ¿Cuál es el tipo de vivienda media en su país: casa, piso, apartamento; en la ciudad, en las afueras, en el campo; superficie; número de habitaciones…?

Sobre sus opiniones
- ¿Cuál es su opinión sobre este tema? ¿Cree que este es un asunto particular o piensa que es un problema social? ¿Si fuera político tomaría alguna medida concreta para resolver el problema de la vivienda?
- ¿Puede describir su casa ideal? ¿Lugar, tipo de vivienda, superficie, distribución?

TAREA 2

(Ver características y consejos, p. 269)

Usted debe imaginar la situación que se está produciendo en la fotografía y, a continuación, tiene que describirla durante 2 minutos aproximadamente, a partir de unas preguntas que se le ofrecen. Puede haber más de una respuesta.
Después, hablará con el entrevistador y expresará sus opiniones sobre ese tema.

UNA ENTREVISTA DE TRABAJO

Las personas que ve en la fotografía están esperando para realizar una entrevista de trabajo. Tiene que describir la escena que ve y hablar sobre ella durante 2 minutos aproximadamente. Puede centrarse en los siguientes aspectos:

- ¿Dónde cree que se encuentran estas personas? ¿Qué tipo de empleo es el que buscan? ¿Por qué piensa eso?
- ¿Tienen algo en común? ¿Ve diferencias entre ellos en su postura, en la forma de vestir, en su actitud…?
- Seleccione dos o tres personas de la fotografía e imagine cómo son, dónde viven, a qué se dedican, por qué están ahí, cuál es su situación personal, qué expectativas tienen…
- ¿Qué cree que va a suceder en las entrevistas? En su opinión, ¿cuál de ellos va a obtener el empleo?

Después de la descripción, el entrevistador le hará algunas preguntas sobre el tema hasta completar el tiempo total de esta prueba, que es de 5-6 minutos.

EJEMPLOS DE PREGUNTAS DEL ENTREVISTADOR

- ¿Ha vivido alguna vez una situación como la de la foto? En caso afirmativo, ¿puede contar qué sucedió, cómo se sintió, qué pasó después…?
- ¿Le han dado alguna recomendación para las entrevistas de trabajo?
- ¿Qué es lo más importante, en su opinión, para tener éxito en una situación como esta?

TAREA 3

(Ver características y consejos, p. 270)

Usted tiene que dar su opinión a partir de unos datos de noticias, encuestas, etc., que se le ofrecen (2-3 minutos). Después, debe conversar con el entrevistador sobre esos datos, expresando su opinión al respecto.
Esta tarea no se prepara previamente.

ENCUESTA SOBRE CALIDAD DE VIDA

Aquí tiene una encuesta sobre distintos aspectos que influyen en su calidad de vida. Léala y explique el grado de importancia que tiene cada uno de ellos para usted:

	Muy importante	Bastante importante	Algo importante	Poco importante	Nada importante	NS/NC
El trabajo						
La familia						
La política						
El bienestar económico						
El tiempo libre/ocio						
La salud						
Los/as amigos/as						
La religión						
Las relaciones de pareja						

A continuación compare sus respuestas con los resultados obtenidos en España en la misma encuesta. (Los aspectos más relevantes están marcados con una flecha).

- ¿En qué se parecen? ¿Hay alguna diferencia importante?
- ¿Quiere destacar algún aspecto? ¿Cree que hay otros indicadores que debería contener la encuesta? ¿Puede explicarlo?

Diferentes aspectos vitales según la valoración dada por la población española
Enero de 2012 (% población)

	Muy importante	Bastante importante	Algo importante	Poco importante	Nada importante	NS/NC
El trabajo	➡ 67,9	26,2	1,9	1,5	1,7	0,8
La familia	➡ 85,2	13,7	0,5	0,3	0,2	0,1
La política	7,2	19,1	17,5	31,8	➡ 23,5	1,0
El bienestar económico	45,4	➡ 48,8	4,0	1,3	0,2	0,4
El tiempo libre/ocio	32,7	➡ 50,4	11,1	4,5	0,7	0,7
La salud	➡ 88,9	9,8	1,0	0,1		0,2
Los/as amigos/as	41,3	➡ 46,5	8,7	2,7	0,5	0,4
La religión	9,2	18,2	16,8	➡ 28,4	26,5	0,9
Las relaciones de pareja	➡ 52,1	36,5	5,0	3,0	2,3	1,2

Fuente: Centro de Investigaciones Sociológicas (CIS)

Fuente: www.ine.es

Especial DELE B2 Curso completo

examen 3

EDUCACIÓN, CIENCIA Y TECNOLOGÍA

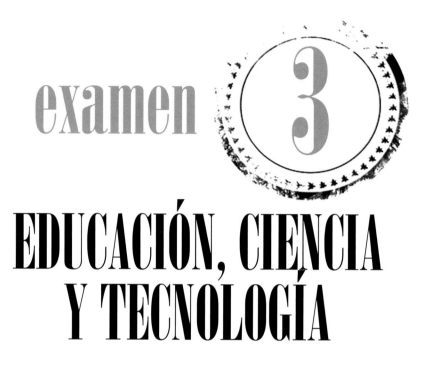

Curso completo

► **Léxico** ——————— { ▌ Educación
▌ Ciencia y tecnología

► **Gramática**

► **Funciones**

Modelo de examen 3

EDUCACIÓN

Analfabetismo (el) ....

Asignatura (la) ....

Autoestima (la) ....

Autoevaluación (la) ....

Bachillerato (el) ....

Beca (la) ....

Cañón (el) ....

Catedrático/a (el/la) ....

Celo (el) ....

Cognitivo/a ....

Competencias (las) ....

Competitividad (la) ....

Congreso (el) ....

Docente (el/la) ....

Doctorado (el) ....

Enfoque (el) ....

Evaluación (la) ....

Formación profesional (la) ....

Graduado escolar (el) ....

Habilidades (las) ....

Jefe de estudios (el) ....

Licenciatura (la) ....

Metodología (la) ....

Nota final (la) ....

Pegamento (el) ....

Prueba de Acceso a la Universidad (la) ....

Prueba de nivel (la) ....

Rector/-a (el/la) ....

Resultados (los) ....

Rotulador (el) ....

Seminario (el) ....

Taller (el) ....

Tutoría (la) ....

Verbos y expresiones

Aprobar ....

Catear ....

Conseguir una beca ....

Estar castigado/a ....

Examinar(se) ....

Fumarse las clases ....

No dar palo al agua ....

Obtener créditos ....

Pasar lista ....

Preparar(se) un examen ....

Quedarse en blanco ....

Sacar buenas/malas notas ....

Suspender ....

Tener un buen/mal expediente ....

CIENCIA Y TECNOLOGÍA

Altura (la) ....

Anchura (la) ....

Archivo (el) ....

Átomo (el) ....

Avance científico (el) ....

Avatar (el) ....

Bacteria (la) ....

Capacidad (la) ....

Científico/a ....

Cósmico/a ....

Cursor (el) ....

Elemento químico (el) ....

Emisiones (las) ....

Espesor (el) ....

Fórmula (la) ....

Gaseoso/a ....

Gasolina (la) ....

Genético/a ....

Hueso (el) ....

Índice (el) ....

Inteligencia artificial (la) ....

Líquido/a ....

Longitud (la) ....

Microscopio (el) ....

Molécula (la) ....

Mundo virtual (el) ....

Músculo (el) ....

Mutaciones genéticas (las) ....

Neurona (la) ....

Pantalla (la) ....

Partícula (la) ....

Porcentaje (el) ....

Procesador de textos (el) ....

Rayo (el) ....

Simulación (la) ....

Sólido/a ....

Teclado (el) ....

Termómetro (el) ....

Virus (el) ....

Volumen (el) ....

Verbos y expresiones

Bloquearse ....

Demostrar ....

Desarrollar ....

Echar un vistazo ....

Formatear ....

Fuga de cerebros ....

Investigar ....

Maximizar ....

Minimizar ....

Ocurrírsele algo (a alguien) ....

1 Relaciona los ejemplos con el significado que le corresponde.

a. Mi hijo va a estudiar en un colegio público.
b. Mira, este es mi antiguo colegio.
c. ¡Qué bien, mañana no hay colegio!

1. Colegio (actividad)
2. Colegio (institución)
3. Colegio (lugar, edificio)

2 En España existen tres tipos de centros educativos de 6 a 18 años. Para saber las diferencias entre un colegio público, concertado y privado completa la información con estas palabras.

Sí, hasta los 14 años

Contratados

Laico

Gratis hasta 18 años

	COLEGIO PÚBLICO	COLEGIO CONCERTADO	COLEGIO PRIVADO
FINANCIACIÓN		Gratis hasta los 16 años	De pago
PROFESORES	Empleados públicos, funcionarios	Contratados	
UNIFORME	Generalmente no		Generalmente sí, hasta los 14 o 18 años
RELIGIÓN		Generalmente religioso	Puede ser laico o religioso
IDIOMAS	Uno o dos idiomas. Alguno bilingüe o trilingüe en alguna comunidad	Inglés como segunda lengua. Alguno bilingüe	Bilingüe o trilingües

¿Qué tipo de centro te parece mejor?

¿Funciona igual en tu país?

3 Escribe tres diferencias entre el sistema educativo español y el de tu país.

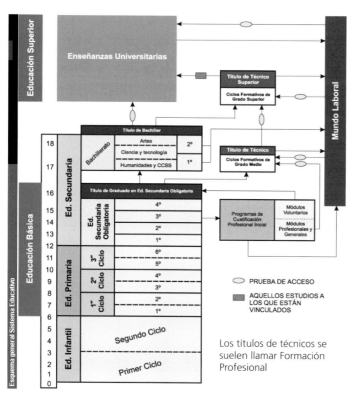

Los títulos de técnicos se suelen llamar Formación Profesional

Completa el vocabulario de los cuadros con las palabras correspondientes.

Tener un buen expediente • Sobresaliente • Devolver el dinero de la matrícula • Disfrutar de
Intercambio • Conseguir • Quedar/Tener una asignatura pendiente • Presentarse a

UNA BECA

- Obtener
- Solicitar
- Conceder
....

EXAMEN

- Parcial
- Final
- Cuatrimestral
- Autoevaluación
- Prepararse
- Pasar
....

IDIOMAS

- Prueba de nivel
- Curso de iniciación, de perfeccionamiento
- Curso intensivo
....

NOTAS

- Nota media, final
- Aprobado
- Aprobar
- Suspenso
- Suspender
- Notable
....
- Sacar buenas notas
....

CRÉDITOS

- Obtener
....
- Dar

CURSO

- Matricularse
....
- Recibir clases
- Pasar de curso
....
- Abandonar los estudios

Completa los diálogos con las palabras adecuadas del ejercicio anterior.

A. **CURSO DE IDIOMAS**
- Quería a. _____ en un curso de español. ¿Puede darme información sobre las clases, horarios…?
- Bien, primero tiene que hacer una prueba b. _____. En nuestro centro tenemos desde cursos de c. _____ hasta de d. _____. También tenemos cursos normales o e. _____ . Contamos con nuestros propios métodos didácticos.
- Si me matriculo y tengo algún problema, ¿me f. _____ el dinero de la matrícula? Y otra cosa: me han hablado de unos programas de g. _____ con estudiantes españoles, ¿podría darme información?

B. **BECA ERASMUS**
- Quiero a. _____ una beca Erasmus para irme a Italia el próximo curso. ¿Qué tengo que hacer?
- Pues si b. _____ de alguna beca de estudios tiene que rellenar estos impresos, en caso contrario, tiene que aportar además toda esta documentación. El año pasado se la c. _____ a varios estudiantes de esta universidad, pero ahora con la crisis resulta más difícil d. _____, pero inténtelo.

C. **EXÁMENES DELE**
- Este año me voy a a. _____ al DELE B2. El año pasado me presenté, pero no lo b. _____.
- Yo también me presenté, y c. _____ una buena nota en la prueba oral, pero d. _____ la prueba auditiva.

Completa este test y después escribe un resumen sobre tu vida en el colegio usando palabras nuevas.

¿ERAS BUEN ESTUDIANTE EN EL COLEGIO?	NUNCA	A VECES	SIEMPRE
a. ¿Asistías puntual a todas las clases?			
b. ¿Hacías las tareas?			
c. ¿Consultabas tus dudas en libros e Internet?			
d. ¿Participabas en debates y discusiones?			
e. ¿Salías como voluntario a la pizarra?			
f. ¿Tomabas notas y apuntes en clase?			
g. ¿Subrayabas las ideas importantes?			
h. ¿Hacías resúmenes, esquemas y síntesis?			
i. ¿Sacabas buenas notas en todas las asignaturas?			
j. ¿Te quedaba alguna asignatura pendiente?			

7 Di si estás a favor o en contra de cuatro de estas opiniones sobre educación. Argumenta tu respuesta

Yo estoy a favor de que se separe a los estudiantes conflictivos del resto porque…

a. Es más importante la educación en valores que la formación académica.

c. Se debe favorecer el trabajo en equipo frente a la competitividad y el individualismo.

e. Es urgente que se tomen medidas para prevenir el acoso escolar.

b. Habría que memorizar menos y reflexionar más.

d. Muchas asignaturas del colegio no sirven para nada: yo las eliminaría o las haría optativas. Y deberían añadir otras.

f. La religión no debería estudiarse en el colegio, sino en casa.

8 Ordena las sílabas de las palabras que están en mayúsculas y relaciónalas con las fotos.

a. Para que la impresora funcione, se necesita ponerle un TUCHOCAR DE TATIN: ....

b. Para borrar la pizarra, se necesita un RRADORBO: ....

c. Para escribir un trabajo, se necesitan LIOSFO blancos: ....

d. Para unir varios folios, se necesita una PAGRARADO o un CLIP: ....

e. Para pegar papel, se necesita LOCE: ....

f. Para subrayar un texto, se necesita un LARODORTU: ....

g. Para hacer una presentación con imágenes, se necesita proyectar una TIVASIDIAPO: ....

1.
2.
3.
4.
5.
6.
7.
8.

9 Relaciona cada definición con su cargo o puesto correspondiente.

a. Es la persona que controla a otra en la elaboración de una tesis doctoral.
b. Persona que dirige una universidad o centro de estudios superiores.
c. Profesor que tiene la categoría más alta en la enseñanza media o universitaria.
d. Responsable de coordinar y vigilar la actividad académica de un centro educativo.
e. Es el estudiante que representa en un curso a todos sus compañeros.
f. Profesor de enseñanza infantil y primaria.
g. Persona encargada de orientar a los alumnos de un curso o asignatura.

1. Catedrático
2. Rector
3. Jefe de estudios
4. Maestro
5. Tutor
6. Director de tesis
7. Delegado de curso

10 Lee estas informaciones sobre la vida en la universidad y da tu opinión contestando a las preguntas.

LA PAU

Es la prueba de acceso a la universidad española.

Las becas Erasmus

Son unas ayudas económicas que facilitan la movilidad de universitarios europeos.

Con más de 40 000 estudiantes, España es el destino favorito de los estudiantes erasmus.

a. ¿Cómo se accede a la universidad en tu país?
b. ¿La universidad debe ser libre y accesible para todos?
c. ¿Qué opinas sobre el programa y las becas Erasmus?

1 Escribe un informe sobre la situación educativa en España en el que destaques dos datos relevantes que ofrece cada gráfico.

En el primer gráfico se observa que en España en el año 2013 había…

PARA AYUDARTE

> • licenciarse en   • graduarse en   • doctorarse en   • ser estudiante de máster, de Derecho

TASA DE POBLACIÓN GRADUADA POR NIVELES (2013)   MATRICULADOS EN LA UNIVERSIDAD (2013)

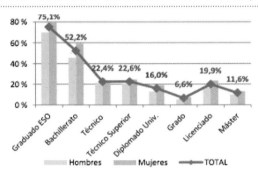

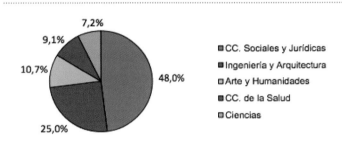

DESCENSO DEL NÚMERO DE LOS UNIVERSITARIOS

▶ **ESTUDIANTES DE GRADO**

Primer y segundo ciclo   ▒ Enseñanza pública ■ Enseñanza privada

CURSO		Enseñanza pública		Total	Variación total
2011-2012		1.294.381		1.456.783	
2012-2013		1.280.143		1.450.036	
2013-2014		1.272.047		1.438.115	
		-0,6%			-1,2%

2 Relaciona estas palabras y expresiones con su significado.

a. Darle a alguien una lección.
b. Ser un empollón.
c. Quedarse en blanco.
d. Tener algo en la punta de la lengua.
e. Romperse la cabeza.
f. Írsele a alguien el santo al cielo.
g. A ojo.
h. Pasar a limpio.
i. Por los pelos.

1. Hacer o calcular algo sin medida, sin precisión.
2. Escribir de nuevo lo que está en borrador de manera limpia y clara.
3. Trabajar duro, pensar mucho para buscar una solución a algo.
4. Ser una persona estudiosa. Se suele usar de forma despectiva.
5. Olvidar lo que se tenía memorizado o preparado. Bloquearse.
6. Conseguir algo por muy poco, en el último momento.
7. No poder recordar en ese momento algo que se sabe.
8. Corregir a alguien lo que ha hecho mal con mayor o menor dureza.
9. Olvidársele a alguien lo que tenía que decir o hacer.

3 Completa estas frases con la locución adecuada en el tiempo correcto cuando sea necesario.

a. Ayer lo pasé fatal: en mitad de la presentación me .... ¡No podía seguir!

b. Antes de entregar el examen tienes que .... la redacción. El borrador no vale.

c. Mi hija ha aprobado el bachillerato .... porque un examen le había salido muy mal.

d. ¡Ay, tenía que devolver hoy el libro en la biblioteca! Qué rabia, se me ....

e. Calculando .... yo diría que había más de doscientas personas en la conferencia.

f. Yo sé quién escribió *Fuenteovejuna*, espera que lo tengo ....

g. Míralo, es el típico ...., siempre en primera fila, levantando la mano…

h. Pablo siempre está hablando en clase, con el móvil, sin atender… ¡Se merece que le ....!

i. Me estoy .... para resolver este problema. ¿Sabéis la solución?

1 A. Escribe las palabras *invento* y *descubrimiento* junto a su definición.

a. ....

Con este término hacemos referencia a algo que no existía hasta que se creó.

b. ....

Con esta palabra nos referimos a algo que ya existía, pero que hasta ese momento no se conocía o no se podía demostrar.

B. Lo que está relacionado con la biología o con la química ¿es un invento o un descubrimiento?

2 Completa este cuadro con las palabras adecuadas.

SUSTANTIVO	ADJETIVO	VERBO
El invento		
	Descubierto	
		Investigar

3 Estos son algunos de los inventos y descubrimientos más destacados de la historia de la humanidad. ¿Sabes cuándo y dónde se llevaron a cabo y quién los hizo? Relaciona las dos columnas.

Yo creo que la imprenta la inventó…

a. Hacia 1440. Gutenberg.
b. 1926. John Logie Baird.
c. Hace unos 500 000 años se controló.
d. 1910. Henry Ford creó su fabricación en serie.
e. 1960-1990. Grupo de científicos.
f. 1879. Thomas A. Edison la perfeccionó.
g. Hace 5000 años en Eslovenia y Mesopotamia.
h. 1928. Alexander Fleming.
i. 1876. Alexander Graham Bell lo patentó.

1. El fuego
2. La rueda
3. La imprenta
4. La bombilla
5. El teléfono
6. La televisión
7. El automóvil
8. La penicilina
9. Internet

1. Selecciona los tres que te parecen más importantes y explica por qué.
2. Añade alguno que falte en la lista y justifícalo.
3. ¿Qué es lo más urgente que se debería descubrir o inventar?

4 Relaciona estas palabras con su símbolo, imagen o elemento químico correspondiente.

1. Estado líquido
2. Oro
3. Hierro
4. Química
5. Electricidad
6. Congelarse
7. Plata
8. Física
9. Evaporarse

a.

c.

d.

f.

h.

b.

e.

g.

i. (H₂O)

5 Corrige las afirmaciones que son falsas.

☐ 1. Por debajo de 0° de temperatura, el agua se evapora y se convierte en estado gaseoso.
☐ 2. El símbolo químico de la plata es Ag.
☐ 3. La química es la ciencia dedicada al estudio de los fenómenos naturales y que estudia las propiedades del espacio, el tiempo, la materia y la energía…
☐ 4. La física es la ciencia que estudia la estructura, propiedades, transformaciones y composición de los cuerpos.
☐ 5. El símbolo químico del oro es Fe.

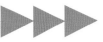

6 Describe las operaciones que tienes que hacer para resolver estos problemas: sumar +, restar -, multiplicar X (por) o dividir: (por, entre).

Para resolver el problema, hay que…

a. ¿Cuánto costó la cena de ayer por persona si eran cuatro y pagaron 84 € en total?
....
b. Entre Ana y Pedro tienen 78 libros. Ana se va de casa y se lleva 43 libros. ¿Con cuántos se queda Pedro?
....
c. David de lunes a viernes corre una distancia de 4 Km y los fines de semana, 5 Km. ¿Cuántos kilómetros corre en total durante la semana?
....

7 Escribe las letras que faltan en cada palabra y completa cada figura geométrica.

1. C_RC_L_ 2.TR_ _N_ULO 3. D_A_ON_ _ 4. ÁNG_L_ RE_TO 5. L_ N_A HORI_ONTA_

8 Ordena las sílabas de cada grupo de palabras y escribe la palabra correcta debajo de su dibujo correspondiente.

1. Una mulafór matimácate
2. Un número rap
3. Un número parim
4. Una cciónfra
5. Un número maldeci
6. Una blata

$0,12$

$E=mc^2$

$\dfrac{2}{3}$

a. .... b. .... c. .... d. .... e. .... f. ....

9 Completa estas combinaciones léxicas con los verbos siguientes y la ayuda de las iniciales.

| Plantear | Aplicar | Formular | Sacar | Calcular |

| Confirmar | Seguir | Resolver | Demostrar |

a. P.......................... una duda
b. .... una hipótesis
c. .... una cantidad
d. .... una duda
e. .... una hipótesis
f. S .... una regla
g. .... una fórmula
h. C .... una hipótesis
i. S.......................... conclusiones

10 Completa estas frases con las palabras más adecuadas del ejercicio anterior sin repetir ninguna.

a. La ....*fórmula*........... del teorema de Pitágoras se puede .... en la ciencia, el arte, la arquitectura…
b. Para .... una hipótesis, hay que tener un gran conocimiento del área en la que se va a desarrollar y tener muy claro cuál es el objeto de estudio.
c. Los experimentos deben servir para .... o rechazar las hipótesis que el científico se ha planteado previamente.
d. Las personas pueden desarrollar la habilidad de .... conclusiones y de hacer deducciones reflexionando desde la infancia.
e. Ante un problema informático, es importante .... las dudas de forma clara. Puedes consultar en Internet o en un foro, y si no las consigues .... lo mejor es que llames a un técnico.

11 Completa la información sobre las investigaciones de estos científicos españoles. ¿Qué investigación te parece más importante?

1. cardiovascular   2. neuronas   3. genética   4. virus   5. gen   6. biología   7. células

JOAN MASSAGUÉ ha descubierto el mecanismo de la metástasis del cáncer, es decir, lo que hace que las a. .... cancerosas se extiendan a otros órganos.

VALENTIN FUSTER, cardiólogo español, ha creado una aplicación que explica al usuario los riesgos de padecer una enfermedad d. .... y cómo evitarlos.

MARIANO BARBACID es bioquímico y oncólogo. Es el que consiguió aislar por primera vez un b. .... oncogénico en un tumor humano.

ADOLFO GARCÍA SASTRE se ha centrado en la e. .... molecular y en el estudio de los f. .... de la gripe y de otros como el ébola y el VIH.

MARGARITA SALAS estudió la manera en la que se transmite la información c. .... en el ADN.

RAFAEL YUSTE estudia la actividad cerebral de las casi 100 000 millones de g. .... que tenemos, que servirán para curar y evitar la epilepsia, la esquizofrenia, el Alzheimer o el Parkinson.

12 Identifica la ropa y los objetos que se usan en un laboratorio.

1. El microscopio
2. Los guantes
3. La bata
4. Las gafas de protección
5. El tubo de ensayo

a. ....

b. ....

c. ....

d. ....

e. ....

13 Selecciona dos o tres de estas opiniones sobre la ciencia y argumenta si estás de acuerdo o no con ellas.

«Es primordial apostar por la investigación. Si un país quiere ser puntero, sin investigación no lo será nunca».
Mariano Barbacid

«En la sociedad del conocimiento nos queda la tarea de rehacer ese mundo, de enseñar a los niños a cambiar de opinión, de igualar la danza a las matemáticas en los programas escolares y de recuperar el valor de la intuición como fuente de conocimiento primordial».
Eduard Punset

«No solo me pesó la falta de contenidos en materia científica, sino algo mucho más valioso: me di cuenta de que en el colegio no aprendemos a pensar y a desarrollar nuestro criterio».
Un estudiante

«No se puede enseñar ciencia como se enseñaba hace 20 años, con los mismos ejercicios mecánicos, solo aplicando ciertas fórmulas…».
Una profesora

4 Relaciona cada imagen con su nombre.

a. El módem/*router*
b. Los altavoces
c. La impresora
d. El monitor
e. El teclado
f. La unidad del sistema
g. El ratón

1.

2.

3.

5.

4.

7.

6.

¿Cómo sería tu vida si no tuvieras Internet, ordenador, wifi, teléfono inteligente…?

5 Tacha la opción incorrecta.

a. Guardar un archivo sonoro es *grabarlo/recordarlo*.
b. La marca que se mueve en la pantalla del ordenador es *el cursor/el indicador*.
c. Pulsar con el ratón en algún lugar de la pantalla para alguna función es hacer *clic/cloc*.
d. Pulsar en un archivo o programa para realizar alguna función es *pinchar/picar*.
e. Mover un archivo de un lugar a otro de la pantalla es *arrastrarlo/rastrearlo*.
f. Cuando se ha bloqueado el ordenador, hay que *reutilizarlo/reiniciarlo*.
g. Organizar el sistema y la programación de un ordenador para lograr su funcionamiento adecuado es *formarlo/configurarlo*.
h. Hacer más pequeña la pantalla es *maximizar/minimizar*.
i. La pantalla inicial donde están los iconos de archivos y programas se llama *escritorio/imaginario*.

6 Elige la opción correcta para completar las expresiones de estas frases.

a. No me apetece, pero tengo que *hacerme* .... de la organización del seminario.
b. Es mejor *dejar a un* .... el tema de la financiación y seguir con el proyecto.
c. Desde luego, siempre *estás poniendo* .... a todo.
d. Estoy harto de hacerlo todo yo, esta vez no voy a *mover un* ....
e. Hacer una tesis doctoral es muy duro, pero el esfuerzo *merece la* ....
f. Bueno, después de esta introducción voy a *entrar en* ....
g. Desde luego, no sé qué te pasa hoy que me *llevas la* .... todo el rato.
h. Todavía no *me he hecho a la* .... de que ya no puedo investigar en España.
i. Ayer todo el mundo me *echó en* .... que no fueses al congreso.
j. Ya sé que es difícil, pero tenemos que *sacar* .... este proyecto.

1. pegas
2. materia
3. cara
4. adelante
5. cargo
6. dedo
7. idea
8. pena
9. lado
10. contraria

7 Escribe cada expresión anterior al lado de su definición.

a. No hacer nada ni tomarse ninguna molestia por algo: ....*no mover un dedo*........ .
b. Encargarse o responsabilizarse de algo: ....
c. Omitir un tema o una información: ....
d. Poner obstáculos e inconvenientes para hacer algo: ....
e. Reprochar algo a alguien: ....
f. Empezar a tratar un asunto después de una introducción: ....
g. Llevar un negocio o asunto a buen fin: ....
h. Hacer, decir lo contrario de lo que otra persona dice o piensa: ....
i. Valer algo el esfuerzo que lleva conseguirlo: ....
j. Aceptar, acostumbrarse a algo: ....

1 ↗ Completa estas frases seleccionando la opción correcta.

1. Que te _____ de una vez. Ya no sé cómo decírtelo. Vas a llegar tarde a clase.
a. levantas
b. levantes
c. levantaras

2. Necesito un libro de historia que _____ esquemas y gráficos. ¿Conoces alguno?
a. tiene
b. haya tenido
c. tenga

3. Todos los que _____ solicitar la beca tienen que rellenar este formulario.
a. quieran
b. querían
c. querrían

4. No es verdad que María _____ doctora: está preparando la tesis, que es muy distinto.
a. fuera
b. sea
c. es

5. Pedro aprobó todo en junio, así que no es cierto que _____ una asignatura pendiente como dices.
a. tenga
b. tiene
c. tuviera

6. Si _____ algún estudiante a preguntar algo, le dices que hasta las 12 no llegaré.
a. venga
b. viene
c. vendría

7. Los estudiantes pueden empezar el examen una vez que _____ sus datos personales. No antes.
a. completen
b. completan
c. completaron

8. Álvaro, no pienso subirte la nota aunque me lo _____ de rodillas: tienes un dos.
a. pidas
b. pides
c. pedirías

9. Me sorprende que _____ Derecho, yo te veo muchas cualidades artísticas.
a. estudies
b. estudiarás
c. estudias

10. ¿Tienes un examen muy importante? Pues que _____ suerte.
a. tienes
b. tengas
c. tendrás

11. Es lógico que _____ un examen de recuperación: ha habido muchísimos suspensos.
a. haya
b. hay
c. habrá

12. El profesor nos ha prohibido que _____ en clase. Me parece fatal.
a. comemos
b. comamos
c. comeríamos

2 ↗ Completa estas frases seleccionando la opción correcta.

1. ¿Por qué te has ido del barrio? Ojalá _____ aquí como antes para ir juntas a clase.
a. vivas
b. vivieras
c. hayas vivido

2. Ojalá _____ aprender sin necesidad de estudiar y ¡sin exámenes!
a. podríamos
b. pudiéramos
c. podemos

3. _____ hablar con el director del instituto. Vengo de la inspección de Educación.
a. Quiera
b. Quisiese
c. Quisiera

4. ¿Podría enseñarme las instalaciones del colegio, si _____ tan amable?
a. sea
b. sería
c. fuera

5. Ayer tuve una llamada perdida. Tal vez me _____ los de la academia para decirme algo de las clases.
a. llamaran
b. llamara
c. llamará

6. ¿Dices que viste ayer a dos estudiantes míos en el cine en hora de clase? Probablemente no_____ ellos.
a. serán
b. fueran
c. sean

7. Pero si no ha estudiado nada. Ya te dije que era muy poco probable que _____.
a. apruebe
b. aprobaría
c. aprobara

8. La semana pasada fui a la biblioteca para pedir un libro prestado y me dijeron que lo _____ hoy.
a. devolviese
b. devolvería
c. devolvía

9. Todos en mi familia querían que _____ inglés y alemán, pero a mí me gustaba más el francés.
a. haya estudiado
b. estudie
c. estudiase

10. Mi profesor de Música me pidió que _____ un curso de perfeccionamiento vocal.
a. hacía
b. hiciera
c. haga

11. Estaría muy bien que _____ en tu presentación unos gráficos y unas tablas.
a. pusieras
b. pondrías
c. habrías puesto

12. Me apetecería que _____ a mi fiesta de graduación. ¿Tú crees que podrás?
a. vengas
b. vendrías
c. vinieras

3 Completa estas frases seleccionando la opción correcta.

1. Me alegro mucho de que te _____ para el concurso de becas.
   a. han seleccionado   b. seleccionen   c. hayan seleccionado

2. Qué raro, no han venido algunos estudiantes. Es posible que no se _____ de que hoy era el primer día de clase.
   a. hayan enterado   b. han enterado   c. habían enterado

3. No sé si Ana podrá presentarse a la selectividad. No creo que _____ todas las asignaturas.
   a. haya aprobado   b. aprobó   c. aprobaría

4. No es verdad que _____ los precios de las universidades públicas. De hecho, han subido últimamente.
   a. bajaran   b. han bajado   c. hayan bajado

5. Me imagino que contratarán a un profesor que _____ ya con personas con discapacidad, eso espero.
   a. trabajara   b. haya trabajado   c. había trabajado

6. Jaime, no puedes usar el móvil hasta que no _____ todas las tareas.
   a. has terminado   b. terminaras   c. hayas terminado

7. Ojalá _____ más para el examen. Ahora no estaría lamentándome por el suspenso.
   a. habría estudiado   b. hubiese estudiado   c. estudie

8. No me parece del todo mal la residencia de estudiantes que eligieron. Puede que yo_____ la misma.
   a. hubiera escogido   b. haya escogido   c. escogería

9. Llegó tarde a clase, pero nadie creyó que se _____ el metro, como dijo.
   a. ha estropeado   b. haya estropeado   c. hubiera estropeado

10. No sé de qué te quejas: llegamos una hora tarde, así que era lógico que se _____ ya la gente a su casa.
   a. hubiese ido   b. habría ido   c. había ido

11. Ana me dijo que sentía mucho que _____ por su culpa y me pidió que la perdonarais.
   a. habíais discutido   b. discutíais   c. hubierais discutido

12. Me habría encantado que _____ el campeonato de fútbol, pero no está mal ser los segundos.
   a. hubieseis ganado   b. habríais ganado   c. ganaríais

4 Completa estas frases seleccionando la opción correcta.

1. Ojalá _____ 18 años para poder ir a la universidad como vosotros. De joven no pude estudiar.
   a. tenga   b. tuviera   c. haya tenido

2. Me habría gustado mucho que me _____ tus apuntes para el examen. Ahora ya es demasiado tarde.
   a. hayas dejado   b. habías dejado   c. hubieras dejado

3. Es extraño que no _____ todavía el profesor. ¿Le habrá pasado algo?
   a. ha venido   b. haya venido   c. había venido

4. Me _____ mucho ser australiano. ¡Me encanta ese país!
   a. haya gustado   b. gustara   c. hubiera gustado

5. Que te _____ de una vez. ¡Este niño no puede estarse quieto!
   a. sientas   b. sientes   c. sentaras

6. No me entreguéis los ejercicios hasta que no los _____ todos.
   a. termináis   b. habéis terminado   c. hayáis terminado

7. Fue una suerte que ya __ la carrera cuando cambiaron el plan de estudios.
   a. habrías acabado   b. acabaste   c. hubieras acabado

8. En el colegio tuve un profesor estupendo que hizo que me _____ por las Ciencias Naturales.
   a. interesaba   b. interesase   c. interesaría

9. Me parece una tontería que _____ que hacer un trabajo de gimnasia. No sirve para nada.
   a. tengamos   b. tenemos   c. tuvimos

10. Estoy nerviosa porque me parece raro que no me _____ a mi solicitud de beca.
   a. han contestado   b. hayan contestado   c. habían contestado

11. Ojalá hoy _____ jueves y no martes… Queda mucho para el fin de semana.
   a. sea   b. fuera   c. sería

12. Quien _____ clase a las tres que vaya a comer en el primer turno.
   a. tenga   b. tenía   c. tienen

1 SERIE 1

Elige la opción correcta y completa el cuadro de funciones con las fórmulas correspondientes a cada una.

1. Ayer hubo una fiesta. Imagino que __ tarde a casa.
   a. llegará   b. llegaría   c. llegara
2. __ que no ha oído el despertador y que se ha dormido.
   a. Yo diría   b. Tal vez   c. Quizá
3. O __ a una chica en la fiesta y se habrá quedado con ella.
   a. había conocido   b. conozca   c. habrá conocido
4. No sé, __ algún amigo se encontrase mal y ahora está con él.
   a. tal vez   b. a lo mejor   c. igual
5. Hace tiempo que no veo el diccionario. Pensé que lo __ tú.
   a. hayas cogido   b. habrías cogido c. cogieras
6. __ lo haya cogido algún compañero y se le ha olvidado devolvértelo.
   a. Quizá   b. Es posible   c. Lo más seguro es
7. __ que te lo hayas llevado a casa y no te hayas dado cuenta.
   a. Posiblemente   b. Puede   c. Probablemente
8. __ que lo tiráramos sin querer cuando ordenamos el despacho.
   a. Podría   b. Tal vez   c. Podría ser
9. Es __ que lo hayas perdido. ¡Tienes muy mala cabeza!
   a. bastante probable b. poco probable c. improbable
10. __ que Ana apruebe los exámenes finales: no ha estudiado nada.
   a. Es probable   b. Es muy posible c. Es improbable
11. ¿Sabéis? __ probabilidades de que me den una beca Erasmus.
   a. Puede que   b. Hay muchas   c. Puede ser
12. __ es que me vaya a Italia, aunque no me importaría ir a Francia.
   a. Seguro   b. Seguramente   c. Lo más seguro

Tu listado

a. Expresar posibilidad
Igual está enfermo.

1. ....
2. ....
3. ....
4. ....
5. ....
6. ....
7. ....
8. ....
9. ....
10. ....
11. ....
12. ....

2 SERIE 2

Elige la opción correcta y completa el cuadro de funciones con las fórmulas correspondientes a cada una.

1. Yo creo que __ mejor que hablaras con nativos.
   a. te aconsejaría   b. te recomendaría c. sería
2. ¿__ nos apuntáramos a un programa de intercambio?
   a. Y si   b. Va muy bien   c. Sería necesario
3. __ que como no te pongas a estudiar ya, vas a suspender.
   a. No te fíes de   b. Te advierto   c. Presta atención a
4. __ con tus gafas, se te van a caer.
   a. Ojo   b. Presta atención c. No te fíes
5. __ de ese profesor, parece muy majo, pero luego te suspende.
   a. Te aviso   b. Mira bien   c. No te fíes
6. __ la última vez que faltas a clase. Y no te lo vuelvo a repetir.
   a. Que sea   b. Te advierto   c. Si no
7. __ apruebas todo, te quedas castigado todo el verano.
   a. Si   b. Te advierto   c. Si no
8. Está __ que tires el papel al suelo. Recógelo.
   a. bien   b. malo   c. fatal
9. __ cómo me tratas delante de mis compañeros.
   a. Me siento mal   b. Me sienta mal   c. No lo entiendo
10. ¿__ para empezar a estudiar? El examen es mañana.
   a. A qué esperas   b. Ya deberías   c. Ya tendrías
11. No funciona bien el ordenador. __ que lo revisaran.
   a. Es indispensable b. Es imprescindible c. Haría falta
12. Hay que corregir estos exámenes, pero no __ hacerlo ahora.
   a. es necesario que b. tienes por qué   c. hace falta que

Tu listado

b. Aconsejar
Si yo fuera tú...
1. ....
2. ....

c. Advertir
3. ....
4. ....
5. ....

d. Amenazar
6. ....
7. ....

e. Reprochar
Ya deberías haberlo solucionado.
8. ....
9. ....
10. ....

f. Expresar necesidad y su contrario
11. ....
12. ....

SERIE 3

Elige la opción correcta y completa el cuadro de funciones con las fórmulas correspondientes a cada una.

1. __ que a partir de ahora, si tenemos dudas, le llamaremos.
   a. Le aseguro   b. Te juro   c. Te lo juro
2. __, mamá, que no sabía que hoy tenía clase de inglés.
   a. Te juro   b. Juro   c. Aseguro
3. Profesor, no he sido yo el que ha eliminado el documento. __.
   a. Le aseguro   b. Te juro que   c. Se lo juro
4. ¿Te __ con las listas de clase? Veo que estás agobiado.
   a. hace falta   b. dejas que te ayude   c. echo una mano
5. Profesor, __ que le ayude a borrar la pizarra.
   a. hace falta   b. permítame   c. déjame
6. Ya he grapado todos los exámenes. ¿__ que haga algo más?
   a. Puedo   b. Déjame   c. Necesitas
7. ¿No consigues cambiar el cartucho de tinta? __ a mí.
   a. Déjame   b. Permite   c. Deja
8. Estás muy nervioso. __ y vuelve a empezar tu presentación.
   a. Venga   b. Todo tiene solución   c. Tranquilízate
9. ¿Estás furioso por el suspenso? __, si no estudiaste nada.
   a. No te pongas así   b. Todo saldrá bien   c. No es nada
10. ¿Que no han aceptado tu proyecto? Tranquila, __.
    a. ya está   b. todo tiene solución   c. todo saldrá
11. ¡Ay, no puedes graduarte este año! Seguro que __.
    a. no te pongas así   b. todo se arreglará   c. ya ha pasado
12. Venga, Melanie, danos tu opinión, no __ a equivocarte.
    a. hay que temer   b. te rindas   c. tengas miedo
13. Si quieres ser médico, sigue intentándolo, no __
    a. te rindas   b. tú puedes   c. lo conseguirás
14. Ya solo te quedan tres exámenes. __, que te queda poco.
    a. Atrévete   b. Venga   c. Inténtalo

Tu listado

g. Prometer
  Te lo prometo.
  1. ....
  2. ....
  3. ....

h. Ofrecerse
  4. ....
  5. ....
  6. ....
  7. ....

i. Tranquilizar y consolar
  8. ....
  9. ....
  10. ....
  11. ....

j. Animar
  12. ....
  13. ....
  14. ....

Corrección de errores

Identifica y corrige los errores que contienen estas frases. Puede haber entre uno y tres en cada una.

a. No me parece buen idea que la universidad es para todo el mundo.
b. Pienso que educación es importante por un país.
c. Creo que el Gobierno deba solucionar a los problemas de la educación.
d. Es verdad que ordenador es muy importante. En el futuro habrá más gente que vaya a usar Internet.
e. En mayo terminaré mi estudio y si tenga ganas voy a estudiar un máster.
f. Me sorprendo que los españoles no tienen Internet en sus casas.
g. Ciencia es muy importante. Quiero que mis hijos vienen a universidad científica.
h. Yo diría que esas personas pertenezcan a un equipo que está haciendo un experimiento sobre cáncer.
i. Me entero de que mi amiga va a ser traducidora.
j. Puede ser que ellos serán estudiantes que tienen muchos intereses en la ciencia.

Uso de preposiciones

Tacha la opción incorrecta en estas frases.

a. No me fío mucho *de/en* ese tutor, dice que siempre está ocupado.
b. Tienes que prestar más atención *a/en* la profesora.
c. Estoy disfrutando *a/de* una beca de estudios.
d. Me voy a presentar *al/en* DELE en mayo.
e. Estoy graduado *en/de* Derecho por la Universidad Autónoma.
f. Actualmente soy un estudiante *de/en* máster.
g. Cuando llegue el conferenciante, nos tenemos que poner *de/a* pie.
h. En verano los estudiantes están *en/de* vacaciones.
i. Hay una manera fácil *de/a* estudiar los verbos.
j. No debes tener miedo *a/en* equivocarte. De los errores se aprende.

Comprensión de lectura

**Tiempo disponible
para las 4 tareas.**

TAREA 1

(Ver características y consejos, p. 252)

A continuación va a leer un texto. Después, deberá contestar a las preguntas, 1-6, y seleccionar la respuesta correcta, a), b) o c).

MENTES MARAVILLOSAS

Eduardo Punset

Algo significa admitir la hipótesis demostrada por el psicólogo de la Universidad de Harvard Steven Pinker, a quien conocí hace muchos años, cuando pocos le discutían la primacía en el análisis de los procesos cognitivos y lingüísticos. Ahora está inmerso en desvelar lo que demasiados se empeñaban en ocultar: contra todo pronóstico, están descendiendo mundialmente los índices de violencia y aumentando los de altruismo.

La gran mayoría de historiadores y arqueólogos nos cuentan que hace unos 10 000 años, cuando nuestros antepasados eran nómadas y cazadores, el mundo era mucho mejor; quiero decir, mucho mejor que después de establecerse en un terreno e inventar el Estado. El cultivo del campo y el sedentarismo agrícola habrían provocado penas sin fin, si lo comparamos con el libre deambular del ser humano.

Sin embargo, no solo no se ha podido comprobar esta tesis, sino que se acaba de demostrar todo lo contrario. La probabilidad de que los hombres perdieran la vida a manos de sus semejantes oscilaba en torno al 50%. De haber continuado esa proporción de muertes en el siglo xx, nos habríamos encontrado con 2 000 millones de víctimas, en lugar de los cien millones registrados.

Si en vez de contar las muertes por causas bélicas se compara el declinar de las tasas de homicidio en el tiempo, la impresión de mejora resulta innegable. El índice de asesinados en la Edad Media era de unos cien por cada 100 000 habitantes; en los años 70 y 80 del siglo pasado esa relación había caído a diez, y a unos cinco a partir del año 2 000. Por no hablar del cambio favorable en las costumbres, como la disminución, primero, y supresión, después, de la tortura, las penas de muerte por criticar a los reyes o la crueldad hacia los animales por entretenimiento.

La pregunta que surge es por qué tanta gente se equivoca al valorar la dimensión violenta de nuestro pasado. Solo tres respuestas dan sentido al hecho de que el ser humano acabara harto de tanta crueldad. La primera es que la tecnología posibilitó que el mundo no se dividiera entre quienes no tenían nada y los que poseían todo. La segunda es que la prolongación de la esperanza de vida disminuyó la agresividad característica de un mundo cruel, donde antes de los 30 años lo más probable era que te comiera una leona.

He guardado para el final la razón más decisiva y difícil de creer. Frente a todas las evidencias, la historia de la evolución demuestra que el círculo familiar restringido en el que se ejerce el altruismo se amplía con el paso del tiempo de forma ininterrumpida. Vivimos en un mundo cada vez más empático. Y por eso están condenados al fracaso los que siguen defendiendo y practicando la violencia.

Adaptado de E. Punset, «En ausencia de violencia».
Muy interesante, n.º 363

PREGUNTAS

1. En el texto se afirma que los científicos…
   a) pronosticaban que el mundo sería cada vez menos violento.
   b) no están de acuerdo con las tesis de Pinker.
   c) se han equivocado en sus hipótesis sobre la violencia.

2. En el texto se señala que antes los historiadores…
   a) decían que el abandono de la vida nómada había dificultado la vida de la gente.
   b) opinaban que la creación del estado mejoró la vida del ser humano.
   c) afirmaban que la vida nómada era mejor que la actual.

3. En el texto se afirma que…
   a) un 50% de personas morían por causas naturales hace 10000 años.
   b) la proporción de muertes en el siglo xx se redujo a la mitad respecto a las cifras de hace 10000 años.
   c) el número de víctimas de la violencia en la actualidad es muy inferior al de épocas pasadas.

4. En el texto se señala que…
   a) los asesinatos en la Edad Media llegaban a un diez por ciento.
   b) la tortura se suprimió en la historia antes que la pena de muerte.
   c) la mejora en los hábitos ha influido en el descenso de la violencia.

5. Según el texto,…
   a) los avances técnicos favorecieron un reparto de la riqueza.
   b) cuanto mayor es una persona, menos violenta es.
   c) la mayoría de las muertes se producían por ataques de animales.

6. En el texto se indica que…
   a) el círculo familiar es cada vez más amplio.
   b) cada vez es mayor en el ser humano la generosidad.
   c) la generosidad es mayor fuera del círculo familiar que entre la familia.

TAREA 2

(Ver características y consejos, p. 254)

A continuación va a leer cuatro textos en los que cada persona habla sobre sus experiencias laborales. Después, tendrá que relacionar las preguntas, 7-16, con los textos, a), b), c) y d).

PREGUNTAS

	a) Miguel	b) Lucía	c) María	d) Silvia
7. ¿Quién afirma que lleva poco tiempo trabajando?				
8. ¿Quién considera muy motivador ver el efecto de su trabajo en los estudiantes?				
9. ¿Para quién ha sido muy entretenida la actividad de observar clases?				
10. ¿Cuál de los entrevistados indica que siente más seguridad por enseñar su lengua materna?				
11. ¿Quién señala que el tipo de enseñanza le pareció raro y curioso en un primer momento?				
12. ¿Quién dice que la observación de las clases le ayudó a desarrollar su imaginación?				
13. ¿Quién menciona que empezó a trabajar gracias al curso que hizo en la academia?				
14. ¿Quién considera que las equivocaciones son muy importantes para aprender?				
15. ¿A quién le influye la actitud de los alumnos en su estado de ánimo al dar la clase?				
16. ¿Quién indica explícitamente que el curso presenta un buen equilibrio entre la enseñanza de contenidos y la experiencia de clase?				

a) Miguel

Estoy muy agradecido a las personas de esta academia. Con ellas he tenido la oportunidad de colaborar en múltiples ocasiones a lo largo de mi corta carrera. Esta academia marcó el principio de mi camino profesional y supuso una muy buena base formativa que, con experiencia, sigo completando día a día. Aquí me acerqué por primera vez a la enseñanza de manera real y esto me abrió las puertas a nivel laboral, pues comencé a trabajar inmediatamente como profesor de español. El estilo de enseñanza, divertido y muy eficaz, me sirvió de gran ayuda para superar el concurso-oposición por el que hoy soy profesor de Secundaria. Su enfoque, comunicativo y moderno, sorprende al principio por su novedad, pero cuando se aplica en el aula, lo que no deja nunca de sorprender a profesores y alumnos es el resultado.

b) Lucía

Hice este curso porque me interesaba mucho la enseñanza de español para extranjeros, pero no tenía formación ni experiencia. La parte teórica del curso me proporcionó los conocimientos que todo profesor necesita. Sin embargo, la parte más interesante fue la práctica, en la que dimos clases a un grupo de alumnos. Es muy agradable ver cómo gracias a ti aprenden y avanzan en sus conocimientos. En esta parte, además de superar las típicas inseguridades y entrar en contacto directo con la realidad de la enseñanza, se ponen en práctica los conocimientos metodológicos. Me parecieron especialmente útiles los comentarios que tras cada clase realizaban el profesor y los compañeros, pues me ayudaron a mejorar. Esto también se consigue observando las clases de los demás, que, por cierto, no es nada aburrido, al contrario: ¡divertidísimo!

c) María

Siempre he querido ser profesora, pero tenía pánico a hablar en público. Gracias a las clases prácticas de este curso adquirí la confianza necesaria no solo para ponerme al frente de una clase y controlarla, sino también para organizar y elaborar mi propio plan de clase. Al principio, en las primeras clases prácticas con los alumnos estaba un poco nerviosa, pero poco a poco me fui relajando y sintiéndome cada vez más cómoda. Primero, porque al ser nativa estás más segura de ti misma; segundo, porque los alumnos que estudian español están muy interesados en el idioma y en la cultura; y por último, porque recibes un gran apoyo por parte de tus compañeros y profesores. El ambiente del curso es fantástico y el hecho de ver a tus compañeros dar clase te da muchas ideas, a la vez que estimula tu capacidad creativa para desarrollar tus propias actividades.

d) Silvia

Una de las cosas que más me gustó del curso es que ofrece una combinación perfecta de teoría y práctica. El curso me proporcionó una excelente formación y me permitió familiarizarme con los diferentes manuales de español para extranjeros. En cuanto a la parte práctica, la experiencia de tener un grupo de estudiantes real me asustó al principio, pero poco a poco se convirtió en un hábito y me ayudó mucho a organizar una clase, teniendo en cuenta el tiempo, nivel y número de alumnos. Gracias a este curso he podido tener la seguridad de enfrentarme al proceso de enseñanza y he aprendido mucho de mis errores, lo que me ha dado una seguridad sin la cual se hace todavía más difícil la búsqueda de empleo. En general, disfruté mucho haciendo el curso, sobre todo porque creo que la idea de enseñar español de una manera inductiva, fuera de la habitual, es la mejor para aprender un idioma.

Adaptado de www.shm.edu/

TAREA 3

(Ver características y consejos, p. 255)

A continuación va a leer un texto del que se han extraído seis fragmentos. Después, lea los ocho fragmentos propuestos, a)-h), y decida en qué lugar del texto, 17-22, hay que colocar seis de ellos. Cuidado, hay dos fragmentos que no tiene que elegir.

Alimentación	Salud	Seguridad alimentaria	Bebé	M. Ambiente	Mascotas	Solidaridad	Economía	Tecnología

Medio ambiente: Naturaleza | **Energía y ciencia** | Medio ambiente urbano | GUÍA PRÁCTICA: Parques Naturales

Portada > Medio ambiente > **Energía y ciencia** 🖨 ✉ ⚙ ;) 🔍 +1 🐦 Tweet ⟨15⟩ f Me gusta ⟨13⟩

VEHÍCULOS ELÉCTRICOS E HÍBRIDOS

Los vehículos eléctricos se consideran el futuro de la automoción por sus ventajas económicas y ambientales. El coste de la electricidad para alimentar sus baterías es menor que el de los combustibles fósiles y la diferencia se acentuará más en los próximos años. El petróleo será cada vez más caro y escaso. **17.** _____.

En circulación, los vehículos eléctricos no producen emisiones contaminantes ni gases de efecto invernadero implicados en el cambio climático, como el CO_2. En España, el Plan Movele intentó impulsar la compra de vehículos eléctricos. **18.** _____. Algunos de ellos son: el tiempo, se necesitan varias horas para recargarlos, su pequeña autonomía o un coste mayor en comparación con los de combustible. Su generalización dependerá de aspectos como el avance de la tecnología de las baterías y la implantación de *electrolineras* o puntos de recarga a lo largo de la red de carreteras y zonas urbanas. **19.** _____.

La bicicleta es el medio de transporte más ecológico, sano y sostenible, pues no necesita combustibles fósiles. Además, reduce la contaminación acústica, mejora la salud, tanto de las personas como de las ciudades, y ahorra tiempo y dinero. **20.** _____. Estas cuentan con modelos cada vez más económicos. La tecnología también ayuda a su avance, como el *pedelec* o bicicleta asistida eléctrica: cuando detecta que al usuario le cuesta pedalear, le ayuda con su batería. Otra posibilidad que se prueba de forma experimental es una gasolina a partir del aire. La idea consiste en transformar el CO_2 y el hidrógeno del vapor de agua en una especie de gasolina más limpia que la derivada del petróleo. Otros investigadores proponen extraer el CO_2 del agua de mar, que tiene mayor concentración que el aire. Sin embargo, son en ambos casos soluciones para contingencias, pero no una solución a gran escala.

21. _____. Si este no emite gases contaminantes, contribuye a la calidad del aire del lugar en el que se mueve. Sin embargo, en un sentido estricto del término, se tendría que pensar en todo el ciclo de vida del vehículo, desde que se extraen las materias primas para su fabricación hasta que se convierte en un residuo. **22.** _____. Algunas de estas fases tienen un impacto mucho mayor en el medio ambiente que el momento de circulación del vehículo.

Adaptado de www.consumer.es/

FRAGMENTOS

a)

Algunos expertos señalan al hidrógeno como el verdadero futuro de la automoción e, incluso, de la economía mundial.

b)

Sin embargo, todavía tienen que mejorar para llegar a ser competitivos y superar sus actuales inconvenientes.

c)

El concepto *sin emisiones contaminantes* es relativo. La tendencia es a utilizarlo para el momento en que el vehículo circula.

d)

Las personas que no se encuentran en forma o que quieren aumentar la distancia recorrida disponen de las bicicletas eléctricas.

e)

No es lo mismo que la energía provenga de una central térmica de carbón que de una instalación de energía solar.

f)

Es un gas que no contamina, aunque su capacidad de liberación de energía lo convierte en un gas muy inflamable.

g)

También será fundamental el impulso institucional y empresarial (con iniciativas como el alquiler de coches eléctricos) o la concienciación ciudadana.

h)

En cambio, la electricidad resultará más barata y ecológica gracias a fuentes renovables como la energía solar.

TAREA 4
(Ver características y consejos, p. 258)

Lea el texto y rellene los huecos, 23-36, con la opción correcta, a), b) o c).

INVITACIÓN A UN ASESINATO

Supongo que a una persona más hábil que yo en esto de poner por escrito sus recuerdos, jamás se le ocurriría elegir como título para uno de sus capítulos uno como el que acabo de teclear. ____23____, he aquí una de las ventajas de no escribir para la posteridad o la gloria. «Historia de una dedicatoria» suena fatal pero sirve muy bien ____24____ encabezar lo que quiero narrar a continuación. La escena comienza en el mismo decorado que el capítulo anterior, esto es, en el salón del *Sparkling Cyanide,* minutos después de que desembarcara la Guardia Civil. Y lo primero que ____25____ entonces fue que todos los allí presentes desenfundaron sus teléfonos móviles en perfecta sincronía y se los llevaron a la oreja. Esto es algo que tengo muy observado últimamente. ____26____ se produce algo fuera de lo común, ya sea un fenómeno meteorológico, un accidente o cualquier otro hecho extraordinario, la gente ya no se vuelve hacia la persona que tiene más cerca para comentar lo ocurrido como se hacía ____27____ el mundo es mundo, sino que tira de móvil para llamar a su madre, a su tía o a quien sea y dar el parte. Así pasó también ese día. ____28____ un buen rato, todos nos dedicamos a caminar uno detrás de otro, a lo largo del perímetro del salón, parlamentando con alguien. Según pude observar también en este caso, tras una primera llamada a su persona más cercana para contarle lo del interrogatorio policial, la segunda que realizaron fue a idénticos interlocutores. ____29____, a sus respectivos agentes de viaje apremiándoles para que les consiguieran billetes con los que salir de la isla. He dicho todos y tengo que rectificar. Esta clase de llamada ____30____ hicieron todos salvo Sonia San Cristóbal, Cary Faithful y Vlad Romescu. Los dos primeros porque tenían madre y ángel de la guarda respectivamente que se ocupaba de los latosos trámites relacionados con la intendencia, mientras que, en el caso de Vlad, era porque no ____31____ adonde ir.

— ¿Qué vas a hacer ahora? -le pregunté ____32____ de nuevo adonde se encontraba, y él sonrió encogiéndose de hombros.

— No es la primera vez que me toca empezar de cero -dijo-. Ya surgirá algo, o al menos eso espero.

A mí me ____33____ alargar un poco más aquella conversación pero no se me ocurrió nada que añadir.

____34____ ya he dicho, él se había ofrecido a ayudarme con los trámites necesarios para la incineración y entonces me di cuenta ____35____ que ni siquiera le había dado mi número de teléfono, por lo que aproveché para hacerlo, una buena excusa para estar un ratito más con él. «También puedes usarlo cuando acabe todo esto», dije, y de inmediato me mordí la lengua ____36____ ser tan estúpida.

Texto adaptado, Carmen Posadas

23.	a) Sin embargo	b) Mejor dicho	c) Puesto que
24.	a) a	b) por	c) para
25.	a) sucedía	b) sucedió	c) sucediera
26.	a) En cuanto	b) Por cierto	c) En particular
27.	a) desde cuando	b) desde hace	c) desde que
28.	a) Durante	b) Entretanto	c) Mientras que
29.	a) A propósito	b) En fin	c) En concreto
30.	a) se	b) la	c) lo
31.	a) tuviera	b) haya tenido	c) tenía
32.	a) acercándome	b) acercarme	c) me acerqué
33.	a) gustara	b) habría gustado	c) gustó
34.	a) Debido a que	b) Porque	c) Como
35.	a) hasta	b) de	c) en
36.	a) por	b) para	c) de

Anote el tiempo que ha tardado:

Recuerde que solo dispone de **70 minutos**

PRUEBA 2

Comprensión auditiva

40 min

Tiempo disponible
para las 5 tareas.

**CD I
Pistas
35-40**

TAREA 1

(Ver características y consejos, p. 259)

*A continuación va a escuchar seis conversaciones breves. Oirá cada conversación dos veces segui-
das. Después, tendrá que seleccionar la opción correcta, a), b) o c), correspondiente a cada una de
las preguntas, 1-6.*
Dispone de 30 segundos para leer las pregunta.

PREGUNTAS

Conversación 1   Pista 35
1. En este diálogo Jaime…
    a) le pregunta a Marina qué le ha salido en el examen.
    b) piensa que Marina tiene facilidad para los contenidos de ciencias.
    c) cree que estudiando mucho puede aprobar.

Conversación 2   Pista 36
2. En esta conversación María…
    a) le pide a Álvaro que le arregle el ordenador, ya que lo tiene a mano.
    b) contesta que solo se mueve la flechita de la pantalla.
    c) dice que el ordenador se ha detenido.

Conversación 3   Pista 37
3. La mujer que habla con el orientador da a entender que su hija…
    a) necesita como mínimo una media de notable entre el bachillerato y la Prueba de Acceso a la Universi-
        dad (PAU) para estudiar Ingeniería en una universidad pública.
    b) prefiere estudiar en una universidad privada que en una pública.
    c) sabe que el acceso a una universidad privada no va a ser fácil.

Conversación 4   Pista 38
4. La delegada de Educación garantiza…
    a) las ayudas económicas en los centros públicos y concertados.
    b) la enseñanza gratuita hasta los 18 años en los colegios concertados y públicos.
    c) las becas solo a los alumnos que tengan poco dinero y que aprueben todas las asignaturas.

Conversación 5   Pista 39
5. La profesora les dice a los alumnos que su trabajo final…
    a) debe incluir información que hayan buscado sobre gráficos y cantidades proporcionales.
    b) tiene que ajustarse a un tamaño de papel determinado.
    c) debe constar de cinco páginas como mucho.

Conversación 6   Pista 40
6. En la conversación entre madre e hijo…
    a) el hijo dice que el examen de Matemáticas era muy difícil.
    b) la madre reprocha a su hijo que falte a clase y que no atienda.
    c) la madre está disgustada porque su hijo va a repetir curso.

CD I
Pista 41

TAREA 2

(Ver características y consejos, p. 259-260)

A continuación va a escuchar una conversación entre dos expertos en el tema de las técnicas de relajación en las aulas. Después, indique si los enunciados, 7-12, se refieren a lo que dice Luis, a), Berta, b), o ninguno de los dos, c). Escuchará la audición dos veces.
Dispone de 20 segundos para leer los enunciados.

PREGUNTAS

	a) Luis	b) Berta	c) Ninguno de los dos
0. En su centro el personal docente está formado para utilizar técnicas de relajación.		✔	
7. Los maestros que siguen estas técnicas han comprobado que mejoran su propio rendimiento.			
8. Nos explica cuáles son los cuatro motivos por los que son beneficiosas estas técnicas.			
9. Hay que estar atentos a los alumnos y a sus resultados positivos no solo en el ámbito académico.			
10. La posición del cuerpo es una de las habilidades importantes en los métodos de relajación.			
11. El docente debe usar estos métodos poco a poco.			
12. La escuela no siempre mide las capacidades y la valía de una persona.			

CD I
Pista 42

TAREA 3

(Ver características y consejos, p. 259-260)

A continuación va a escuchar parte de una entrevista a Mariano Barbacid, importante investigador español. Escuchará la entrevista dos veces. Después, conteste a las preguntas, 13-18. Seleccione la respuesta correcta, a), b) o c).
Dispone de 30 segundos para leer las preguntas.

PREGUNTAS

13. Mariano Barbacid dice que…
  a) la gente ya no necesita irse fuera de España para curarse de cáncer.
  b) la gente va a Houston para curarse de cáncer.
  c) el 50% de los enfermos supera cualquier tipo de cáncer.

14. En el audio escuchamos que…
  a) hay tantos tipos de cáncer como de infecciones.
  b) el sarampión se puede confundir con otras enfermedades infecciosas.
  c) hay algunos tumores que se curan más que otros.

15. El doctor Barbacid cuenta que…
  a) las posibilidades de tener cáncer aumentan con la edad.
  b) es una tragedia que el cáncer forme parte de nuestra vida.
  c) aun dejando de fumar no podemos evitar el cáncer.

16. En la entrevista se dice que…
  a) lo más importante en los laboratorios es ser creativo.
  b) el ambiente entre los científicos es bastante competitivo.
  c) es necesario publicar los resultados de los experimentos cada tres meses.

17. El doctor nos explica…
  a) que los procedimientos administrativos para la investigación son muy rigurosos.
  b) que la investigación española tiene un sistema muy rígido.
  c) que el CNIO tiene que utilizar el procedimiento administrativo general.

18. En la audición escuchamos que…
  a) cuando eres modesto, sales de España.
  b) al doctor le hace daño la burocracia.
  c) el pensar que eres especial no es nada bueno.

**CD I
Pistas
43-49**

TAREA 4

(Ver características y consejos, p. 259-260)

A continuación va a escuchar a seis personas hablando sobre el tema de las posibilidades educativas en los mundos virtuales. Escuchará a cada persona dos veces. Después, seleccione el enunciado, a)-j), que corresponde al tema del que habla cada persona, 19-24. Hay diez enunciados incluido el ejemplo. Seleccione únicamente seis.

Dispone de 20 segundos para leer los enunciados.
Escuche el ejemplo:
    Persona 0
    La opción correcta es el enunciado i.

ENUNCIADOS

a) Una posibilidad educativa de los mundos virtuales es el poder construir escenas, pinturas, obras de arte... en 3D.

b) Un pilar de los mundos virtuales es la creación de obras de arte en 3D.

c) Algunos mundos virtuales son mejores para ciertas edades que otros.

d) En los mundos virtuales cada isla se corresponde con una materia diferente.

e) Es muy motivador recitar bien poesía en los mundos virtuales.

f) Los profesores pueden grabar las conversaciones escritas de los alumnos y corregirlas más tarde.

g) En algunos mundos virtuales hay réplicas de escenas reales.

h) Los profesores tememos más estas tecnologías que los estudiantes jóvenes.

i) *Las conversaciones en tiempo real son una de las posibilidades educativas de los mundos virtuales.*

j) En su escuela utilizan un mundo virtual como parte del currículo de clase.

	PERSONA		ENUNCIADO
	Persona 0	Pista 43	i)
19.	Persona 1	Pista 44	
20.	Persona 2	Pista 45	
21.	Persona 3	Pista 46	
22.	Persona 4	Pista 47	
23.	Persona 5	Pista 48	
24.	Persona 6	Pista 49	

CD I
Pista 50

TAREA 5

(Ver características y consejos, p. 259-260)

A continuación va a escuchar a un hombre que habla de la relación entre el cómic Los cuatro magníficos *y los rayos cósmicos. Escuchará la audición dos veces. Después, conteste a las preguntas, 25-30. Seleccione la respuesta correcta, a), b) o c).*
Tiene 30 segundos para leer las preguntas.

PREGUNTAS

25. En este audio se dice que…
    a) Batman y Superman son los superhéroes estrella del cómic.
    b) en 1961 Marvel creó *Los cuatro fantásticos* a partir de una idea de Stan Lee y Jack Kirby.
    c) en el número uno de *Los cuatro fantásticos* una nave de prueba pasa a través de rayos cósmicos.

26. Este experto dice que…
    a) el científico creador de la nave espacial se volvió invisible a causa de los rayos cósmicos.
    b) los rayos cósmicos produjeron mutaciones en los tripulantes de la nave.
    c) los rayos cósmicos disminuyeron las capacidades de los pasajeros de la nave.

27. En la audición escuchamos que…
    a) los rayos cósmicos son partes pequeñas de materia que se mueven a mucha velocidad.
    b) la lluvia de la atmósfera nos protege de estos rayos cósmicos.
    c) cuando los rayos llegan a la Tierra, se descomponen en otras partículas con más energía.

28. En la audición se nos cuenta que…
    a) según la procedencia y la energía de los rayos cósmicos, estos pueden ser de diferente tipo.
    b) los rayos cósmicos procedentes de las corrientes solares tienen la energía de 20 000 radiografías.
    c) el segundo tipo de rayos cósmicos procede de la masa de las estrellas.

29. En este audio…
    a) se nos dice que los rayos cósmicos afectan a 1 km cada siglo.
    b) nos cuentan que no se sabe bien el origen de los rayos cósmicos más potentes.
    c) escuchamos que el experto no quiere hacerse radiografías.

30. El hombre dice que…
    a) los rayos cósmicos pequeñitos afectan al ADN.
    b) los rayos cósmicos se introducen en las células porque estas son pequeñitas.
    c) las transformaciones producidas por los rayos cósmicos pueden heredarlas tus hijos.

Anote el tiempo que ha tardado:

Recuerde que solo dispone de **40 minutos**

PRUEBA 3 **Expresión e interacción escritas**

Tiempo disponible para las 2 tareas.

TAREA 1

(Ver características y consejos, p. 261)

En su facultad ha aparecido una convocatoria de becas Erasmus para el próximo año. Usted está muy interesado, pero ha escuchado en la radio que el programa Erasmus está en peligro por falta de dinero. Escriba una carta donde solicite dicha beca. En la carta debe:

- presentarse;
- explicar el motivo de la carta;
- explicar sus méritos y por qué cree que merece la beca;
- expresar su inquietud ante las noticias sobre la continuidad de estas becas.

Número de palabras: entre 150 y 180.

**CD I
Pista 51**

*Va a escuchar una noticia relacionada con **los problemas económicos de las becas Erasmus.***

Candidatura para solicitar becas

FASES DEL DESARROLLO DE UNA CARTA DE SOLICITUD
Estimular el deseo de que el destinatario siga leyéndola. Motivarle a que actúe concediéndole una entrevista. Despertar su interés. Crearle la convicción de que su candidatura es una verdadera posibilidad.

- La frase de despedida puede ir unida a la de agradecimiento y conclusión.
- Si el verbo de la frase de despedida está en tercera persona: no hay puntuación al final.
- Si el verbo de la frase de despedida está en primera persona: termina con un punto.
- Si la despedida no tiene verbo: termina con una coma.

MODELO DE CARTA DE CANDIDATURA

¡Atención: se usa **usted** en el tratamiento!
¡El **usted** debe mantenerse también en los **pronombres** y **determinantes**!

REMITENTE
- Datos de la persona que escribe.
- A la izquierda.

Joannes Stilopoulos
C/ Mártires, 20, 1.º D
28081 Madrid
Tfno.: 91 34222340
c.e.: picaporte@gmail.com

DESTINATARIO
- Datos de la persona o empresa que recibe la carta.
- A la izquierda, debajo del remitente.

DHF S. A.
Departamento de RR. HH.
Avda. Trasatlántico, 9
28006 Madrid

Madrid, 3 de julio de (año)

FECHA
- Lugar y coma detrás.
- Día en número. Después, *de*.
- Mes en letra minúscula. Después, *de*
- Año en cuatro cifras sin punto.

SALUDO
Señores: (no conocido)
Estimado señor/Sr. Ruiz:
Estimada señora/Sra. Ruiz:
Estimado Alberto:
Estimada Amalia:
Estimados señores: (no conocido)
Muy señor/-es mío/s:
Muy señora/s mía/s:

Estimado Sr. Villegas:

Siempre dos puntos sin espacio antes: Nunca coma (,).

INTRODUCCIÓN
- El motivo de mi carta es...
- Me pongo en comunicación con usted(es) para...
- Le/s escribo esta carta para...
- Tengo el gusto de dirigirme a usted(es)…

Soy licenciado en Económicas y a finales de este año terminaré mi Máster en Dirección de Empresas.
En *Monster.com* he leído el anuncio donde ofrecen prácticas para licenciados que hablen con fluidez dos o tres idiomas, además del uso habitual de la informática.

Tengo un buen nivel de inglés y de alemán. Ahora estoy aprendiendo español y me considero capaz de asimilar con rapidez un idioma. Soy una persona organizada, observadora y con capacidad de análisis; me gusta combinar el trabajo de grupo con el individual y creo que puedo ayudar a su equipo en las tareas diarias.

Antes de iniciar mi MBA he realizado prácticas en el Deutsche Bank en Londres durante varios meses.
Estoy seguro de que podré realizar un trabajo muy satisfactorio durante mis prácticas con ustedes, además de aprender mucho y desarrollar mis habilidades y conocimientos.

EXPOSICIÓN
- Clara y sencilla.
- Cada idea o tema se escribe en un párrafo distinto.

FINAL
Frase anterior a la despedida que varía en función del contenido de la carta:
- Sin otro particular, …
- En espera de sus noticias, …
- Dándole/s las gracias de antemano/por anticipado, …

Gracias por su atención. Quedo a su disposición para cualquier duda o pregunta.

Atentamente,
Joannes Stilopoulos

FIRMA

Anexo: Currículum vítae

DESPEDIDA
- (Muy) Atentamente,
- Un atento/cordial saludo,
- Reciba/n un atento/cordial saludo,
- Le/s **saluda** atentamente/ cordialmente,
- Se **despide** atentamente, (Coma (,) sin verbo o con verbo en 3.ª persona)
- Les **saludo** cordialmente. (Punto (.) con verbo en 1.ª persona)

ANEXOS
- Indicación de los documentos que se adjuntan.

TAREA 2

(Ver características y consejos, p. 262)

Elija solo una de las dos opciones que se le ofrecen a continuación:

OPCIÓN A

Usted tiene que asesorar sobre su futuro profesional a un grupo de estudiantes que está terminando el bachillerato. Para ello, tiene que escribir un texto que incluya, valore y analice la información que se ofrece en el siguiente gráfico.
Número de palabras: entre 150 y 180.

Características del empleo

	Tasa de asalariados	Tasa de estabilidad en el empleo	Tasa de participación femenina	Salario medio (euros)
Total agrupaciones de actividad	78,9	71,6	43,6	21 598
Transporte y almacenamiento	78,5	79,7	18,1	26 088
Hostelería	76,8	69,5	51,4	15 422
Información y comunicaciones	91,5	84,0	35,8	35 132
Actividades inmobiliarias	55,8	88,1	43,6	23 750
Actividades profesionales, científicas y técnicas	68,0	80,8	45,0	27 830
Actividades administrativas y servicios auxiliares	92,7	57,1	57,1	15 058
Actividades deportivas, recreativas y de entretenimiento	83,3	68,3	41,5	22 488
Reparación de ordenadores, efectos personales y artículos de uso doméstico	61,1	80,6	22,9	20 275

Fuente: España en cifras 2012. www.ine.es

Redacte un texto en el que deberá:
- comparar los grados de estabilidad de las distintas actividades profesionales;
- destacar las profesiones con mayor o menor presencia masculina y femenina;
- resaltar los trabajos que ofrecen mayor remuneración;
- recoger en una conclusión las recomendaciones que daría a los jóvenes que tienen que elegir estudios o profesión.

OPCIÓN B

A usted le han encargado organizar un taller destinado a jóvenes escolares, para acercarles al mundo de la ciencia y hacer que esta les resulte atractiva. Para ello, cuenta con la información que ha encontrado en una página de Internet.
Número de palabras: entre 150 y 180.

diverCiencia

En *diverCiencia* se ofrece una recopilación de 72 guiones de prácticas de laboratorio de Física y Química. La selección es obra de Fernando Jimeno Castillo, profesor del Instituto de Enseñanza Secundaria IES. Tiempos Modernos de Zaragoza. Todas las experiencias tienen en común aspectos divertidos, curiosos, sorprendentes y recreativos de ambas ciencias.

Las 72 experiencias ya han sido realizadas en nuestro instituto, bien en las sesiones prácticas habituales de la asignatura, bien en jornadas culturales en forma de «Talleres científicos».

Algunas de estas prácticas son de fácil ejecución, no entrañan riesgos y no requieren materiales específicos de laboratorio, por lo que han sido hechas por el alumnado en su domicilio como «prácticas caseras».

- La recopilación está distribuida en cuatro apartados:

- Química mágica: resultados inesperados y «fantásticos» al efectuarse reacciones químicas.

- Química curiosa: reacciones y procesos que nos hacen pensar y que «chocan» con lo que nuestro sentido común espera.

- Física sorprendente: comportamientos de la materia que quiebran las expectativas de nuestra «lógica» y no tienen explicación aparente.

- Física recreativa: actividades lúdicas al manipular objetos de la vida cotidiana, experimentos que nos acercan de forma divertida a las bases de la física.

En *diverCiencia* también se presenta el rincón de lectura, una guía formada por 34 reseñas bibliográficas correspondientes a los libros de divulgación científica existentes en la biblioteca de nuestro instituto. Las reseñas también las ha efectuado el mismo profesor y están agrupadas en tres bloques:

- Libros de experimentos, pasatiempos, curiosidades y recreaciones científicas: ideas prácticas y curiosas, cuestiones para pensar, prácticas de laboratorio, paradojas científicas...

- Libros de divulgación científica: información sobre temas científicos de actualidad, los retos e hitos científicos de importancia, descubrimientos relevantes, los grandes investigadores a lo largo de la historia...

- Libros de ensayos científicos: son también textos divulgativos, pero que exigen unos conocimientos científicos en el lector mayores que los anteriores. Son libros de profundización que nos invitan a pensar y a resolver preguntas medianamente complicadas.

El autor de *diverCiencia* espera que estas propuestas sean útiles y os anima a todos los visitantes de la página a que enviéis por *e-mail* vuestras sugerencias y opiniones.

Fuente: www.iestiemposmodernos.com/diverciencia

Redacte un programa sobre el taller en el que deberá:
- hacer una pequeña introducción sobre lo importante que es fomentar la ciencia entre los escolares;
- enumerar los objetivos que se pretenden conseguir con el taller;
- explicar detalladamente en qué va a consistir: contenido, horario…;
- destacar las ventajas laborales y sociales de la profesión científica.

Anote el tiempo que ha tardado:

Recuerde que solo dispone de **80 minutos**

Expresión e interacción orales

Tiempo disponible para las 3 tareas.

Tiempo disponible para la preparación de la intervención oral.

TAREA 1

(Ver características y consejos, p. 266)

Debe hablar durante 3 o 4 minutos de las ventajas e inconvenientes de una serie de soluciones que se proponen para un determinado problema. Después, conversará con el entrevistador sobre el tema. Tiempo total, 6-7 minutos.

PROBLEMAS DE EDUCACIÓN

En el mundo hay graves problemas relacionados con la educación: millones de niños no están escolarizados; existe una gran desigualdad educativa entre hombres y mujeres en muchos países; muchas personas no pueden acceder a una educación de calidad o fracasan en el intento…

Expertos en educación se han reunido para discutir algunas medidas que permitan mejorar esta situación.

Lea las propuestas recogidas y explique las ventajas e inconvenientes de, como mínimo, cuatro de ellas.

Después de su monólogo conversará con el entrevistador sobre el tema y las propuestas.

En su exposición debe especificar por qué le parece una buena o mala solución esa propuesta, qué inconvenientes puede tener, a quién beneficia y a quién perjudica; si puede ocasionar otros problemas o si habría que precisar algo más…

Expresión e interacción orales

Educación gratuita y universal. Los organismos internacionales, como la UNESCO, deberían garantizar el acceso a la educación a todos los seres humanos. Es un derecho fundamental.

Yo soy partidario de una educación pública de calidad que permita corregir las diferencias sociales entre las personas. Más becas, más clases de refuerzo y apoyo... Las tareas deberían hacerse en el colegio y no en casa.

Los actuales métodos de enseñanza están anticuados. Hay que motivar a los estudiantes acercando a las aulas las nuevas tecnologías para evitar el fracaso escolar y el abandono temprano.

La enseñanza pública es de baja calidad. Hay que fomentar la enseñanza privada para atender a los alumnos que busquen la excelencia. La separación de sexos puede ser buena en algunas edades.

La universidad no es para todo el mundo. Es mejor orientar a las personas menos capacitadas hacia estudios de formación profesional para evitar frustraciones y gastos innecesarios. Hay que estudiar lo que demanda el mercado.

Es fundamental fomentar el bilingüismo desde la etapa preescolar. Y mejor una educación que permita aprender durante toda la vida, que otra basada en la acumulación de conocimientos innecesarios.

EXPOSICIÓN

Ejemplo: *Yo estoy de acuerdo con la propuesta de fomentar el bilingüismo desde la etapa preescolar porque…*

CONVERSACIÓN

Cuando el candidato termine su monólogo sobre las propuestas de la lámina (3 o 4 minutos), el entrevistador le hará algunas preguntas sobre el tema durante otros 3 minutos.
La duración total de esta tarea es de 6 a 7 minutos.

EJEMPLO DE PREGUNTAS DEL ENTREVISTADOR

Sobre las propuestas
- ¿Está de acuerdo con todas las propuestas? ¿Eliminaría o añadiría alguna?

Sobre su realidad
- ¿Considera que en su país hay problemas con la educación? En caso afirmativo, ¿cuáles son los más importantes? ¿Se han tomado o se van a tomar medidas para resolverlos?

Sobre sus opiniones
- ¿Cree que la educación debe ser una responsabilidad de la propia persona, de los padres, de los docentes, del Ministerio de Educación, del Gobierno…? ¿Qué haría respecto a este tema si fuera profesor, político o si tuviera hijos en edad escolar?

TAREA 2

(Ver características y consejos, p. 269)

Usted debe imaginar la situación que se está produciendo en la fotografía y, a continuación, tiene que describirla durante 2 minutos aproximadamente, a partir de unas preguntas que se le ofrecen. Puede haber más de una respuesta.
Después, hablará con el entrevistador y expresará sus opiniones sobre ese tema.

JÓVENES INVESTIGADORES

Las personas que ve en la fotografía están trabajando en algún proyecto. Tiene que imaginar dónde se encuentran y qué están haciendo. Debe hablar sobre ello durante 2 minutos aproximadamente. Puede centrarse en los siguientes aspectos:

- ¿Dónde cree que se encuentran estas personas? ¿Por qué piensa eso?
- ¿Qué cree que están haciendo? ¿En qué están trabajando? ¿Por qué?
- Seleccione a dos o tres personas de la fotografía e imagine cómo son, qué edad tienen, cuál es su situación educativa o profesional…
- ¿Cuál cree que será el futuro profesional de estas personas?

Después de la descripción, el entrevistador le hará algunas preguntas sobre el tema hasta completar el tiempo total de esta prueba, que es de 5-6 minutos.

EJEMPLOS DE PREGUNTAS DEL ENTREVISTADOR

- ¿Piensa que la investigación es necesaria? ¿En qué campos o áreas es más importante, en su opinión?
- ¿Cree que los gobiernos deberían invertir más dinero en I+D o deben ser las empresas las que lo hagan?
- ¿Cree que ser investigador es una buena profesión? ¿Qué piensa sobre la *fuga de cerebros*?

TAREA 3

(Ver características y consejos, p. 270)

Usted tiene que dar su opinión a partir de unos datos de noticias, encuestas, etc., que se le ofrecen (2-3 minutos). Después, debe conversar con el entrevistador sobre esos datos, expresando su opinión al respecto.
Esta tarea no se prepara previamente.

EQUIPAMIENTO TECNOLÓGICO EN LAS VIVIENDAS
Aquí tiene una encuesta sobre el equipamiento de las viviendas en productos TIC (Tecnología de la Información y la Comunicación). Léala y responda a la pregunta:
* ¿Qué porcentaje de viviendas de su país cree que tienen los siguientes productos tecnológicos?

Debe relacionar las dos columnas.

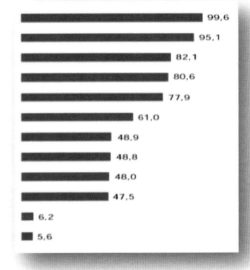

✓ Ordenador portátil
✓ Ordenador de sobremesa
✓ Radio
✓ Vídeo
✓ DVD
✓ Teléfono fijo
✓ Teléfono móvil
✓ Cadena musical
✓ Televisión
✓ Fax
✓ MP3 o MP4
✓ Otros...

A continuación compare sus respuestas con los resultados obtenidos en España en la misma encuesta:
* ¿En qué se parecen? ¿Hay alguna diferencia importante?
* ¿Quiere destacar algún aspecto? ¿Cree que hay otros productos TIC que debería contener la encuesta? ¿Puede dar más detalles?

Fuente: España en cifras 2012.
www.ine.es

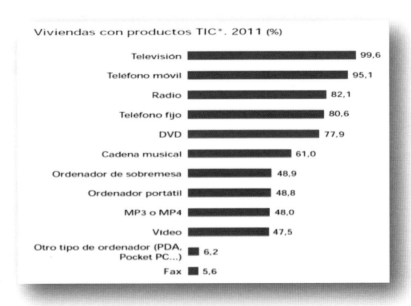

Viviendas con productos TIC*. 2011 (%)

Televisión	99,6
Teléfono móvil	95,1
Radio	82,1
Teléfono fijo	80,6
DVD	77,9
Cadena musical	61,0
Ordenador de sobremesa	48,9
Ordenador portátil	48,8
MP3 o MP4	48,0
Vídeo	47,5
Otro tipo de ordenador (PDA, Pocket PC...)	6,2
Fax	5,6

Especial DELE B2 Curso completo

examen 4

OCIO, COMPRAS, ACTIVIDADES ARTÍSTICAS Y DEPORTES

Curso completo

► **Léxico** ————
► **Gramática**
► **Funciones**

{ Ocio y compras
Actividades artísticas
Deportes y juegos

Modelo de examen 4

TIEMPO LIBRE Y ENTRETENIMIENTO

Banda sonora (la) ....
Cámara (la) ....
Carnaval (el) ....
Decorado (el) ....
Disfraz (el) ....
Efectos especiales (los) ....
Escenario (el) ....
Estreno (el) ....
Exhibición (la) ....
Guion (el) ....
Parque (el) ....
Producción (la) ....
Realización (la) ....
Regidor/-a (el/la) ....
Representación (la) ....
Taquilla (la) ....

Verbos y expresiones

Cancelar ....
Entretener(se) ....
Estrenar(se) ....
Pasar el rato ....
Pasárselo en grande ....
Reservar ....
Salir de marcha ....

ARTES Y LITERATURA

Accesibilidad (la) ....
Ampliación (la) ....
Acuarela (la) ....
Bagaje cultural (el) ....
Coreografía (la) ....
Crítico (el) ....
Folclore (el) ....
Hábitos de lectura (los) ....
Negativo (el) ....
Óleo (el) ....
Pose (la) ....
Sinfonía (la) ....
Soporte (el) ....
Trazo (el) ....
Universalización (la) ....

Verbos y expresiones

Componer ....
Digitalizar ....
Enfocar ....
Enmarcar ....
Hacer una foto ....
Irse con la música a otra parte ....
Recitar ....
Revelar una fotografía ....
Rimar ....

COMPRAS

Aguja (la) ....
Alfiler (el) ....
Artículo (el) ....
Botón (el) ....
Calzado (el) ....
Consumismo (el) ....
Cremallera (la) ....
Escaparate (el) ....
Hipermercado (el) ....
Muestrario (el) ....
Pasarela (la) ....
Percha (la) ....
Perchero (el) ....
Supermercado (el) ....
Tacones (los) ....
Talla (la) ....
Zapatos bajos/altos (los) ....

Verbos y expresiones

Apretar la ropa ....
Dar la vez ....
Echar un vistazo ....
Estar pasado de moda ....
Hacerse una idea ....
Poner una reclamación ....
Probar(se) la ropa ....
Quedar bien/mal/fatal ....
Quedarle ajustado ....

DEPORTES Y JUEGOS

Cancha (la) ....
Competitividad (la) ....
Deporte de riesgo (el) ....
Dopaje (el) ....
Empate (el) ....
Encuentro (el) ....
Entrenador (el) ....
Estadio (el) ....
Gimnasio (el) ....
Partido (el) ....
Plusmarquista (el/la) ....
Resistencia (la) ....
Senderismo (el) ....
Torneo (el) ....

Verbos y expresiones

Apostar ....
Clasificarse ....
Echar una partida ....
Eliminar ....
Hacer la quiniela ....
Hacer trampas ....
Saltarse las reglas del juego ....

LÉXICO

Ocio y compras

1 Clasifica estas palabras de ocio y entretenimiento en su grupo correspondiente, subraya las palabras nuevas y busca su significado en el diccionario (algunas pueden estar en más de un grupo).

El pasatiempo • El parque temático • Entretenerse • Los fuegos artificiales • Tirar cohetes
Disfrazarse • Hacer, ir de pícnic • Coleccionar • Un parque acuático

OCIO	OCIO AL AIRE LIBRE	FIESTAS
		Una fiesta de disfraces

2 Relaciona las dos columnas y completa las frases con los verbos en el tiempo adecuado.

a. Ir, salir de
b. Pasárselo
c. Inscribirse en
d. Colaborar como
e. Pasar

1. un club, una asociación
2. el rato
3. juerga
4. voluntario
5. en grande/fenomenal

A. Desde hace varios años .... como voluntario en una ONG.
B. Ayer Juan y yo .... de fiesta y .... en grande.
C. Mañana me................................... en un club social.
D. Me voy de compras para .... el rato.

3 Relaciona estas palabras con su definición.

a. Estrenar
b. Apto para todos los públicos
c. Cancelar
d. La pista del circo
e. El mercadillo
f. La pista de baile
g. Inaugurar
h. Un desfile

1. Espacio de un local donde la gente se mueve con la música.
2. Mercado donde se venden cosas variadas.
3. Anular un espectáculo.
4. Representar un espectáculo público por primera vez.
5. Exhibición en la que la gente camina en grupo de forma ordenada.
6. Abrir un lugar o iniciar una actividad con una celebración.
7. Espacio circular donde se desarrolla un espectáculo con acróbatas.
8. Se dice de un espectáculo que puede ver todo el mundo.

4 Tacha la opción incorrecta.

a. Me encantan *los mercadillos/los desfiles* porque en ellos puedo encontrar siempre cosas baratas.
b. Mañana *estrenan/inauguran* la exposición de joyas antiguas, pero no estoy invitada al acto.
c. Es una pena que hayan *cancelado/estrenado* tan pronto ese espectáculo. Ya no podemos ir a verlo.
d. En la pista *de baile/de circo* de la discoteca había más de mil personas bailando sin parar.

5 Escribe las actividades de ocio de los ejercicios anteriores que...

Más/menos te gustan: Nunca has hecho:
Haces con más frecuencia: Te gustaría hacer:

6 Relaciona la imagen con la palabra correspondiente.

a. La alarma
b. El catálogo de ropa
c. La etiqueta
d. El escaparate

1. .... 2. .... 3. .... 4. ....

Asocia cada palabra con su significado.

a. El establecimiento
b. La cadena
c. El artículo
d. La distribución
e. Dar, pedir la vez

1. Reparto de los productos a los locales para su comercialización.
2. Mercancía, cosa con la que se comercia.
3. Dar, pedir el turno para comprar algo en una tienda.
4. Local de comercio, tienda.
5. Conjunto de establecimientos que pertenecen a la misma empresa.

Completa estos diálogos con las palabras adecuadas.

1. echando un vistazo   2. la alarma   3. una devolución   4. la vez

5. descuento   6. establecimiento   7. artículos

¡Qué vergüenza! Ayer, cuando salí de una tienda, me sonó
A. ....

Señores clientes, les recuerdo que no está permitido fumar en nuestro
B. ....

Venía a hacer
C. ....
¡Es que no me sienta bien la falda que me llevé ayer!

-¿Le puedo ayudar?
-Muchas gracias… Solo estoy
D. ....

¡Aprovechen la ocasión!
Todos nuestros E. ....
tienen hoy un F. ....
del 25 %.

-¿Quién da
G. ....?
-Yo, yo soy la última.
-Entonces yo voy detrás de usted.

Da tu opinión sobre este tema.

Lugares de compra

- ¿En qué tipos de estable-cimientos sueles comprar ropa: en cadenas, en gran-des almacenes, en peque-ños comercios…?
- ¿Qué ventajas y desventa-jas ves en cada uno?

Compra por catálogo

- ¿Sueles comprar por catálo-go o por Internet?
- ¿Crees que te puedes hacer una idea de cómo es un artículo por una foto?
- ¿El sistema de cambios y devoluciones funciona bien?

Horarios comerciales

- ¿Qué tipo de horario pre-fieres para ir de compras?
- ¿Crees que las tiendas de ropa deberían estar abiertas todos los días en horario continuo?

¿Te interesa el mundo de la moda?

¿Qué opinas sobre…?

- Las modelos de pasarela: ¿son mujeres reales?
- Los desfiles de moda: ¿son elitistas?
- La moda: ¿hay que seguirla?

11 Estos son los principales grupos y empresas de moda españolas. ¿Los conoces? ¿Son famosos en tu país? ¿Qué tipo de ropa venden?

GRUPO CORTEFIEL

12 Busca el significado de las palabras nuevas de los cuatro cuadros. Después, lee las tendencias de moda y subraya las palabras que han aparecido en los cuadros. Por fin, añade dos palabras nuevas en cada grupo.

TENDENCIAS DE MODA

A. Se llevarán los vestidos estilo años 70, las faldas con volumen tipo años 50, los estampados de flores, geométricos, las camisas de cuadros y las camisetas de rayas.

B. Se llevarán también los pantalones de campana, los petos vaqueros, los conjuntos de lana y los bolsos con flecos.

C. En calzado, las bailarinas, las sandalias planas o de plataforma y los mocasines serán tendencia. Para las fiestas: zapatos de tacón alto y collares de cristal con hojas y flores.

¿QUÉ SE VA A LLEVAR LA PRÓXIMA TEMPORADA?

1. Tipo de prenda
- Vestido
- Pantalón corto
- Vaqueros
- .... *Falda* ....
- ....

2. Tejidos y estilos
- Algodón
- Lino   • ....
- Lana   • ....
- Liso
- De rayas
- De cuadros

3. Calzado
- Zapatos: abiertos, cerrados, de fiesta, de tacón, bailarinas, alpargatas
- ....
- ....

4. Complementos
- Bolsos   • ....
- Pañuelos   • ....
- Bufandas
- Joyas
- Bisutería

13 Escribe el nombre de cada prenda: *el camisón, la bata, el albornoz.* ¿Para qué se usa cada una?

1. ....

2. ....

3. ....

Se usa para: ....

14

A. Adivina la ropa que hay en un armario.

Colgada en las perchas
1. UN V _ _ T _ _ _ DE A_ G _ _N
2. UNA C _ _ I _ A DE _ U _ D _ _ S
3. UNA _ A _ I _ _ _ A DE _ _ Y _ S
4. UNA F _ _ D _ E _ _ _ M _ _ _ A

Guardada en el interior
5. UNAS _ L _ _ R G _ _ _ S
6. UNOS _ A _ _ T _ S DE _ A _ _ N
7. UN _ _ Ñ _ _ L _
8. UN _ _ _ I _ _ _

B. Ahora describe la que hay en este armario.

15

El costurero de viaje. Relaciona.

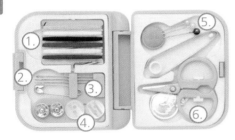

a. Las tijeras
b. La aguja
c. El alfiler
d. El hilo
e. El botón
f. El imperdible

16

Completa este diálogo con: *cremallera, coser, botón.*

- ¿Qué tal se te da a. ....?
- Fatal. No he cosido en mi vida. ¿Y a ti?
- Pues yo sé hacer lo básico, como coser un b. ...., pero no tengo ni idea de arreglar una c. ...., por ejemplo, o de coger el bajo de los pantalones.

La cremallera

¿Y a ti qué tal se te da coser?

17

Relaciona los problemas de estas personas con su solución correspondiente.

a. ¡Ay, la camisa está arrugada y hoy tengo una entrevista!
b. ¡El vestido que iba a llevar a la fiesta está descosido!
c. ¡Uy, esta blusa se me ha dado de sí!
d. ¡Mira qué mancha tengo en la chaqueta de vestir!
e. ¡He lavado esta falda y fíjate cómo ha encogido de largo!
f. Me cuesta mucho ponerme estos zapatos tan cerrados.
g. Estos pantalones me quedan demasiado largos.

ESTA PERSONA NECESITA...
1. Un calzador
2. Llevarla al tinte o lavarla en seco
3. Coserlo para arreglarlo
4. Plancharla
5. Estrecharla
6. Coger el bajo
7. Alargarla o sacar el bajo

18

Selecciona el significado correcto de las palabras marcadas.

a. Esto para mí es coser y cantar. — fácil/difícil
b. Lo estamos pasando bomba. — muy bien/muy mal
c. En la inauguración había cuatro gatos. — mucha gente/poca gente
d. Hoy la comida nos va a salir de balde. — muy cara/gratis
e. Este jersey es una ganga. — muy caro/muy barato
f. Creo que tus amigos nos van a dar plantón. — invitar/no van a venir
g. ¿Vais a hacer puente este fin de semana? — hacer deporte/coger un día libre más
h. Me voy a dar una vuelta por el mercadillo. — dar un paseo corto/caminar alrededor
i. Con las rebajas está la tienda patas arriba. — desordenada/vacía, sin ropa
j. En mi casa mi madre lleva los pantalones. — es la que manda/se viste como quiere

1 Identifica las distintas artes que aparecen en este dibujo. Después, escribe nombres de creadores y obras representativas de cada una.

2 ¿Qué tres cualidades valoras más del arte?

- La creatividad
- La inspiración
- La estética
- La belleza
- La pureza
- La armonía
- El colorido
- El equilibrio
- La sensibilidad

3 ¿Con qué actividad artística se relacionan estas palabras: *la música*, *la danza* o los dos? ¿Cuál de las dos manifestaciones artísticas prefieres? ¿Por qué?

a. Componer una canción: ....
b. Escena: ....
c. Do, re, mi…: ....
d. Coreografía: ....
e. Himno: ....

4 Relaciona los siguientes instrumentos musicales con las imágenes.

a. El clarinete
b. El saxofón
c. La trompeta
d. El violonchelo
e. La batería
f. El violín
g. La guitarra

5 Ordena tus preferencias musicales de 1 a 5 (1 es el que más te gusta).

☐ Concierto de una orquesta de cámara
☐ Sinfonía barroca o clásica
☐ Festival de música tradicional
☐ Coro de música religiosa
☐ Grupo de pop, *rock*, otros…

6 Completa estas frases ordenando las sílabas de las palabras que están en mayúscula.

a. Las artes TI-PLÁS-CAS, como la RA-PIN-TU, la escultura y la arquitectura, son un tipo de manifestaciones artísticas en las que los autores trabajan con distintos materiales.
b. El patrimonio histórico de Cáceres es el primer conjunto QUI-AR-TÓ-CO-NI-TEC de España.
c. Entre la obra TÓ-CA-ES-RI-CUL del artista italiano Miguel Ángel destacan la *Piedad* y el *David*.
d. Aunque la catedral de Santiago es de estilo románico, su DA-FA-CHA o pared exterior es barroca.
e. Mis conocimientos TÓ-COS-RI-PIC no son muy grandes, pero ese cuadro me impresionó realmente.
f. Las NAS-LUM-CO de Hércules, según algunas leyendas, estaban situadas en el estrecho de Gibraltar.
g. La CUA-LA-A-RE es un tipo de técnica pictórica realizada con colores diluidos en agua. La otra técnica más importante es la pintura al óleo.

7 Completa el cuadro con el nombre o adjetivo correspondiente a estos movimientos artísticos. ¿A qué estilo pertenecen estas imágenes? ¿Sabes quién pintó los tres cuadros? ¿Y de quién es la escultura?

NOMBRE	ADJETIVO
El clasicismo	clásico
....	romántico
El románico	románico
....	gótico
El barroco	....
El realismo	realista
....	impresionista
El cubismo	....

8 Escribe estas palabras junto a su definición. Luego, responde a las preguntas.

el carrete • ampliar • enfocar • un primer plano • un retrato • enmarcar • revelar

a. Ajustar el foco de una máquina para que la imagen salga bien: ....
b. Fotografía de una persona:...
c. Foto donde se ve de cerca una persona, un objeto: ....
d. Un rollo de película para hacer fotos: ....
e. Hacer visible la imagen de la película de un carrete: ....
f. Hacer más grande una foto: ....
g. Poner un marco a una foto: ....

*Selfie: es un autorretrato.

> ¿Crees
> que la fotografía es un arte?
> ¿Qué opinas del fenómeno del *selfie**?
> ¿Y de Instagram?
> ¿Piensas que desaparecerán las
> cámaras de fotos por el uso de los
> móviles?

9 Relaciona cada imagen con el tipo de foto que es.

a. Un primer plano   b. Un bodegón   c. Un *selfie*   d. Un paisaje

1.   2.   3.   4.

10 Encuentra la palabra intrusa en estas series y explica por qué.

a. El monólogo, la temporada teatral, la función de teatro, la obra teatral.
b. Representar, escenificar, poner en escena, la actuación, interpretar, hacer un papel, actuar.
c. La representación, el acomodador, la escenificación, la puesta en escena.
d. El personaje principal, el protagonista, el escenario, el personaje secundario.
e. La tragedia, la tragicomedia, el drama, la comedia, la cartelera de teatro.

11 Escribe una reseña de una obra teatral que has visto esta semana sobre el tema del exceso de uso de los móviles e Internet en la sociedad actual. En ella tienes que usar las siguientes palabras.

la cartelera • teatral • el escenario • la protagonista • tratar de, sobre • la actuación • interpretar un papel
una comedia • la puesta en escena • la representación • los personajes secundarios • la actriz • el monólogo

12 Completa estas frases seleccionando las palabras adecuadas entre las propuestas. Los verbos deben ir en el tiempo correcto.

A. editor, crítico literario, crítica, edición, editar, imprimir, publicar, distribuir, agotarse	B. poeta, novelista, traductor, traducir, autor, prosa, verso	C. narración, narrador, narrar, relato, relatar, describir, argumento, tema, contar, tratar de	D. citar, copiar textualmente, leyenda, diario estilo: elegante, cuidado, ágil, directo

Don de lenguas, obra de la escritora Rosa Ribas, es una novela negra .... en 2013, que lleva ya dos ...., ya que la primera .... en apenas una semana. La .... ha sido unánime al elogiar su originalidad y su buena ambientación.

El famoso .... del siglo pasado, Miguel de Unamuno, cultivó tanto la .... como el verso. Renovó el teatro de la época y también destacó como .... con su famosa novela *Niebla*. También fue .... al castellano de obras de distintas lenguas, como el inglés, el francés, o el alemán.

La famosa novela de Cervantes, *Don Quijote de la Mancha*, contiene numerosos .... o pequeñas historias incluidas dentro de la .... general, como el de la pastora Marcela que .... la historia de una joven que quiere vivir libre sin casarse. Algunos críticos consideran que este .... es feminista.

Los ojos verdes es una famosa .... del escritor romántico español Bécquer. Su .... es elegante y ...., porque el autor siempre daba un toque poético a sus narraciones. Para Bécquer hay dos clases de poesía, y cito ....: «Hay una... magnífica y sonora (…). Hay otra natural, breve, seca, que brota del alma…». Él prefiere esta segunda.

13 Responde a las preguntas dando tu opinión sobre la lectura.

- ¿Lees con frecuencia? ....
- ¿Qué géneros literarios prefieres: poesía, teatro, ensayo, novela…? ....
- ¿De qué época: contemporánea, medieval, romántica…? ....
- ¿Qué tipo de novelas te gustan más: rosa, negra, policiaca, histórica, de ciencia ficción…? ....
- Di alguna obra literaria que haya marcado tu vida. ¿De qué trata? ¿Quiénes son sus personajes? ¿Y cómo es el/la protagonista?
  ....
- ¿Has compuesto algún poema? ¿Y sabes recitar alguno? ....
- ¿Prefieres leer un libro en papel o un libro electrónico? ....

14 Escribe tres o cuatro beneficios de la lectura y luego lee la información y comprueba si has coincidido en alguno. Añade dos beneficios más a tu propia lista.

Yo creo que la lectura...

BENEFICIOS DE LA LECTURA

1. Permite vivir nuevas experiencias en distintas situaciones y épocas.
2. Nos hace sentir más empatía hacia los demás.
3. Nos ayuda a reconocer los fracasos y a superarlos.
4. Contribuye a que vivamos con más sabiduría y bondad.
5. Es una cura para la soledad, el libro se convierte en amigo y compañero.
6. Mejora la conexión de las neuronas.
7. Es beneficioso para todas las personas y a cualquier edad.

5 Clasifica estas palabras sobre cine en su grupo correspondiente y busca en el diccionario las nuevas.

> 1. En versión original 2. El guion 3. El vestuario 4. El cámara 5. La sesión de cine
> 6. El corto 7. La secuencia 8. La banda sonora 9. La cartelera

A. IR AL CINE

- Estrenar, poner una película
- La taquilla
- La butaca
- La pantalla

....

....

C. IDIOMAS Y FORMATOS

- El largometraje
- El cortometraje o ....
- Doblada
- Subtitulada

....

D. EFECTOS, MÚSICA

- La iluminación
- El decorado
- Los efectos especiales
- El maquillaje

....

....

B. PROFESIONALES

- El/La productor/-a
- El/La guionista

....

E. TEMA, CONTENIDO

- El argumento
- El tema

....

....

6 Da tu opinión sobre el cine. Para ayudarte, te facilitamos una lista de diferentes tipos de películas.

TIPOS DE PELÍCULAS

- ☐ una comedia, un drama
- ☐ policíaca
- ☐ romántica
- ☐ de amor
- ☐ de terror
- ☐ de risa
- ☐ de ciencia ficción
- ☐ de acción, de aventuras
- ☐ de guerra
- ☐ de dibujos animados
- ☐ de final feliz, triste, abierto

- ¿Te gusta el cine?
- ¿Ves solo películas de tu país o de otros países también?
- ¿Sueles ir a las salas o prefieres verlo en casa? ¿Por qué?
- ¿Qué género prefieres? ¿Por qué?
- Di tres películas que te hayan gustado mucho y recomiéndaselas a tu compañero.
- ¿Quiénes son tus directores y actores favoritos?

7 Relaciona las dos columnas y completa las frases con las expresiones adecuadas. Después, escribe una frase con el resto.

a. De cine
b. Dejar, quedarse helado
c. Pasar la noche en blanco
d. Montar un número
e. Aburrirse como una ostra
f. No entender ni jota
g. De un tirón
h. No pintar nada
i. A sangre fría
j. Perder el juicio

1. Aburrirse muchísimo.
2. Quedarse muy impresionado.
3. De una vez, todo seguido.
4. Sin sentir emociones.
5. Muy bien, estupendamente.
6. No entender nada.
7. Sin dormir.
8. Perder la cordura o la sensatez.
9. Actuar de forma escandalosa para llamar la atención.
10. No ser útil (alguien) en una si- tuación o lugar.

A. No sé por qué he venido al estreno, aquí entre esta gente tan elegante ....
B. Este libro es apasionante: me lo he leído ....
C. Me he pasado toda la noche ...…..................... viendo películas en la tele.
D. Y como Juan no quería ver esa película .... impresionante.
E. Yo me leí el texto de La Celestina, pero no ....
F. Ese libro trata sobre un asesinato ....

Léxico

1 Relaciona estos deportes con su imagen correspondiente y después añade alguno más a la lista.

a. El fútbol
b. El baloncesto
c. El voleibol
d. El béisbol
e. El atletismo
f. El ciclismo
g. La natación
h. ....
i. ....

1. 2. 3. 4. 5. 6. 7.

2 ¿Qué deporte o actividad física recomendarías a estas personas?

A un niño de 12 años yo le recomendaría que hiciese/jugara…

PARA AYUDARTE

Deportes
- de invierno
- de equipo
- de riesgo
- de competición

a. Un niño de 12 años.
b. Una joven de 18 años.
c. Un hombre de 32 años.
d. Una mujer de 50 años.
e. Una persona de 75 años.

3 Relaciona el nombre de cada objeto con su imagen. Di en qué deporte se usan.

a. Los guantes   b. El chándal   c. Las zapatillas de deporte   d. El balón   e. La raqueta y la pelota   f. Los esquíes

1. ....   2. ....   3. ....   4. ....   5. ....   6. ....

4 Relaciona las dos columnas y completa las frases con las palabras adecuadas.

RELACIONA

a. Instalaciones
b. Palacio de
c. Estadio
d. Campo de
e. Pista de

1. olímpico
2. deportes
3. deportivas
4. tenis
5. fútbol

A. Ayer se canceló el partido porque estaba mojada la ....
B. Madrid cuenta con muy buenas ....
C. Los jugadores del Real Madrid salieron al .... entre aplausos.
D. Barcelona tiene un .... desde 1992.
E. El próximo partido de baloncesto será en el ....

Asocia cada palabra con su definición.

a. Persona que en un deporte tiene autoridad y hace que se cumplan las reglas.
b. Persona que participa en una competición con reglas.
c. Persona que prepara a los deportistas para la práctica de su deporte.
d. Grupo de jugadores que participa en una competición.

1. El equipo
2. El entrenador
3. El jugador
4. El árbitro

Ordena estas competiciones deportivas desde las más locales hasta las más globales.

a. Campeonato Provincial
b. La Liga Nacional
c. La Copa Intercontinental
d. Un partido amistoso de clubes locales
e. Un campeonato europeo
f. Los Juegos Olímpicos (JJ. OO.)

¿Qué opinas de los Juegos Olímpicos?

Busca en el diccionario las palabras que no conozcas y luego completa las frases.

A	B	C	D
• Entrenar • Participar en un entrenamiento • Calentar • Sufrir una lesión • Retirarse	• Aficionado • Socio • Fan • Ser de un equipo • Hacerse socio de un club	• Perder • Eliminar • Fallar • Empatar • Empate • La derrota	• Ganar • Quedar campeón • Clasificarse para • Ganar/Conseguir una copa, una medalla • La victoria

a. Joel González ganó la .... de oro en taekwondo en los JJ. OO. de Londres 2012.
b. El partido terminó en .... Los dos equipos marcaron tres goles.
c. Ayer no jugó Iniesta porque en la actualidad sufre una ....
d. Para poder asistir a todos los partidos de un equipo hay que hacerse ....
e. Nadal perdió el partido y ha sido .... del torneo de tenis.
f. Los jugadores participarán en un .... antes del próximo partido.
g. Gracias a un gol de Sergio Ramos, el partido terminó con la .... del Real Madrid.
h. El piloto F. Alonso ha conseguido que en España haya muchos ....a la Fórmula 1.

¿Haces deporte? ¿Lo practicas con regularidad? Haz una lista de 5 beneficios que aporta hacer ejercicio, y luego comprueba si alguno de ellos está en este listado. ¿Estás de acuerdo?

Beneficios de practicar ejercicio físico y deporte

- Mejora la calidad de vida, la independencia de nuestras acciones, la autoestima y nuestra capacidad de socialización
- Mejora la capacidad cardiorrespiratoria
- Mejora el tono muscular
- Retrasa el envejecimiento
- Mejora la defensa inmunológica
- Combate el estrés y la depresión
- Mejora las capacidades psíquicas
- Mejora el riego sanguíneo del corazón

- Combate la obesidad
- Los huesos se hacen más potentes y fuertes
- Facilita la digestión y favorece el tránsito intestinal
- Mejora la flexibilidad de nuestras articulaciones
- Favorece y aumenta la circulación arterial en todo el cuerpo
- Proporciona flexibilidad y una adecuada composición corporal
- Prolonga nuestra vida si lo practicamos con constancia

¿Cuál es tu deporte favorito? ¿Cuáles son los deportes más practicados en tu país? ¿En cuáles es más competitivo? ¿Qué piensas sobre la violencia en el deporte? ¿Tomarías alguna medida contra ella?

10 Relaciona estas palabras con la imagen correspondiente.

a. El rompecabezas o puzle   b. El crucigrama   c. El parchís   d. Las cartas

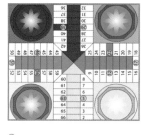

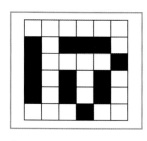

1. ....   2. ....   3. ....   4. ....

11 Relaciona las palabras con las imágenes. Después, responde a las preguntas.

a. Los dados
b. El tablero
c. La casilla
d. La ficha

2.

3.

4.

1.

¿Te gustan los juegos
de mesa?
¿Sueles jugar a alguno?
¿Hay algún juego popular
en tu país?

12 ¿Con qué juegos están relacionadas estas palabras?

1. Tirar los dados   2. Barajar   3. Hacer trampas   4. Comer una ficha   5. Repartir

13 Estos son algunos de los juegos tradicionales españoles. ¿Los conoces? ¿Has jugado a alguno de ellos? ¿Jugabas a otros juegos? ¿A cuáles?

a. El escondite   b. El tobogán   c. El columpio   d. La comba   e. Las canicas

14 Relaciona las palabras con cada foto. Después, responde a las preguntas.

a. Los juguetes   b. Los bolos   c. Los dardos   d. El billar   e. La muñeca

1.   2.   3.   4.   5.

¿Tenías algún juguete favorito cuando eras niño? ¿Has jugado alguna vez a los bolos, a los dardos o al billar? ¿Qué prefieres, los videojuegos y las consolas o los juegos tradicionales?

5 Escribe dos argumentos a favor o en contra de los videojuegos y de los juegos tradicionales.

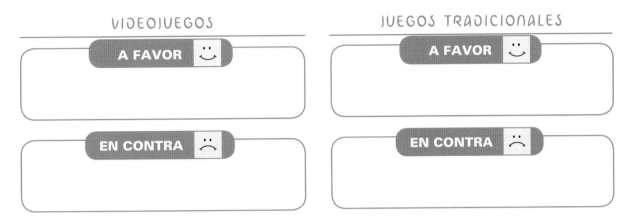

VIDEOJUEGOS

A FAVOR ☺

EN CONTRA ☹

JUEGOS TRADICIONALES

A FAVOR ☺

EN CONTRA ☹

6 Lee esta información sobre la lotería de Navidad. Subraya lo más importante, responde a las preguntas y compárala con la lotería de tu país.

LOTERÍA DE NAVIDAD

Es uno de los sorteos de la Lotería Nacional española más populares, que se celebra cada 22 de diciembre en Madrid. El premio máximo recibe el nombre de *el Gordo* y tiene un valor de 400 000 euros para cada décimo. Se vende desde el mes de julio hasta diciembre. Es el sorteo más famoso y es una tradición compartir décimos con familiares, amigos y compañeros de trabajo.

¿Qué es el Gordo?
¿Has jugado alguna vez a la lotería? ¿Te ha tocado alguna vez algo?

17 Selecciona la opción correcta correspondiente a cada definición.

a. Ejercitarse para mantenerse en buena forma física es *hacer ejercicio/hacer ejercicios*.
b. Practicar alguna actividad física de juego o competición es *hacer deporte/hacer deportes*.
c. Cuando se compite en un juego o deporte, se dice, por ejemplo, *jugar tenis/jugar al tenis*.
d. Conseguir quitarse el frío que uno tiene es *entrar en calor/coger calor*.
e. Hacer algo a mi manera, a mi estilo es hacerlo *a mi aire/al aire libre*.
f. Se dice de una persona extraordinaria en lo que hace que es un fuera *de serie/en serie*.
g. Llegar en el momento oportuno es llegar *en tiempo/a tiempo*.
h. Adular a una persona para obtener algo de ella es *hacerle la pelota/tirar la pelota*.
i. Se dice de un tipo de jugada de fútbol, una falta, que es *fuera de juego/fuera de partido*.
j. Jugar o actuar sin trampas ni engaños es *jugar limpio/jugar blanco*.

18 Completa estas frases con las expresiones adecuadas del ejercicio anterior.

a. Messi es un .... como jugador. Y Cristiano Ronaldo, también.

b. A mí me encanta .... todas las semanas, especialmente montar en bici.

c. Yo .... tenis todas las semanas y hago natación de vez en cuando.

d. Por mucho que .... no vas a conseguir que te deje mi moto.

e. Dos jugadores estaban .... y el árbitro pitó falta.

1 Completa estas frases seleccionando la opción correcta. SERIE 1

1. Corre, ___, que va a empezar el espectáculo.
    a. vaya   b. ande   c. corre

2. ¡Que os han eliminado del campeonato! ¡___ , qué mala suerte!
    a. Venga   b. Vaya   c. Ven

3. El director deportivo le mandó al jugador ___ todos los días.
    a. entrenar   b. entrenara   c. entrenaba

4. Esa película parece ___ rodada en un país nórdico, pero realmente está hecha en Andalucía.
    a. esté   b. está   c. estar

5. La foto salió movida por ___ el botón antes de tiempo.
    a. apretaste   b. apretando   c. haber apretado

6. ¿Que adónde voy? Pues ___ un cuento a los niños para que se duerman.
    a. a contar   b. contar   c. contando

7. Venga, niños, ___, que es muy tarde. Mañana termináis de ver la película.
    a. a dormir   b. durmiendo   c. duerman

8. ¡Qué voz tan maravillosa tiene…! ¡Eso es ___ y no lo que hacen otros…!
    a. cantando   b. cantar   c. cantado

9. Mira, ese de allí es Juan, al que conocí el año pasado ___ en una ONG, ¿recuerdas?
    a. colaborando   b. colaboró   c. colaboraba

10. Pues yo creo que ___ así de bien, acabarán ganando la liga.
    a. juegan   b. a jugar   c. jugando

11. Noté a Alberto ___ por haber sido seleccionado para el concurso.
    a. emocionante   b. emocionado   c. emocionando

12. La obra que se estrenará próximamente será ___ por la famosa compañía Los Trotamundos.
    a. interpretado   b. interpretando   c. interpretada

2 Completa estas frases seleccionando la opción correcta. SERIE 2

1. El partido terminó con la victoria del Valencia. Un grupo de aficionados ___ a los jugadores a la salida.
    a. felicitó   b. felicitaban   c. feliciten

2. ___ el arte, la fotografía, el diseño, la arquitectura… Como ves, tengo muchas aficiones.
    a. Me encantaban   b. Me encanta   c. Me encantó

3. No sé si ___ mi madre o mi padre mañana al estreno. Uno de los dos, seguro.
    a. asistirá   b. asistirían   c. asistan

4. La entrada y la salida al recinto ___ por esta puerta. Las demás solo se usan en caso de emergencia.
    a. son   b. están   c. es

5. Estamos muy interesados ___ al concierto del sábado. ¿Sabes dónde se pueden sacar las entradas?
    a. en que asistamos   b. asistiendo   c. en asistir

6. Yo estoy muy contento de ___ tus hijos con nosotros. Seguro que les gusta el espectáculo.
    a. venir   b. vienen   c. que vengan

7. Hasta las diez de la noche no fueron ___ las puertas del local para que empezara la actuación.
    a. cerrados   b. cerradas   c. cerrado

8. ¿Tú crees? Yo pienso que ___ cerrarlas media hora más tarde de lo que dices.
    a. deberían   b. tuvieron   c. debieron de

9. No lo sé seguro. Lo que sí sé es que la gente ___ gritar y a pitar porque no empezaba la actuación.
    a. se puso a   b. empezó   c. puso a

10. ¿Sabes?, este fin de semana actúa la Orquesta Nacional. El concierto ___ en el auditorio de música.
    a. será   b. estará   c. está

11. ¿Qué le pasa a Ana que ___ tan delgada? Algo le debe de ocurrir porque antes no estaba así.
    a. esté   b. es   c. está

12. Mañana es la función de fin de curso y la verdad es que la parte musical de la obra ___ muy verde.
    a. está   b. es   c. tiene

Completa estas frases seleccionando la opción correcta.

1. Los espectadores __ sentirse cómodos durante la representación, a pesar de la dureza del tema.
    a. parece   b. perecía   c. parecían

2. Miguel Castro se __ famoso gracias a una serie de televisión.
    a. ha hecho   b. ha vuelto   c. ha puesto

3. Después de muchos años dedicada a la literatura, María Casta __ editora de cuentos infantiles.
    a. se ha vuelto   b. se ha puesto   c. se ha hecho

4. Desde que ese cantante es tan famoso se __ muy antipático.
    a. ha hecho   b. ha vuelto   c. puesto

5. Les he dicho a mis hijos que les voy a llevar al circo y __ muy contentos.
    a. se han puesto   b. se han hecho   c. se han vuelto

6. Ayer el profesor me mandó recitar un poema y __ en ridículo delante de toda la clase.
    a. me quedó   b. me volvió   c. me puso

7. Anoche __ dormida viendo un concurso en la tele. ¡Es que terminó muy tarde!
    a. me puse   b. me volví   c. me quedé

8. Cuando vimos ese espectáculo de magia, nos __ todos sin palabras.
    a. pusimos   b. quedamos   c. volvimos

9. Tú dices que ese artista no está bien considerado y yo te digo que sí que __ está.
    a. lo   b. eso   c. se

10. Los discos de Elvis Presley de mi colección __ tiene mi cuñado. Se los tengo que pedir.
    a. les   b. se   c. los

11. Por cierto, en la fiesta estaba María y __ vi muy bien acompañada.
    a. le   b. la   c. lo

12. A Isabel __ di las entradas ayer por la tarde, pero a José no le he visto todavía.
    a. la   b. las   c. le

Completa estas frases seleccionando la opción correcta.

1. Mi cuñada se aficionó a __ al óleo cuando se jubiló y está encantada.
    a. pintura   b. pintar   c. pintando

2. Yo me conformo __ hagas algo, cualquier cosa: no puedes estar todo el día sentado viendo la tele.
    a. a que   b. que   c. con que

3. Si no __ llover, van a cancelar el concierto y eso es muy triste después de todo nuestro trabajo.
    a. deja a   b. deja   c. deja de

4. Venga, __ nosotros para la organización del concurso. Te ayudaremos en lo que podamos.
    a. cuenta a   b. cuenta con   c. cuenta por

5. Estoy __ de este festival de danza moderna. Me gusta más que el de danza clásica del año pasado.
    a. disfrutando   b. acostumbrando   c. aficionando

6. Alberto __ a presentarse al mismo concurso literario del año pasado. A ver si esta vez tiene suerte.
    a. quiere   b. piensa   c. vuelve

7. Algunos jugadores han terminado __ por la dureza del partido.
    a. lesionados   b. lesionando   c. con lesión

8. Los jóvenes os __ muy listos y pensáis que lo sabéis todo, pero no es así.
    a. creéis   b. creen   c. creemos

9. Los españoles __ muy orgullosos de nuestro patrimonio artístico y cultural.
    a. sienten   b. se sienten   c. nos sentimos

10. __ procedentes de una colección privada.
    a. Cuadros se venden   b. Se vende cuadro   c. Se venden cuadros

11. En mi ciudad hay muchos jóvenes que __ estudian ni trabajan.
    a. ni   b. o   c. y

12. Esa fachada no es gótica, __ románica.
    a. pero   b. no obstante   c. sino

1 SERIE 1

Elige la opción correcta y completa el cuadro de funciones con las fórmulas correspondientes a cada una.

1. __ mucho que me invitaras a tu fiesta. Me lo pasé genial.
   a. Cómo me gusta   b. Me fascinó   c. Me gustó

2. __ es que los domingos vengan mis hijos a comer a casa.
   a. Me vuelve loco   b. Me entusiasma   c. Lo que más me gusta

3. __ que mi equipo perdiera el partido por culpa del árbitro.
   a. No soportaría   b. Lo que más odio   c. Molestaría

4. __ que esté cerrado hoy el museo. Podemos ir de compras.
   a. Detesto   b. Me da igual   c. Me importa mucho

5. Me gusta el teatro, pero __ que hoy fuéramos al cine.
   a. me gustaba más   b. me interesó   c. preferiría

6. ¿__ más que hubiéramos ido a la exposición de fotografía?
   a. Te habría interesado   b. Prefieres   c. Te gusta

7. Entonces, Ana, ¿adónde __ que fuéramos el fin de semana?
   a. te gustó   b. te habría apetecido   c. prefieres

8. ¿__ que te dejara mi cámara de fotos para el viaje?
   a. Te apetece   b. Querrías   c. No prefieres

9. ¿Hay algo __ que hagamos el día de San Valentín?
   a. que te apetezca   b. te hubiera gustado   c. te habría apetecido

10. __ que vinieseis conmigo al ensayo de teatro. Os gustará.
   a. Quisieseis   b. Querría   c. Te deseamos

11. __ mucha ilusión que ganarais la copa este año. ¡Suerte!
   a. Me haría   b. Quisiera   c. Desearía

12. __ de hacer el Camino de Santiago.
   a. Me encantaría   b. Tengo muchas ganas   c. Quisiera

Tu listado

a. Expresar gustos e intereses
¿Estás interesado en asistir…?
1. ....
2. ....

b. Expresar aversión o falta de interés
Me horroriza que…
3. ....
4. ....

c. Expresar preferencias
5. ....
6. ....

d. Hacer preguntas sobre deseos
7. ....
8. ....
9. ....

e. Expresar deseos
10. ....
11. ....
12. ....

2 SERIE 2

Elige la opción correcta y completa el cuadro de funciones con las fórmulas correspondientes a cada una.

1. ¿ __ pensando en ir a ver la final de la Champions?
   a. Estás   b. Qué propósito   c. Tienes

2. __ es hacer que mis hijos aprendan a jugar al ajedrez.
   a. Tengo en mente   b. Mi propósito   c. Estoy planeando

3. Tengo __ hacer un viaje para ver arte románico.
   a. previsto   b. planeando   c. un plan

4. Voy a hacer __ por mejorar mi estado físico.
   a. el propósito   b. lo posible   c. imposible

5. ¿Qué le __ a Jaime? Le noto muy serio últimamente.
   a. encuentras   b. sientes   c. ocurre

6. ¡__ que te hayas recuperado tan pronto de tu lesión!
   a. Qué contento   b. Estoy feliz   c. Qué bien

7. Me hace __ que quieras aprender a coser.
   a. muy contento   b. mucha ilusión   c. alegría

8. No sabes __ de que te haya tocado la lotería.
   a. cuánto me alegro   b. qué alegría   c. qué contento

9. Es __ que no hayas podido venir al desfile.
   a. qué triste   b. lástima   c. una pena

10. __ fatal cuando tengo que hablar en público.
   a. Es una pena   b. Me duele   c. Lo paso

11. Siempre que salgo con vosotros __ fenomenal.
   a. me lo paso   b. me divierto   c. me entretiene

12. __ mucho ver un espectáculo de humor.
   a. Me divierto   b. Disfruto   c. Me entretiene

Tu listado

f. Preguntar por planes e intenciones
¿Qué tienes en mente para…?
1. ....

g. Hablar sobre planes e intenciones
Mi idea era que…, pero fue un fracaso.
2. ....
3. ....
4. ....

h. Preguntar por el estado de ánimo
¿Qué sucede?
5. ....

i. Expresar alegría y satisfacción
6. ....
7. ....
8. ....

j. Expresar tristeza y aflicción
9. ....
10. ....

k. Expresar placer y diversión
11. ....
12. ....

3 SERIE 3

Elige la opción correcta y completa el cuadro de funciones con las fórmulas correspondientes a cada una.

1. El crucigrama está complicado. ¿Puedo hacerte __?
  a. una posibilidad   b. propuesta   c. una sugerencia
2. ¿__ que jugáramos una partida de cartas?
  a. Os apetecería   b. Te parece   c. Te propongo
3. Los niños están muy aburridos. ¿__ fuéramos al zoológico?
  a. Cómo ves   b. Y si   c. Te parece que
4. __ que llamar a Fernando y Esperanza para quedar mañana.
  a. Te propongo   b. Estaría bien   c. Habría
5. __ mal que fuéramos a la nueva exposición del Reina Sofía.
  a. Estaría   b. No estaría   c. Podría estar
6. __ que no querrás venir conmigo de compras, ¿verdad?
  a. Otra posibilidad es   b. Supongo   c. No creo
7. Bueno, __, ¿vais a venir a cenar el sábado a casa o no?
  a. al final   b. sí o no   c. dime si
8. __ que sí. Iremos encantados. ¿Podemos llevar al perro?
  a. Cómo no   b. Por supuesto   c. Si insistes
9. Bueno, está bien, si no __... Oye, ¿puedes traer el Trivial?
  a. hay más remedio   b. insistes   c. tiene solución
10. __, pero no lo encontramos. ¿Y si jugamos a las cartas?
  a. Cómo no   b. Sí, venga   c. Me encantaría
11. Estaría bien, __ que las chicas prefieran hacer otra cosa.
  a. bueno   b. si insistes   c. salvo
12. Juan me ha invitado al teatro, pero __ ese día no puedo ir.
  a. lamento   b. me temo   c. desgraciadamente
13. Gracias por tu invitación, pero __ imposible ir: tengo médico.
  a. me va a ser   b. me temo que   c. lamento que
14. No me gusta jugar a los bolos, __ que fuéramos a bailar.
  a. lo lamento   b. preferiría   c. me temo

Tu listado

l. Proponer y sugerir
  1. ....
  2. ....
  3. ....
  4. ....
  5. ....
  6. ....

m. Solicitar confirmación
  7. ....

n. Aceptar una propuesta
  ¿Te parece bien/mal lo de…?
  8. ....
  9. ....
  10. ....
  11. ....

ñ. Rechazar una propuesta
  12. ....
  13. ....
  14. ....

4 Corrección de errores

Identifica y corrige los errores que contienen estas frases. Puede haber entre uno y tres en cada una.

  a. Ahora chicas dedican mucho tiempo sus ropas.
  b. Es muy bien hacer los deportes todas las semanas.
  c. Mi esposa y yo nos encanta mucho el cine.
  d. Personas se gusta ver televisión mucho.
  e. Me llamo la atención los españoles hacen muchos ejercicios.
  f. El fin de semana fuimos al juego del Real Madrid y nos pasamos muy bien.
  g. En mi país antes solo podemos quedarse en casa.
  h. Sergio Ramos marqué un gol y es muy contento.
  i. La gente hay que hacer ejercicios muchos tiempos en la semana.
  j. Correr no solo es fácil a hacer, pero también divertido.

5 Uso de preposiciones

Tacha la opción incorrecta en estas frases.

  a. Esta noche vamos a salir *para/de* fiesta, ¿vienes?
  b. Voy a inscribirme *en/a* el Real Madrid como socio.
  c. Es un espectáculo *por/para* mayores de 18 años.
  d. La película trata *en/de* una pareja que se quiere casar, pero no puede.
  e. En mi tiempo libre me dedico *en/a* la música.
  f. Ayer jugamos *Ø/a* las cartas. Y gané.
  g. Este traje hay que limpiarlo *a/en* seco.
  h. No encuentro las zapatillas que busco, voy a comprarlas *para/por* Internet.
  i. Este jersey se ha dado *de/en* sí. Es de mala calidad.
  j. Vamos a ver una película *en/de* versión original.

70 min

Tiempo disponible
para las 4 tareas.

TAREA 1

(Ver características y consejos, p. 252)

A continuación va a leer un texto. Después, deberá contestar a las preguntas, 1-6, y seleccionar la respuesta correcta, a), b) o c).

ESPAÑA MANDA LA MÚSICA A OTRA PARTE

La cultura musical y su educación constituyen un fenómeno que en España funciona a rachas intermitentes de optimismo. Más allá del folclore genuinamente español, suele decirse que este país carece de una alta tradición musical en el pop y el mundo sinfónico. Ya saben, en los sesenta eran las bandas municipales y Los Brincos, contra La Filarmónica de Berlín y los Beatles.

En los últimos años, los esfuerzos en inversión y en trasladar el mensaje de la música crecieron enormemente. Concretamente, en las últimas dos décadas, desde que, entre otras cosas, se creó una red amplísima y razonablemente eficaz de escuelas municipales de música. Ahora bien, es posible que los recortes que devastan la cultura en España se las lleven por delante.

La idea de estos centros, nacidos en 1992, no solo era localizar a futuros talentos musicales, sino fomentar la cohesión social, dar un empujón al nivel cultural de los barrios y ayudar al desarrollo de los alumnos a través de la música. Pero la base fundamental de las escuelas públicas que hay en España tiene que ver principalmente con crear el ambiente cultural que genere afición, interés y, de paso, un público que renueve los envejecidos auditorios españoles.

«Hay dos grandes realidades en la educación musical: quienes vivirán profesionalmente de ella y los que se acercarán de manera *amateur*». Enrique Subiela, músico, se refiere a la falta de una auténtica afición formada que acuda a las salas. La otra parte a la que alude es la vertiente profesional. Cada vez más españoles ocupan puestos de primer nivel en orquestas europeas. Las escuelas públicas permiten a veces dar el salto a centros de mayor nivel o conservatorios, donde España está a la cabeza de Europa (en número).

En todas las comunidades autónomas se ha recortado la aportación a estos centros formativos, en la creencia de que es una educación no necesaria. Pero aporta muchos beneficios. Los alumnos que estudian música suelen tener éxito en el resto de estudios, enseña a concentrarse, a trabajar en equipo, a dirigir, a no hablar cuando el otro habla… desarrolla la imaginación y la creatividad. Si la música va para atrás, quien saldrá perjudicado será el país.

«Quitar recursos a la educación se acabará pagando. Pero no soy tan ingenuo como para pensar que hay una relación directa entre el dinero y la calidad». Para Fabián Panisello, de la escuela Reina Sofía, una formación adecuada se da con una buena selección de alumnos y buenos profesores. «Y en España no es fácil. Cualquiera que haga una carrera musical, o lo hace a un alto nivel o no vale la pena. Es verdad que el nivel de instrumentistas ha subido en España, pero tengo dudas de que vaya asociado a la educación».

Daniel Verdú
Adaptado de http://sociedad.elpais.com

Comprensión de lectura

PREGUNTAS

1. En el texto se afirma que en España…
   a) el folclore ha impedido que la música se desarrolle en otros aspectos.
   b) la cultura musical no experimenta un desarrollo constante.
   c) en los años 70 se prefería la música de los Beatles a la sinfónica.

2. En el texto se señala que en los últimos años…
   a) se crearon escuelas dependientes de las comunidades autónomas.
   b) se crearon escuelas por parte de los ayuntamientos.
   c) la inversión en las escuelas de música ha sufrido recortes.

3. En el texto se afirma que estos centros…
   a) ven la música como un elemento de integración social y cultural.
   b) están abiertos al público que llena los auditorios.
   c) están llenos de personas con gran talento musical.

4. Según el músico Enrique Subiela,…
   a) los músicos españoles no encuentran trabajo en España.
   b) el número de conservatorios en España es superior al de toda Europa.
   c) el público que acude a los auditorios no tiene cultura musical.

5. Según el texto,…
   a) todos los estudiantes de música triunfan en el resto de estudios.
   b) la música estimula la colaboración entre los estudiantes.
   c) para concentrarse, es necesario estudiar con música.

6. En el texto se indica que…
   a) la falta de dinero para la música influirá en la calidad de los estudios.
   b) el número de músicos españoles depende directamente de los recursos destinados a la música.
   c) el alumnado y el profesorado son fundamentales en la educación musical.

TAREA 2

(Ver características y consejos, p. 254)

A continuación va a leer cuatro textos en los que cada persona da consejos para aprender a bailar. Después, tendrá que relacionar las preguntas, 7-16, con los textos, a), b), c) y d).

PREGUNTAS

	a) Andrés	b) Marisa	c) David	d) Clara
7. ¿Quién juzga fundamental para mejorar en el baile pedir recomendaciones a otras personas que bailan?				
8. ¿Quién considera que la posición del cuerpo puede influir en los aspectos psicológicos?				
9. ¿Para quién es muy importante fijar unos hábitos deportivos que ayuden al cuerpo a bailar?				
10. ¿Quién señala que el asistir a las clases no es suficiente para ser un buen bailarín?				
11. ¿Quién aconseja al futuro bailarín que no tenga complejo de inferioridad?				
12. ¿Quién cree importante que el carácter del profesor de baile tenga puntos en común con el del alumno?				
13. ¿Quién afirma que las personas tenemos aspectos tanto negativos como positivos?				
14. ¿Para quién es fundamental una reflexión previa antes de comenzar a asistir a clases de baile?				
15. ¿Quién señala que el pesimismo afecta a la habilidad del cuerpo para bailar?				
16. ¿Quién dice que ser demasiado ambicioso no es bueno para mejorar en el baile?				

Comprensión de lectura

a) Andrés

El primer paso para aprender a bailar es una acción interna. Quizá has soñado con bailar desde hace tiempo, pero no te atreves a matricularte en una clase de baile por miedo a hacer el ridículo. Respira profundamente y conéctate a tu alma, que anhela expresarse mediante el baile. Sonríe por dentro y dile a esa parte tuya: «Te doy permiso para aprender a bailar y te ofrezco el ambiente y los recursos necesarios para que puedas aprender de una manera agradable». Date tiempo para encontrar una clase de baile con el maestro que mejor se adapte a tus necesidades, personalidad y preferencias. El instructor de baile adecuado para ti no solamente enseña pasos y técnicas de baile. También apoya tu aprendizaje con positivismo, paciencia, respeto, consejos y entusiasmo para que descubras y liberes a tu bailarín o bailarina.

b) Marisa

No caigas en la trampa de la envidia. Cada estudiante de baile sigue un ritmo de aprendizaje diferente. Todos tenemos nuestros puntos fuertes y nuestros puntos débiles. No pierdas el tiempo sintiéndote menos que tus compañeros de clase porque ellos parecen avanzar más que tú. Céntrate en lo que aprendes en cada clase y celebra cada uno de tus logros, por pequeños que sean. Si tienes compañeros de clase que son buenos bailarines, inspírate en ellos. Quizá ellos puedan revelarte algunos secretos y trucos para aprender a bailar de una manera más fácil. Estudia su técnica y pídeles consejo, no los envidies. Aprender a bailar requiere mucha paciencia y una actitud positiva. No te obsesiones demasiado con los resultados; disfruta el momento presente. Recibe el placer del baile en cada paso y movimiento.

c) David

Todos los procesos de aprendizaje requieren muchísimas horas de práctica y estudio, pero esto no basta. Saca tiempo varias veces a la semana para practicar lo que aprendes en tu clase de baile. Así fortalecerás tus destrezas. También te darás cuenta de lo que necesita atención y de lo que todavía necesita bastante práctica. Entonces sabrás en qué aspectos tienes que concentrarte en la próxima clase. El instrumento para el baile es tu cuerpo. No olvides que los ejercicios de calentamiento y estiramiento, cuando se hacen a diario, le dan a tu cuerpo la flexibilidad y fuerza necesarias para bailar con precisión y fluidez. No te limites a hacer estos ejercicios solamente cuando tienes clase. Lo mejor es establecer una rutina diaria de calentamiento y estiramiento. Puedes escoger disciplinas que te proporcionen estos beneficios como el pilates o el yoga.

d) Clara

El estrés, las preocupaciones, una vida demasiado ajetreada, las emociones y los pensamientos negativos afectan a tu cuerpo y a tu capacidad para bailar con armonía. Para liberarte de estos efectos, incorpora a tu vida una disciplina de relajación. Vigila también tu postura, pues es de suma importancia en todos los tipos de baile y además unos malos hábitos aumentarán tu estrés. Incluye en tu disciplina física ejercicios que ayuden a liberar las tensiones de todas las zonas del cuerpo: al mismo tiempo, desarrollarás consciencia acerca de tu postura y aprenderás a identificar cuándo está fuera de alineamiento y a hacer los ajustes necesarios para recuperarla. Observa cuáles son las zonas de tu cuerpo que sueles colocar en una mala posición. La espalda, el cuello, la pelvis y toda la espina dorsal son zonas claves para mantener una postura saludable.

Adaptado de http://baile.about.com/od/Aprende-a-bailar/

TAREA 3

(Ver características y consejos, p. 255)

A continuación va a leer un texto del que se han extraído seis fragmentos. Después, lea los ocho fragmentos propuestos, a)-h), y decida en qué lugar del texto, 17-22, hay que colocar seis de ellos. Cuidado, hay dos fragmentos que no tiene que elegir.

BL🌐G

BENEFICIOS DEL SENDERISMO PARA LA SALUD

El senderismo es una actividad deportiva y de ocio que cada día gana más adeptos, puesto que se trata de un deporte que no exige una excesiva preparación física y en el que se acumula experiencia, conocimientos y resistencia física. **17.** _____. En otras palabras, las repercusiones de la práctica de ejercicio sobre la salud son sobradamente conocidas.

El ejercicio físico es fundamental para el organismo, no solo porque ayude a quemar calorías, sino porque mejora la fuerza muscular y contribuye al mantenimiento de la masa ósea. **18.** _____. Incluso algunos autores manifiestan una asociación entre inactividad y riesgo de mortalidad. Algunas de las ventajas que podríamos señalar del senderismo son, entre otras, las cardiorrespiratorias y las musculares.

19. _____. Esta relación se produce en todos los grupos de edad, incluso en personas mayores. En este sector de población, un alto funcionamiento físico contribuye, entre otros factores, a un envejecimiento exitoso, e incluso se ha propuesto que el ejercicio mejora algunos aspectos del funcionamiento mental, como la planificación, la memoria a corto plazo y la toma de decisiones. La actividad física reduce la depresión y puede ser tan efectiva como otros tratamientos. Si se realiza ejercicio físico con regularidad, disminuye el riesgo de depresiones y se produce una mejoría en la salud subjetiva, el estado de ánimo y la emotividad, así como en la autopercepción de la imagen del cuerpo y la autoestima física. **20.** _____.

Practicar senderismo puede contribuir a la mejora del estado de ánimo. Realizar actividades placenteras, como es este deporte, está íntimamente relacionado con un estado de ánimo favorable. Los mejores días coinciden generalmente con aquellos momentos en los que hemos realizado actividades agradables. **21.** _____.

Este deporte además se presenta como una actividad relajante, debido al medio donde habitualmente se desarrolla: la naturaleza. Asimismo, como en la mayoría de los deportes, el senderismo puede ser un medio para aumentar el concepto de uno mismo. **22.** _____. Así, se verá motivado a realizar de nuevo la actividad en futuras ocasiones.

Dr. Alberto López Rocha
Adaptado de http://sdcorrecaminos.foroactivo.com

FRAGMENTOS

a)

Sentirse triste o deprimido no es excusa: el mejor método para superar esa sensación es implicarse en una actividad gratificante.

b)

De hecho, caminar no es solo una manera de mantenerse en forma, sino que también trata enfermedades específicas.

c)

También disminuye la hipertensión, siempre que se asocie a otras variaciones en el estilo de vida.

d)

El aficionado al senderismo vive en la naturaleza una experiencia única y siente que forma parte de ella.

e)

Alcanzar un objetivo (una ruta de determinada dificultad) hace que la persona se sienta exitosa y capaz.

f)

Por otro lado, cada vez son más los estudios que corroboran la relación existente entre actividad y salud psíquica.

g)

Ya sabemos que la actividad física proporciona a la salud una serie de beneficios, hoy en día indiscutibles.

h)

Además, reduce la ansiedad y mejora las reacciones ante el estrés, así como la calidad y extensión del sueño.

TAREA 4

(Ver características y consejos, p. 258)

A continuación va a leer un texto. Complete los huecos, 23-36, con la opción correcta, a), b) o c).

EL MAESTRO DEL PRADO

Hoy, visto con la perspectiva que dan los años, creo que mi fascinación por el Prado se debió en gran parte _____23_____ que sus cuadros eran lo único familiar de mi nueva ciudad. Sus fondos me _____24_____ tiempo atrás, cuando los descubrí _____25_____ de la mano de mi madre a primeros de los ochenta. Yo fui, claro, un niño con una imaginación desbordante, y aquella secuencia infinita de imágenes me electrizó desde la primera vez. De hecho, todavía recuerdo lo que sentí en aquella temprana visita. Los trazos maestros de Velázquez, Goya, Rubens o Tiziano –por citar solo los que conocía por mis libros del colegio– hervían ante mi retina convirtiéndose en fragmentos de historia viva. Mirarlos fue _____26_____ a escenas de un pasado remoto petrificadas como por arte de magia. _____27_____ alguna razón, esa visión de niño me hizo entender las pinturas como una suerte de supermáquina capaz de proyectarme a tiempos, lances y mundos olvidados que, años más tarde, iba a tener la fortuna de comprender gracias a los libros de viejo que compraría en las cercanas casetas de la Cuesta de Moyano.

Sin embargo, lo que jamás, nunca, pude imaginar fue que en una de aquellas tardes grises del final del otoño de 1990 iba a sucederme algo que _____28_____ con creces ensoñaciones tan tempranas.

Lo recuerdo a la perfección.

El *incidente* que dio comienzo a todo tuvo lugar en la sala A del museo. Me encontraba absorto _____29_____ a la gran pared de la que cuelgan las Sagradas Familias del maestro Rafael –inclinado hacia esa que Felipe IV llamó *la Perla* por considerarla la joya de su colección–, cuando un hombre que parecía _____30_____ caído de un lienzo de Goya se situó a mi lado. Se había detenido a contemplar el mismo cuadro que _____31_____. De hecho, su actitud no hubiera llamado mi atención de no ser porque en ese momento ambos éramos las únicas almas en la galería, teníamos _____32_____ treinta grandes obras maestras a nuestro alcance y, sin embargo, por alguna razón, los dos nos habíamos encaprichado de la misma.

Nos pasamos media hora contemplándola en silencio. _____33_____ cabo de ese rato, extrañado de que apenas se _____34_____, empecé a vigilarlo con curiosidad. Al principio registré cada uno de sus gestos, sus escasos parpadeos, sus resoplidos, como si esperara que de un momento a otro fuera a arrancar el cuadro de la pared y darse a la fuga. No _____35_____ hizo. Pero después, incapaz de deducir _____36_____ era lo que aquel tipo estaba buscando en *la Perla*, comencé a dar vueltas a ideas cada vez más absurdas.

Texto adaptado, Javier Sierra

23. **a)** ya **b)** en **c)** a
24. **a)** hubieran impactado **b)** habrían impactado **c)** habían impactado
25. **a)** cogido **b)** cogiendo **c)** al coger
26. **a)** meterse **b)** asomarse **c)** entrar
27. **a)** Para **b)** Por **c)** Debido
28. **a)** excediera **b)** excedería **c)** habrá excedido
29. **a)** frente **b)** enfrente **c)** ante
30. **a)** bien **b)** tan **c)** recién
31. **a)** mío **b)** mí **c)** yo
32. **a)** más que **b)** más de **c)** menos que
33. **a)** Del **b)** En **c)** Al
34. **a)** moviera **b)** mueva **c)** movería
35. **a)** se **b)** lo **c)** se lo
36. **a)** qué **b)** que **c)** quién

**Anote el tiempo
que ha tardado:**

Recuerde que solo
dispone de **70 minutos**

PRUEBA 2

Comprensión auditiva

40 min Tiempo disponible para las 5 tareas.

CD I
Pistas
52-57

TAREA 1

(Ver características y consejos, p. 259)

A continuación va a escuchar seis conversaciones breves. Oirá cada conversación dos veces segui-das. Después, tendrá que seleccionar la opción correcta, a), b) o c), correspondiente a cada una de las preguntas, 1-6.
Dispone de 30 segundos para leer las preguntas.

PREGUNTAS

Conversación 1   Pista 52
1. En esta conversación la mujer dice que…
   a) hizo una fiesta grande para celebrar su cumpleaños.
   b) en la fiesta había japoneses entre los invitados.
   c) algunos invitados continuaron la fiesta fuera de la casa.

Conversación 2   Pista 53
2. El hombre que mantiene esta conversación telefónica…
   a) quiere reservar dos entradas para ir al cine.
   b) no puede asistir al espectáculo ese jueves porque no hay sitio.
   c) tiene que retirar las entradas de la máquina expendedora de la sala.

Conversación 3   Pista 54
3. En esta conversación…
   a) la mujer se lamenta de que Ferrer haya perdido el partido.
   b) el hombre dice que en su próximo partido el Real Madrid debe ganar o igualar el resultado para clasifi-
      carse.
   c) la mujer cree que van a ir muchos seguidores para animar al Real Madrid.

Conversación 4   Pista 55
4. En esta escena…
   a) hay dos personas que están jugando a las cartas.
   b) la mujer le reprocha al hombre que no siga las reglas del juego.
   c) el hombre va a regalar un billete de lotería a la mujer en compensación por haber ganado.

Conversación 5   Pista 56
5. En este diálogo…
   a) la mujer cree que, con el uso, la prenda que se está probando puede ensancharse.
   b) el hombre le sugiere que se pruebe una prenda con dibujos que está en una percha.
   c) la mujer se está comprando unos zapatos.

Conversación 6   Pista 57
6. Las respuestas correctas de este concurso de la radio son que…
   a) el director y montador de la película *Mar adentro* es Alejandro Amenábar.
   b) el *Guernica* está realizado con una pintura al agua.
   c) la pared exterior de la catedral de Santiago pertenece al estilo barroco.

CD I
Pista 58

TAREA 2

(Ver características y consejos, p. 259-260)

A continuación va a escuchar una conversación entre dos personas que hablan sobre los hábitos de lectura en México y España. Después, indique si los enunciados, 7-12, se refieren a lo que dice Jessica, a), Ramón, b), o ninguno de los dos, c). Escuchará la audición dos veces.
Dispone de 20 segundos para leer los enunciados.

PREGUNTAS

	a) Ramón	b) Jessica	c) Ninguno de los dos
0. Las personas no leen por diferentes causas, entre las que se encuentra el ver la televisión.	✓		
7. Internet es la causa primordial por la que la gente no lee.			
8. El número de horas de trabajo afectan al hábito de leer.			
9. La televisión siempre es un instrumento educacional.			
10. El hábito de leer es una cuestión más de educación que de dinero.			
11. La falta de tiempo libre influye en los hábitos de lectura.			
12. El hábito de lectura se promueve tanto en casa como en la escuela.			

4

CD I
Pista 59

TAREA 3

(Ver características y consejos, p. 259-260)

A continuación va a escuchar parte de una entrevista realizada por Julia Otero, una famosa periodista de radio, a Manolo Blahnik, diseñador de los famosos zapatos llamados manolos. *Escuchará esta entrevista dos veces. Después, conteste a las preguntas, 13-18. Seleccione la respuesta correcta, a), b) o c).*

Dispone de 30 segundos para leer las preguntas.

PREGUNTAS

13. Manolo Blahnik dice que…
   a) antes escuchaba los programas de Julia Otero con su madre.
   b) su madre escuchaba los programas de Julia Otero en la radio.
   c) escucha los programas de Julia Otero cuando viene a ver a su madre.

14. En el audio escuchamos que…
   a) Blahnik ha abierto su segunda tienda en Madrid.
   b) Blahnik va a inaugurar su tienda en Barcelona.
   c) Blahnik tiene dos tiendas en España.

15. El Sr. Blahnik dice que…
   a) lo consideran una persona discreta.
   b) huye de los escaparates ostentosos.
   c) se considera una persona prudente y reservada.

16. En la entrevista se dice que…
   a) las actrices no fueron las únicas en hablar de estos zapatos.
   b) Bianca Jagger conoció los *manolos* en los años 60.
   c) en los años 60 se empezaron a fabricar los *manolos*.

17. El diseñador nos explica…
   a) que siempre recuerda un bar llamado *Manolo* cuando hablan de sus zapatos.
   b) que en el extranjero es normal conocer sus zapatos como *manolos*.
   c) que es un poco inconsciente llamar *manolos* a sus zapatos.

18. En la audición escuchamos que…
   a) casi todo el calzado de Manolo Blahnik se hace a mano.
   b) los tacones de los *manolos* son artesanales.
   c) los tacones de los *manolos* miden 12 centímetros.

Especial DELE B2 Curso completo

CD I
Pistas
60-66

TAREA 4

(Ver características y consejos, p. 259-260)

A continuación va a escuchar a seis personas comentando un artículo sobre los cambios produci-dos en los hábitos culturales debidos a la tecnología, a partir de una iniciativa de un museo de Inglaterra llamada Street Museum. Escuchará a cada persona dos veces.
Después, seleccione el enunciado, a)-j), que corresponde al tema del que habla cada persona, 19-24. Hay diez enunciados incluido el ejemplo. Seleccione únicamente seis.

Dispone de 20 segundos para leer los enunciados.
Escuche el ejemplo:
   Persona 0
   La opción correcta es el enunciado a.

ENUNCIADOS

a) *Las personas se han ido adaptando a las nuevas formas de acceso a la cultura, muchas veces por obligación.*

b) Se podría crear alguna aplicación informática para visitar virtualmente civilizaciones antiguas.

c) No todo el mundo tiene acceso a estas aplicaciones informáticas, bien por edad, bien por limita-ciones económicas.

d) El proyecto Street Museum se va a poner en práctica en Grecia y Roma.

e) No se puede comparar el ver una obra de arte personalmente con una aplicación informática.

f) La cultura se ha visto afectada por las nuevas herramientas informáticas.

g) Las cartas dieron paso a Twitter y otras redes sociales.

h) Una aplicación informática de un museo de Londres ha hecho que la cultura sea accesible a cualquier persona.

i) La universalización de la cultura depende del «diseño para todos».

j) Los museos no han transformado las costumbres culturales de la gente.

	PERSONA		ENUNCIADO
	Persona 0	Pista 60	a)
19.	Persona 1	Pista 61	
20.	Persona 2	Pista 62	
21.	Persona 3	Pista 63	
22.	Persona 4	Pista 64	
23.	Persona 5	Pista 65	
24.	Persona 6	Pista 66	

CD I
Pista 67

TAREA 5

(Ver características y consejos, p. 259-260)

A continuación va a escuchar a una mujer que habla sobre la costumbre victoriana de las fotografías post mórtem. Escuchará la audición dos veces. Después, conteste a las preguntas, 25-30. Seleccione la respuesta correcta, a), b) o c).

Dispone de 30 segundos para leer las preguntas.

PREGUNTAS

25. En este audio se dice que…
    a) las primeras cámaras estaban formadas por una caja metálica y una cortina.
    b) las primeras cámaras de fotos se colocaban sobre tres patas.
    c) las primeras cámaras de fotos sustituyeron a los cuadros de difuntos.

26. Esta mujer dice que en el siglo xix…
    a) no se hacían fotografías porque exigía mucho tiempo.
    b) hacer retratos pintados exigía mucho tiempo.
    c) la gente encargaba cuadros de sus seres queridos fallecidos.

27. En la audición escuchamos que…
    a) en la época victoriana estaban insensibilizados con la muerte.
    b) en los medios de comunicación aparecen tantos fallecimientos como nacimientos.
    c) en el siglo xix la muerte se aceptaba mejor que ahora.

28. En la audición nos explican que…
    a) para hacerse una foto con el daguerrotipo había que posar más de 10 minutos.
    b) la fotografía estaba lista en un tiempo que variaba de 15 a 30 minutos.
    c) el daguerrotipo era un aparato bastante frágil.

29. En este audio se dice que…
    a) el inconveniente más destacado era el tiempo de exposición.
    b) era impensable posar durante tanto tiempo para hacerse una foto.
    c) el proceso de realización de las antiguas fotos podían afectar a la salud.

30. La mujer dice que…
    a) los difuntos siempre son los mejores modelos.
    b) las antiguas fotografías no se podían copiar.
    c) se repartían objetos del fallecido entre los familiares.

**Anote el tiempo
que ha tardado:**

Recuerde que solo
dispone de **40 minutos**

**Tiempo disponible
para las 2 tareas.**

TAREA 1

(Ver características y consejos, p. 261)

Dentro de unas semanas usted se va a casar y está haciendo los preparativos necesarios. Ha escuchado un audio sobre un estudio de fotografía y le gustaría que fueran ellos los encargados de hacer el reportaje del evento. Escriba un correo electrónico al estudio fotográfico. En el correo debe:

- presentarse;
- explicar el motivo de su correo;
- solicitar información sobre precios, características, etc., de las fotografías;
- explicarles el estilo de las fotos que desea;
- explicarles cómo ha conocido el estudio y por qué prefiere fotos a un vídeo.

Número de palabras: entre 150 y 180.

**CD I
Pista 68**

*Va a escuchar a un **fotógrafo especializado en bodas.***

Solicitud de información

CORREO ELECTRÓNICO Y CARTA TRADICIONAL

Los dos tienen la misma estructura.
Las normas generales de las cartas formales son aplicables a los correos electrónicos.
En el correo electrónico, frente a la carta, no se necesita poner lugar y fecha en la parte superior.
Un correo electrónico se puede enviar a varias personas al mismo tiempo.
Una de las ventajas del correo electrónico es la inmediatez.

Además…

1. Manifiesta tu deseo de reunirte con alguien de la empresa para que te enseñen modelos del producto que quieres.
2. Ofrece horas potenciales en las que podríais reuniros.
3. Utiliza un lenguaje claro, sin demasiado artificio.

MODELO DE SOLICITUD DE INFORMACIÓN POR CORREO ELECTRÓNICO

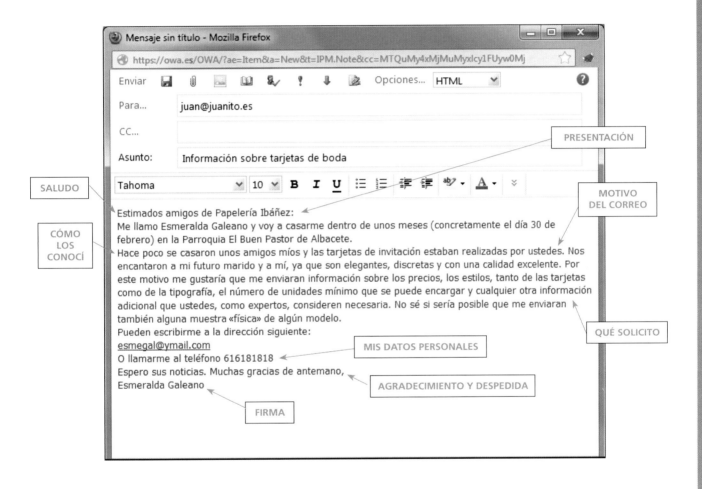

TAREA 2

(Ver características y consejos, p. 262)

Elija solo una de las dos opciones que se le ofrecen a continuación:

OPCIÓN A

Usted colabora con una revista de orientación familiar y le han pedido que escriba un artículo sobre el tiempo que dedican los españoles al mantenimiento del hogar. En él debe incluir y analizar la información que se ofrece en el siguiente gráfico:
Número de palabras: entre 150 y 180.

TIEMPO EMPLEADO EN EL MANTENIMIENTO DEL HOGAR

Actividad	Varones	Mujeres
Actividades culinarias	46,4	80,5
Mantenimiento del hogar	31,8	64,2
Compras y servicios	31,6	47,2
Cuidado de niños	16,7	22,2
Jardinería y cuidado de animales	15,7	10,7
Ayudas a otros hogares	5,7	8,6
Construcción y reparaciones	5,2	1,2
Activ. hogar y familia no especif.	5,2	15,3
Confección y cuidado de ropa	3,9	34
Ayudas a adultos del hogar	2,5	3,8
Gestiones del hogar	2,4	1,9
Trabajo vol. al serv. de una org	0,7	0,6

Fuente: Encuesta de Empleo del Tiempo. INE

Redacte un texto en el que deberá:
- destacar las actividades no remuneradas a las que se dedica mayor y menor tiempo en el seno de la familia;
- señalar las diferencias que existen entre hombres y mujeres en el mantenimiento del hogar;
- resaltar otros datos del estudio que considere relevantes del estudio y expresar su opinión sobre la información recogida en el gráfico;
- recoger en una conclusión las medidas que se podrían tomar para mejorar el tiempo dedicado a las actividades domésticas.

OPCIÓN B

Usted tiene un blog en el que suele incluir sus opiniones sobre espectáculos. Anoche asistió a una obra de teatro y ha decidido escribir una crítica sobre ella. Para ello cuenta con la información facilitada en el programa de mano que le dieron en la sala.
Número de palabras: entre 150 y 180.

El coloquio de los perros
Adaptación teatral de la obra de Miguel de Cervantes

★ ★ ☆ ☆ ☆

Fecha: 23 de abril.
Hora: 20:00 h.
Lugar: Teatro Pavón.
Compañía: Els Joglars y el Centro Nacional de Teatro Clásico.

Sinopsis: *El coloquio de los perros* es una historia que trata el tema de las relaciones entre estos animales y los humanos dentro de la sociedad de bienestar. La trama se centra en Manolo, un guardia de seguridad de una perrera municipal, que explica al público cómo y por qué ha llegado hasta ese lugar; y en dos perros, Cipión y Berganza, que durante una noche obtuvieron el don del habla de forma sobrenatural y que relatarán su vida al espectador, aportando de manera reflexiva su visión del mundo en el que les ha tocado vivir... y ladrar. Ese día, una pareja de defensores de los derechos de los animales entran en la perrera para liberarlos, pero estos se niegan a salir de su jaula, por considerar que fuera estarán peor. El día amanece y Cipión y Berganza pierden el don del habla, aunque quedan con el guarda para seguir la charla a la noche siguiente.

Adaptado de www.coverset.es

Redacte un texto en el que deberá:
- hacer una pequeña introducción sobre la adaptación de las obras clásicas a la realidad actual;
- valorar la puesta en escena y el trabajo de los actores;
- explicar la reacción del público a lo largo de la representación;
- dar su opinión personal sobre la obra.

Anote el tiempo que ha tardado:

Recuerde que solo dispone de **80 minutos**

Expresión e interacción orales

20 min Tiempo disponible para las 3 tareas.

20 min Tiempo disponible para la preparación de la intervención oral.

TAREA 1

(Ver características y consejos, p. 266)

Debe hablar durante 3 o 4 minutos de las ventajas e inconvenientes de una serie de soluciones que se proponen para un determinado problema. Después, conversará con el entrevistador sobre el tema. Tiempo total, 6-7 minutos.

LA PRÁCTICA DEL DEPORTE

El estilo de vida actual es bastante sedentario, lo que está ocasionando serios trastornos tanto físicos como psíquicos en el conjunto de la población.

Expertos en salud y deporte se han reunido para poner en común algunas medidas que ayuden a mejorar la situación.

Lea las propuestas recogidas y explique las ventajas e inconvenientes de, como mínimo, cuatro de ellas.

Después de su monólogo conversará con el entrevistador sobre el tema y las propuestas.

En su exposición debe especificar por qué le parece una buena o mala solución esa propuesta, qué inconvenientes puede tener, a quién beneficia y a quién perjudica; si puede ocasionar otros problemas o si habría que precisar algo más…

Expresión e interacción orales

Se deberían hacer campañas mundiales para favorecer el ejercicio físico y una vida más activa. Quedarse en casa viendo la tele o jugando a la maquinita puede ocasionar colesterol, diabetes, enfermedades coronarias...

El deporte puede provocar lesiones o accidentes cardiovasculares, sobre todo a determinadas edades. Es mejor realizar ejercicio físico moderado como caminar, nadar, bailar...

El deporte tiene múltiples ventajas: favorece el trabajo en equipo, mejora el estado de salud, ayuda a prevenir enfermedades, anima a superar dificultades, eleva el estado de ánimo...

Yo establecería normas sobre la práctica del deporte en edades tempranas. Prohibiría las sesiones largas de entrenamiento, no permitiría las restricciones en la alimentación y evitaría el exceso de competitividad.

En mi opinión, tanto deporte no es bueno: antes no lo hacíamos y no pasaba nada. Yo ahora veo a jóvenes obsesionados con los músculos, con las proteínas, con el gimnasio... Eso no puede ser bueno.
Y además es caro.

Habría que aprobar leyes que persiguieran de verdad el dopaje y que controlaran las competiciones que exigen metas imposibles de alcanzar para el ser humano.

EXPOSICIÓN

Ejemplo: *Yo estoy de acuerdo con la opinión de que el deporte tiene múltiples ventajas porque...*

CONVERSACIÓN

Cuando el candidato termine su monólogo sobre las propuestas de la lámina (3 o 4 minutos), el entrevistador le hará algunas preguntas sobre el tema durante otros 3 minutos.
La duración total de esta tarea es de 6 a 7 minutos.

EJEMPLO DE PREGUNTAS DEL ENTREVISTADOR

Sobre las propuestas
- ¿Está de acuerdo con todas las propuestas? ¿Eliminaría o añadiría alguna?

Sobre su realidad
- ¿Considera que en su país la gente realiza suficiente ejercicio físico? En caso negativo, ¿en qué edades es más apreciable el problema? ¿Se da por igual en hombres y en mujeres? ¿Se han tomado o se van a tomar medidas para resolverlo?

Sobre sus opiniones
- ¿Cree que fomentar el deporte desde edades tempranas es importante? ¿Cree que esto debe ser una tarea de cada persona, de los padres, de la escuela, del Ministerio de Sanidad, del Gobierno...? ¿Qué haría, al respecto, si fuera médico, político o si tuviera hijos?
- ¿Usted realiza ejercicio físico o practica algún deporte? ¿Qué es lo que más valora del deporte?

TAREA 2

(Ver características y consejos, p. 269)

Usted debe imaginar la situación que se está produciendo en la fotografía y, a continuación, tiene que describirla durante 2 minutos aproximadamente, a partir de unas preguntas que se le ofrecen. Puede haber más de una respuesta.
Despúes, hablará con el entrevistador y expresará sus opiniones sobre ese tema.

UN ACTO O ESPECTÁCULO PÚBLICO

Las personas que ve en la fotografía están asistiendo a un acto o espectáculo. Tiene que imaginar la situación y hablar de ello durante 2 minutos aproximadamente. Puede centrarse en los siguientes aspectos:

- ¿Dónde cree que se encuentran estas personas? ¿Por qué piensa eso?
- ¿Cree que existe alguna relación entre ellas? ¿Por qué? ¿Tienen algo en común?
- Seleccione dos o tres personas de la fotografía e imagine cómo son, dónde viven, a qué se dedican…
- ¿Puede explicar, a partir de los gestos y actitudes de las distintas personas, qué está pasando en ese momento?
- ¿Qué cree que va a suceder después? ¿Cómo va a continuar la escena?

Después de la descripción, el entrevistador le hará algunas preguntas sobre el tema hasta completar el tiempo total de esta prueba, que es de 5-6 minutos.

EJEMPLOS DE PREGUNTAS DEL ENTREVISTADOR

- ¿Ha asistido a un acto o espectáculo como el de la foto? En caso afirmativo, ¿puede contar los detalles: dónde fue, con quién iba…?
- ¿Qué opinión tiene sobre los desfiles de moda? ¿Ha asistido a alguno o tiene intención de asistir? Justifique su punto de vista.

TAREA 3

(Ver características y consejos, p. 270)

Usted tiene que dar su opinión a partir de unos datos de noticias, encuestas, etc., que se le ofre-cen (2-3 minutos). Después, debe conversar con el entrevistador sobre esos datos, expresando su opinión al respecto.
Esta tarea no se prepara previamente.

ENCUESTA SOBRE ACTIVIDADES CULTURALES
Lea los resultados de la siguiente encuesta:

Escuchar música y leer, lo más frecuente

La Encuesta de Hábitos y Prácticas Culturales 2010-2011, realizada por el Ministerio de Cultura, refleja que las actividades culturales más frecuentes, en términos anuales, en la población española son escuchar música, leer e ir al cine, con tasas del 84,4%, el 58,7% y el 49,1% respectivamente.

Cada año, el 40% de la población asiste a espectáculos culturales en directo. Entre ellos, destacan los conciertos de música actual (25,9%) y el teatro (19,0%).

Fuente: España en cifras 2012. www.ine.es

A continuación dé su opinión sobre los resultados de esta encuesta:
* ¿Le sorprende alguno de ellos?
* ¿Cuáles serían los resultados de esta encuesta en su país?
* ¿Con qué frecuencia realiza las siguientes actividades culturales?

> Ver vídeos ....
> Visitar exposiciones ....
> Asistir a conciertos de música actual ......
> Leer libros ....
> Asistir al cine ....
> Visitar museos ....
> Escuchar música ....
> Visitar monumentos ....

examen 5

INDIVIDUO, ALIMENTACIÓN, SALUD E HIGIENE

Curso completo

► **Léxico**

► **Gramática**

► **Funciones**

{ Individuo
Alimentación
Salud e higiene

Modelo de examen 5

INDIVIDUO

Aspectos físicos

Articulación (la) ....
Bofetón (el) ....
Canoso/a ....
Cerebro (el) ....
Columna (la) ....
Gesto (el) ....
Hígado (el) ....
Lágrima (la) ....
Palma (la) ....
Pulgar (el) ....
Saliva (la) ....
Sudor (el) ....
Uña (la) ....

Verbos y expresiones

Bostezar ....
Dar a luz ....
Estornudar ....
Masticar ....
Ser clavado ....
Tener arrugas ....

Aspectos anímicos

Verbos y expresiones

Estar animado/a ....
- agobiado/a ....
Inculcar ....
No tener dos dedos de frente ....
Tener modales ....
- envidia ....
Volver loco/a ....

Parentesco

Nuera (la) ....
Suegro/a (el/la) ....
Yerno (el) ....

Verbos y expresiones

Conocer(se) de vista ....
Envejecer ....
Madurar ....
Pelear(se) ....
Tener un ligue ....

ALIMENTACIÓN

Bollería (la) ....
Carne guisada (la) ....
- asada ....
Fabada (la) ....
Frutos secos (los) ....
Fuente (la) ....
Hueso (el) ....
Langostino (el) ....

ALIMENTACIÓN (continúa)

Legumbres (las) ....
Lubina (la) ....
Pechugas (las) de pollo ....
Pincho (el) ....
Ración (la) ....

Verbos y expresiones

Chupar ....
Comer pipas ....
Cortar en dados ....
Hacer la digestión ....
Ponerse malo ....
Pudrir(se) ....

SALUD E HIGIENE

Ambulatorio (el) ....
Analgésico (el) ....
Antiinflamatorio (el) ....
Beneficioso/a ....
Botiquín (el) ....
Calmante (el) ....
Catarro (el) ....
Diagnóstico (el) ....
Escayola (la) ....
Esparadrapo (el) ....
Gasa (la) ....
Grano (el) ....
Inyección (la) ....
Lima (la) ....
Mareo (el) ....
Náuseas (las) ....
Perjudicial ....
Pomada (la) ....
Presión arterial (la) ....
Síntoma (el) ....

Verbos y expresiones

Contagiar(se) ....
Cuidarse ....
Curar(se) una herida ....
Dar cabezadas ....
Dar puntos ....
Escayolar ....
Estar a dieta ....
Hacerse un empaste ....
- un esguince ....
Recetar ....
Reponer fuerzas ....
Sentar bien/mal la comida ....
Tener una cicatriz ....
Tener una salud de hierro ....
Vacunarse ....
Vendar ....

1 Lee estos titulares y anuncios y explica cada uno con tus palabras. Puedes buscar en el diccionario las palabras que no conoces. ¿Estás de acuerdo con los comentarios? Justifica tu respuesta.

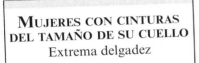

MUJERES CON CINTURAS DEL TAMAÑO DE SU CUELLO
Extrema delgadez

AUMENTO DE PECHO
IMPLANTES DE SILICONA

LA VIGOREXIA

UÑAS DE GEL
CIRUGÍA ESTÉTICA
TATUAJES Y TEÑIDOS DE CEJAS Y PESTAÑAS

CÓMO REJUVENECER Y DETENER EL ENVEJECIMIENTO DEL CUERPO

Yo creo que cada vez se da más importancia al aspecto físico.

Las personas que tienen aspecto joven y cuidado tienen más éxito en la vida.

Los cánones de belleza: el peso, la estatura, etc., no han cambiado mucho en los últimos 50 años.

Para mí, la belleza está en el interior, en ser una buena persona.

2 Completa los cuadros con la palabra adecuada y describe cuál es el ideal de belleza actual.

PARA AYUDARTE

- La frente: ancha, estrecha, despejada…
- La mejilla: fina, alargada, redondeada…
- La barbilla: fina, cuadrada…
- Las cejas: finas, pobladas, largas, cortas…
- Las pestañas: largas, cortas…
- Las uñas: pintadas, largas, cortas…
- Las orejas: grandes, pequeñas…

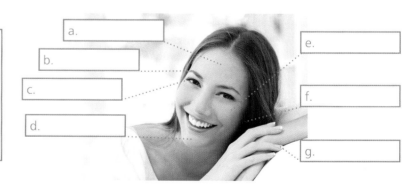

a. b. c. d. e. f. g.

3 Observa las fotos y describe los cambios de estas personas usando el vocabulario que te facilitamos. ¿Crees que habría que recurrir a la cirugía estética solo en caso de deformidades o complejos?

A.

PARA AYUDARTE

- Envejecer: hacerse viejo, mayor
  - El envejecimiento
- Rejuvenecer: parecer más joven
  - El rejuvenecimiento
- Aparentar más o menos edad: parecer más joven
- Tener arrugas: tener pliegues en la piel o flacidez
  - Tener cicatrices, marcas, bolsas
- Tener/Salir canas: tener pelo blanco
  - Tener buen o mal aspecto

B.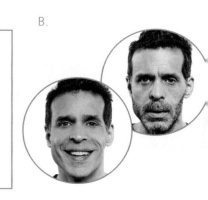

4 Estos sustantivos indican cualidades (+) o defectos (-). Busca el significado y clasifícalos.

- Solidaridad
- Constancia
- Impuntualidad
- Responsabilidad
- Sensibilidad
- Ternura
- Generosidad
- Arrogancia
- Cobardía
- Egoísmo
- Timidez
- Ambición
- Curiosidad
- Seriedad
- Valentía
- Sinceridad

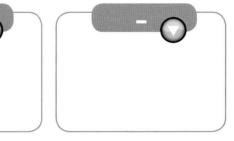

5 Escribe la palabra contraria. Usa: *i-*, *in-* o *im-* cuando sea necesario.

a. Constancia: ....inconstancia..............
b. Puntualidad: ....
c. Responsabilidad: ....
d. Sensibilidad: ....
e. Discreción: ....
f. Justicia: ....

6 ¿Qué cualidades se pueden asociar con...?

a. El jefe de una empresa: ..responsabilidad, constancia...
b. Un empleado de una empresa: ....
c. El cuidador de un niño: ....
d. Un piloto de avión: ....
e. Un voluntario de una ONG: ....
f. Un investigador: ....
g. Un militar: ....

7 Escribe el adjetivo correspondiente.

Ambición: ambicioso, ambiciosa

a. Valentía: ....
b. Constancia: ....
c. Curiosidad: ....
d. Ternura: ....
e. Justicia: ....
f. Responsabilidad: ....
g. Solidaridad: ....
h. Generosidad: ....
i. Arrogancia: ....
j. Discreción: ....

8 ¿Qué defectos están peor vistos en tu cultura? Justifica tu respuesta.

Creo que ser tacaño está muy mal visto porque...

- Cobarde
- Callado/a
- Indiscreto/a
- Tacaño/a
- Susceptible
- Tener poco carácter
- Envidioso/a
- Otros

9 Según la psicología positiva, estas son las virtudes, talentos y actitudes que pueden hacernos más felices. Lee las preguntas y da tu opinión sobre ellas.

VIRTUDES UNIVERSALES					
Sabiduría y Conocimiento	Coraje	Humanidad	Justicia	Templanza	Trascendencia
Creatividad	Valentía	Amor	Civismo	Perdón y Compasión	Apreciación de la Belleza y la Excelencia
Curiosidad	Persistencia	Generosidad	Justicia	Humildad y Modestia	Gratitud
Mente Abierta	Integridad	Inteligencia Social	Liderazgo	Prudencia	Esperanza
Pasión por aprender	Vitalidad			Autocontrol	Humor
Perspectiva					Espiritualidad

(columna lateral: FORTALEZAS)

¿Estás de acuerdo con esta clasificación? ¿Crees que sirve para cualquier país o cultura?

¿Cuáles de todas ellas crees que son más importantes para tener éxito en la vida y ser feliz?

¿Consideras que es más educativo centrarse en las virtudes que tener en cuenta los defectos?

10 Relaciona las dos columnas. Piensa una ventaja y un inconveniente de cada etapa de la vida. Puedes usar: *madurar, envejecer, hacerse mayor, quedarse viudo, perder la memoria, quedarse sordo, llevarse bien, mal...*

a. Bebé
b. Niño
c. Adolescente
d. Joven
e. Adulto
f. Persona mayor

1. Madurez
2. Vejez
3. Recién nacido
4. Niñez
5. Juventud
6. Edad del pavo

- De recién nacido ....
- De niño ....
- En la adolescencia ....
- En la juventud ....
- De adulto ....
- En la vejez ....

11 Completa las palabras siguientes. ¿Cuántos de estos familiares tienes en tu familia? ¿Cómo es tu relación con ellos? ¿Te pareces a alguien de tu familia?

Yo me llevo muy bien con mi abuela. Nos parecemos mucho en el carácter.

biznieto • nuera • bisabuela • cónyuges • trillizos • yerno • mellizos • cuñada

a. Dos hermanos diferentes que nacen el mismo día: M _ L _ _ Z _ _
b. El nombre técnico de los esposos: C _ _ Y _ _ _ S
c. La mujer de un hermano: C_ Ñ_ _ _
d. El marido de una hija: _ E _ _ O

e. La mujer de un hijo: _ U _ _ A
f. La madre de tu abuela: B _ _ _ _ U _ _ A
g. El nieto de tu hijo: _ I _ N _ _ T _
h. Tres niños iguales que nacen el mismo día: _ R _ _ L _ _ O _

PARA AYUDARTE

- Llevarse bien o mal con alguien
- Ser un familiar cercano, lejano
- Parecerse a alguien en algo
- Ser clavados
- Ser como dos gotas de agua

12 La familia nos enseña unos valores que son esenciales para la vida. Selecciona en esta imagen los que son más importantes para ti y justifica tu opinión. Usa para ello el vocabulario del cuadro.

En mi opinión, el principal valor que nos aporta la familia es... porque...
Pues para mí los valores más importantes son...

PARA AYUDARTE

- Educar
- Crecer
- Estar bien educado
- Tener (buenos) modales
- Ser atento
- Actuar correctamente
- Comportarse bien
- Mostrar apoyo, cariño
- Tener confianza, respeto

INTEGRIDAD Paciencia
Valentía **Amor**
Comunicación Lealtad
Claridad AMISTAD Disciplina
Bondad Libertad
Igualdad
Sabiduría JUSTICIA SENCILLEZ
Servicio **Tolerancia**
Tradición

13 Relaciones sociales: clasifica estas palabras y expresiones en su grupo correspondiente. Busca el significado de las que no conoces y escribe una pequeña historia con cinco de ellas.

amigo de toda la vida • tener un lío • amigo íntimo • tener un ligue • conocer de vista • ir de visita • estar prometido
mantener una relación • tratar con alguien • seducir • felicitar cordialmente • darse dos besos • tener un romance

Relación de amistad   Relación amorosa   Relación social

14 Relaciona cada problema con su causa o consecuencia. Mira la fotografía e imagina qué está pasando y cómo crees que se va a solucionar el problema.

PROBLEMAS

a. La relación entre los padres
b. La relación entre hermanos
c. La comunicación
d. La convivencia
e. La falta de valores, de límites

CAUSA, CONSECUENCIA

1. Envidias, celos, peleas.
2. Reparto de las tareas del hogar.
3. Autoritarismo.
4. Diferentes formas de pensar.
5. Horarios de llegada a casa.
6. Separaciones, divorcios.
7. Hijos rebeldes, falta de disciplina.

CONFLICTOS FAMILIARES

15 La sociedad mundial está cambiando rápidamente y ya son frecuentes las nuevas formas de familia que se alejan del modelo tradicional. Di cuál de estos tipos de familia son más frecuentes en tu sociedad y cómo crees que será esta situación en el futuro.

Yo creo que desaparecerán las familias numerosas.

PARA AYUDARTE

- Familia monoparental: solo tienen un padre o una madre: solteros, personas viudas, divorciadas.
- Familias adoptivas, con hijos adoptados del mismo país o de otro.
- Parejas de hecho: viven juntos sin casarse con o sin hijos.
- Matrimonio entre personas del mismo sexo.
- Familias reconstituidas: divorciados o separados que se vuelven a casar. Cada uno tiene hijos.

16 ¿Estás de acuerdo con estas opiniones sobre la familia? Justifica tu respuesta.

A mí me parece bien que las personas mayores o las que están solteras adopten hijos.

Los animales de compañía son como un miembro más de la familia: acompañan, dan afecto y cariño…

Yo no estoy de acuerdo con las madres de alquiler y con la fecundación *in vitro*: es mejor adoptar niños.

17 Relaciona cada definición con su locución correspondiente y escribe un ejemplo con cada una de ellas.

a. Actuar con atrevimiento, sin sentir vergüenza.
b. Burlarse de alguien en plan de broma.
c. No tener algo sentido, ser desordenado e ilógico.
d. Tener mala suerte.
e. Cometer un fallo, un error o una indiscreción.
f. Despreciar a una persona.
g. Hablar mucho.
h. Tener un día de mala suerte.
i. No tener buen juicio o entendimiento.
j. Tener mal carácter.

1. Mirar a alguien por encima del hombro.
2. Tener mucha cara.
3. No tener ni pies ni cabeza.
4. Levantarse con el pie izquierdo.
5. Tomar el pelo.
6. Tener mala pata.
7. Tener (mucho, mal) genio.
8. Hablar por los codos.
9. No tener dos dedos de frente.
10. Meter la pata.

1 Describe lo que representan estas imágenes: *lugares para comer, tipos de alimentos, costumbres,* etc., y da tu opinión sobre ellas.

PARA AYUDARTE

- Bar
- Tapear, ir de tapas
- Pagar a medias
- Restaurante de fama
- Comida rápida
- Hamburguesería
- Mercado tradicional
- Puesto de fruta

2 Busca las palabras que no conoces y clasifica estos alimentos en su grupo correspondiente.

Lenguado • Bollería • Berenjena • Nueces • Garbanzos • Nata
Pan de molde • Pechugas de pollo • Mejillón • Frambuesa • Romero

LEGUMBRES
- Lentejas
- Judías blancas
- Judías rojas
....

VERDURAS
- Calabacín
- Espinacas
- Guisantes
....

MARISCOS
- Langosta
- Langostino
- Almeja
....

LÁCTEOS
- Leche condensada
- Leche en polvo
- Leche desnatada
- Leche entera
- Queso fresco, azul, de cabra, de oveja
....

FRUTOS SECOS
- Almendras
- Avellanas
....

DULCES E HIDRATOS
- Ensaimada
- Palmera
- Bizcocho
- Magdalena
- Merengue
- Dulce, caramelo
- Harina integral
- Levadura
....
....

PESCADOS
- Dorada
- Salmonete
- Lubina
- Merluza
....

CARNES
- Pierna de cordero
- Magro de ternera o cerdo
- Carne picada
- Muslos, alas de pollo o pavo
....

FRUTAS
- Frutos del bosque
- Mora
- Grosella
- Cereza
- Piña
....

HIERBAS AROMÁTICAS
- Perejil
- Albahaca
- Tomillo
- Orégano
....

3 Escribe el nombre de estos alimentos.

a. ....
b. ....
c. ....
d. ....
e. ....

f. ....
g. ....
h. ....
i. ....
j. ....

Relaciona el tipo de alimento con su definición y da tu opinión.

1. Congelado
2. Podrido
3. Sin conservantes
4. Indigesto
5. Sin colorantes
6. Caducado
7. Orgánico
8. Bajo en sal

a. No lleva ningún aditivo para que dure más tiempo.
b. No lleva colores artificiales.
c. Procede de un cultivo natural.
d. Se conserva a una temperatura inferior a 0°.
e. Está fuera de la fecha de consumo.
f. Huele muy mal y está en malas condiciones.
g. No se digiere bien.
h. Contiene poca sal.

> ¿QUÉ OPINAS SOBRE…?
> - El uso de conservantes.
> - Los alimentos transgénicos.
> - El consumo de alimentos caducados.

Completa con estas palabras y explica si estás de acuerdo con ellas.

| con moderación | ayunar | fibra | abundante | escasa | no procesados | excesivamente |

a. Yo creo que hay que hacer un desayuno ...., una comida normal y una cena más bien ....

b. Yo soy partidario de los alimentos ecológicos y .... Son mucho más saludables porque contienen mucha más .... y nutrientes que los procesados.

c. Hay muchas dietas milagro, pero son desequilibradas y no tienen base científica. Yo creo que hay que comer de todo y ....

d. Me gusta .... de vez en cuando. Es bueno cuando has comido .... o cuando has tomado alimentos indigestos.

Lee este texto y observa la pirámide sobre la dieta mediterránea. Compara esta dieta con la de tu país. ¿Qué diferencias hay?

«En 2010 la Unesco incluyó la dieta mediterránea en la Lista del Patrimonio Cultural Inmaterial de la Humanidad. La candidatura fue presentada conjuntamente por España, Grecia, Italia y Marruecos.
Sus ingredientes principales son "el aceite de oliva, los cereales, las frutas y verduras frescas o secas, una proporción moderada de carne, pescado y productos lácteos, y abundantes condimentos y especias, cuyo consumo en la mesa se acompaña de vino o infusiones, respetando siempre las creencias de cada comunidad". Además, subraya que la dieta mediterránea no comprende solamente la alimentación, sino que es "un elemento cultural que propicia la interacción social"».

ocasional

semanal

diario

Ejercicio físico y agua

¿Has probado alguno de estos platos? ¿Cómo se llaman? ¿Qué te han parecido? ¿Tienen buena pinta? ¿Cuál te apetecería probar?

PARA AYUDARTE

- *SER O ESTAR*
  - Sabroso
  - Insípido
  - Soso
  - Delicioso
  - Exquisito
  - Incomible
  - Incomestible
  - Asqueroso

1. ....

2. ....

3. ....

4. ....

5. ....

6. ....

8 ¿Sabes qué llevan estos platos típicos de la cocina española y cómo están cocinados? Aquí tienes una pequeña ayuda. Después, escribe y explica la receta de dos platos típicos de tu país.

Garbanzos, verdura, jamón • Tomate, pimiento, cebolla • Arroz, verdura y mariscos
Huevos, patatas y cebolla • Pescado rebozado • Judías blancas, jamón, chorizo

PARA AYUDARTE

- A la brasa
- Asado
- Guisado
- Al vapor
- A fuego lento
- Al baño maría
- Rebozado
- Empanado
- Frito

a. La paella valenciana
b. El gazpacho andaluz
c. La fabada asturiana
d. El bacalao al pil pil
e. El cocido madrileño
f. La empanada gallega
g. La tortilla de patatas
h. El *pescaíto* frito
i. Los calamares a la romana
j. El cordero asado

QUÉ LLEVAN	¿FORMA DE COCINARSE?
....	....
....	....
....	....
....	....
....	....
....	....
....	....
....	....
....	....
....	....

9 Relaciona estos utensilios de cocina con su imagen correspondiente.

La olla a presión • El sacacorchos • El cuenco, tazón o bol • La cazuela de barro
El abrelatas • La ensaladera • La sopera • La fuente

1. 2. 3. 4. 5. 6. 7. 8.

10 ¿Cuál de estos recipientes o utensilios usarías para...? Y el resto, ¿para qué los usarías?

a. Abrir una lata: ....
b. Cocinar bacalao al pil pil: ....
c. Servir la comida en la mesa: ....
d. Cocinar un cocido madrileño: ....
e. Servir unas palomitas: ....

¿Se usan todos estos objetos en tu país? ¿Hay alguno que tú uses y no esté aquí?

11 Relaciona y completa las frases como en el ejemplo.

Para preparar un sorbete de limón hay que...

1. Sorbete de limón (hielo)
2. Un zumo de naranja (naranjas)
3. Una macedonia de frutas (frutas)
4. Una ración de queso manchego
5. Unas hamburguesas (carne)
6. Filetes empanados (pan)
7. Una tapa de jamón ibérico

a. Triturar   *hielo* ....
b. Trocear ....
c. Exprimir ....
d. Picar ....
e. Cortar en tacos ....
f. Cortar ....
.... en lonchas finas.
g. Rallar ....

2 **¿Adónde irías a comer o tomar algo en estas situaciones? Puede haber más de una opción.**

En unas vacaciones en la playa yo iría a un chiringuito.

a. En unas vacaciones en la playa.
b. Para celebrar un banquete de boda.
c. Para ir a tomar algo con amigos por la noche.
d. Durante una parada en un viaje largo.
e. Para tomar el aperitivo y unas tapas en la barra.
f. Para hacer una larga sobremesa.
g. Para celebrar las bodas de oro.
h. Para salir con niños a comer.
i. Para comer de menú un día de trabajo.
j. Para probar nuevos sabores.

1. Un bar tradicional
2. Una hamburguesería
3. Un autoservicio
4. Un restaurante de cuatro tenedores
5. Un salón
6. Un restaurante internacional
7. Un bufé libre en el hotel
8. Un bar de copas
9. Un chiringuito
10. Un restaurante tradicional

3 **Relaciona la expresión de la izquierda con su significado correspondiente.**

a. Hacerse la boca agua
b. Ponerse morado
c. Más claro, agua
d. Estar de mal café
e. Dar la lata
f. Poner la mesa
g. Perrito caliente
h. No haber roto nunca un plato
i. Ponerse/Estar como una sopa
j. Ahogarse en un vaso de agua
k. Romper el hielo
l. De sobra

1. Enfatizar que algo es evidente.
2. Suficiente, más de lo necesario.
3. En una reunión, perder el miedo o la reserva.
4. Pan con salchicha, mostaza y tomate.
5. Parecer que no se ha hecho nunca nada malo.
6. Estar de mal humor.
7. Molestar.
8. Agobiarse por un problema pequeño.
9. Preparar la mesa para comer.
10. Ponerse o estar muy mojado.
11. Hartarse de comida.
12. Acción que se produce al pensar en el buen sabor de un alimento.

4 **Completa estas frases con la expresión correcta en el tiempo adecuado.**

a. ¿Has visto esa tarta? Ummm, se me está ....
b. Qué rico todo... ¡Yo he comido un montón, pero creo que tú también ....!
c. Que sí, que hemos perdido el avión, ¿no lo ves?: ....
d. ¡Qué genio! ¿Qué te pasa hoy que ....?
e. Niño, para ya con el tambor y deja de ....
f. ¿La hora de comer y todavía no ....? No se te puede encargar nada.
g. ¡Ese .... tiene muy buena pinta con la mostaza y el tomatito....!
h. Ese fue el que se comió toda la tarta... Míralo, y parece que ....
i. ¡Uf, está diluviando! ¡Mira cómo vengo: ....!
j. ¡Desde luego, ves problemas donde no los hay! Es que ....
k. ¡Qué situación tan tensa! Voy a tratar de ....
l. Creo que con estos aperitivos tenemos .... ¿A ti qué te parece?

1 Escribe el nombre correspondiente a cada definición.

La camilla   El ambulatorio   La consulta

a. Lugar donde se recibe asistencia médica, pero sin alojarse en él: ....
b. Lugar donde el médico atiende y recibe a sus enfermos: ....
c. Cama pequeña para atender a pacientes o enfermos: ....

2 Identifica las siguientes partes del cuerpo humano.

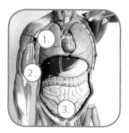
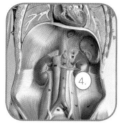
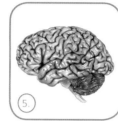

a. **El cerebro**: centro nervioso dentro de la cabeza.
b. **El hígado**: órgano en la parte derecha del cuerpo.
c. **El riñón**: órgano doble que produce la orina.
d. **El intestino**: tubo largo del aparato digestivo.
e. **El pulmón**: órgano doble que sirve para respirar.

3 Ordena las sílabas de cada palabra de forma adecuada y completa los enunciados.

a. Una infección en el pulmón es una: ....   MO-A-NEU-NÍ
b. Una enfermedad que se transmite fácilmente es: ....   TA-SA-GIO-CON
c. Lo contrario de *beneficioso* es: ....   DI-PER-CIAL-JU
d. Identificar la enfermedad que tiene una persona es: ....   TI-DIAG-CAR-NOS
e. Perder el conocimiento es: ....   MA-DES-SE-YAR
f. Tener muy buena salud es tener una salud de: ....   RRO-HIE
g. Hacerse un pequeño arreglo en un diente o una muela es hacerse un: ....   TE-PAS-EM
h. Un especialista en lesiones y golpes es un: ....   LO-TRAU-GO-MA-TÓ
i. Realizar una intervención quirúrgica es: ....   RAR-PE-O
j. Un especialista en enfermedades de nariz, garganta y oído es un:................   NO-O-RRI-TO

4 Relaciona los síntomas con la enfermedad y el especialista y escribe frases como en el modelo.

- *Tengo mucha tos, fiebre alta y dolor en el pecho. Además, estoy muy cansado.*
- *Tienes bronquitis o neumonía. Es una enfermedad que puede ser grave y contagiosa. Tienes que ir al especialista de pulmón.*

SÍNTOMAS

1. Tener tos, frío, congestión de nariz.

2. Perder el apetito, estar agotado y muy nervioso, faltar el aire para respirar.

3. Doler todo el cuerpo, estar agotado, tener fiebre, un poco de tos y dolor de cabeza.

ENFERMEDAD

a. Faringitis
b. Diabetes
c. Bronquitis
d. Neumonía
e. Catarro
f. Gripe
g. Depresión
h. Ataque al corazón
i. Ataque de ansiedad

TIPO DE ENFERMEDAD

1. Crónica
2. Leve
3. Grave
4. Terminal
5. Mental
6. Contagiosa
7. Hereditaria
8. Producida por un virus
9. Producida por una bacteria

ESPECIALISTA

A. El/la neumólogo/a
B. El/la ginecólogo/a
C. El/la pediatra
D. El/la otorrino(laringólogo/a)
E. El/la traumatólogo/a
F. El/la cirujano/a
G. El/la psicólogo/a
H. El/la médico/a de cabecera
I. El/la enfermero/a

5 Completa las frases con el verbo y el tiempo más adecuados.

contagiar • estar • contraer • dar • tener • sufrir • perder

Desde hace días tengo un frío horrible, he perdido el apetito y estoy agotado. Tengo que ir al médico.

a. Mi abuelo .... hace años una enfermedad incurable y desde entonces está muy delicado.

b. Ayer un compañero de trabajo .... un desmayo a media mañana. Creo que es diabético.

c. A mi tío le .... el año pasado un ataque al corazón, pero se ha recuperado muy bien.

d. Esta mañana ha habido un accidente de moto y el conductor .... en coma.

e. Es muy peligroso para la salud .... la tensión alta. Por eso hay que vigilarla y controlarla.

f. Es mejor que no vengas a visitarme, tengo una gripe espantosa y te puedo ....

6 Selecciona la opción correcta.

1. Para operarse hay que ir a:

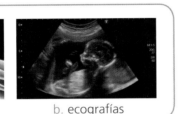

a. una sala de espera   b. un quirófano

2. En un chequeo médico es normal que te:

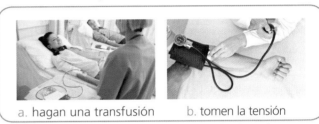

a. hagan una transfusión   b. tomen la tensión

3. Cuando se espera un bebé, se suelen hacer:

a. radiografías   b. ecografías

4. Antes de una operación quirúrgica hay que:

a. anestesiar   b. hacer un empaste

7 Escribe una pequeña historia con estas palabras.

- quirófano
- revisión anual
- camilla
- anestesiar
- curarse
- cirugía
- análisis de sangre
- tomarse la tensión
- terapéutico
- especialista

8 Relaciona cada foto y cada palabra con su sentido correspondiente. ¿Qué problemas o enfermedades se asocian a cada una de estas partes del cuerpo?

la visión • oler • el sabor • oír • la audición • la piel • el frío • la oreja • el brillo • amargo

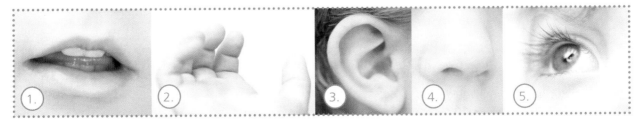

(1.)   (2.)   (3.)   (4.)   (5.)

a. El gusto: ....

b. El olfato: ....

c. El tacto: ....

d. El oído: ....

e. La vista: ....

¿Crees en el sexto sentido?

9 **Identifica estas partes del cuerpo ordenando las letras de cada definición.**

Conjunto de huesos que unen el tronco con las piernas. LA DERACA: la cadera

la rodilla • la columna • el tobillo • la costilla • el codo • el cuello
el esqueleto • la muñeca

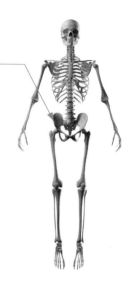

a. Une la cabeza con el tronco. EL LECOLU:
b. Hueso correspondiente al tórax. LA ASLITCOL:
c. Une la mano con el brazo. LA CUMEÑA:
d. Conjunto de huesos que sostiene todo el cuerpo. EL QELOESUET:
e. Une la pierna con el pie. EL IBLOTOL:
f. Conjunto de huesos que sostiene el tronco. LA MUNCALO:
g. Permite articular el brazo. EL OCOD:
h. Permite articular la pierna. LA LIDAROL:

10 **Completa estas frases con las palabras adecuadas.**

| esguince | gasa | venda | cicatriz | leve | contractura | dar puntos |

a. La herida es muy profunda, así que hay que .... para que se cure bien.

b. Pues me he torcido el tobillo, pero no está roto: solo me he hecho un ....

c. Para curar esa infección del ojo, debes lavártelo con un poco de agua y una ....

d. No te preocupes, es una herida .... y no te va a quedar ....

e. Tengo una ...., me duele mucho la espalda y no puedo mover bien el cuello.

f. Me he hecho daño en la muñeca, voy a ponerme una .... para sujetarla.

11 **¿Has tenido alguna lesión en alguna de estas partes del cuerpo? Explícalo.**

Yo me torcí el pie una vez y me hice un esguince de tobillo…

12 **Completa los cuadros con las palabras adecuadas: *la dosis recomendada, las indicaciones, el analgésico, en pastillas, el prospecto, las contraindicaciones, los efectos secundarios, el antiinflamatorio.***

1. PAPEL EXPLICATIVO   2. CUÁNDO NO SE DEBE TOMAR   3. EN QUÉ CASOS SE DEBE TOMAR

....

4. CANTIDAD QUE HAY QUE TOMAR   5. EFECTOS DERIVADOS

....   MEDICAMENTO   ....

6. FORMA DE PRESENTACIÓN   7. CONTRA EL DOLOR   8. CONTRA LA INFLAMACIÓN

....

13 **Relaciona cada medicamento con la forma de presentación que aparece en las fotos.**

a. Jarabe: medicina en forma líquida.
b. Pastillas: es lo mismo que *píldoras*.
c. Cápsulas: medicina en pequeños envases.
d. Pomada: medicina en crema.
e. Aerosol: medicina en forma líquida que sale a presión.
f. Supositorio: tiene forma de bala.
g. Inyección: medicina que se usa con una jeringuilla.

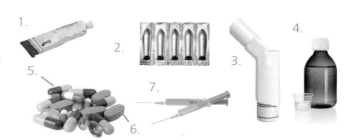

4 Lee la información, identifica en la imagen los objetos que se citan en el texto y busca en el diccionario los que no conoces.

Dentro del botiquín debemos tener el siguiente material para curas y primeros auxilios: vendas, gasas estériles, esparadrapo, desinfectante, tiritas, termómetro, tijeras y guantes desechables.

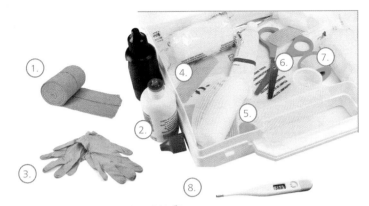

5 ¿Cómo se dice? Completa con la opción correcta: *ponerse, untarse, tomar, vacunarse.*

a. .... una medicina.
b. Aplicarse, ... una pomada.
c. Ponerse una vacuna, ...
d. .... una inyección, una vacuna, un supositorio.

6 Argumenta si estás de acuerdo o no con estas afirmaciones y opiniones.

Es una pena que el acceso a la salud y al bienestar, uno de los derechos fundamentales del hombre, no esté asegurado en muchos países.

Yo creo que la seguridad social no funciona bien: tiene largas listas de espera y pocos medios. Es mejor contratar un seguro privado.

En mi opinión, la asistencia sanitaria pública y gratuita debería restringirse a las personas del país que cotizan y pagan impuestos.

Deberían hacerse campañas de prevención y vacunación de enfermedades, así como de fomento de hábitos de vida saludables. Es mejor prevenir que curar.

7 A. Completa las expresiones y relaciónalas con su significado.

a. Estar como	1. a pierna suelta	A. Haber adelgazado mucho
b. Estar como	2. en forma	B. Estar muy bien de salud
c. Dormir	3. un roble	C. Dormir profundamente
d. Estar	4. en los huesos	D. Estar muy cansado
e. Estar	5. un fideo	E. Estar en buen estado físico
f. Estar	6. hecho polvo	F. Ser muy delgado
g. Tener	7. mala/buena cara	G. Tener mal/buen aspecto
h. Dormir	8. en sí	H. Dormir muy bien
i. Volver	9. como un tronco	I. Recuperar el sentido
j. Estar como	10. una rosa	J. Estar muy fuerte

B. Utiliza las expresiones anteriores para completar las frases.

a. ¡Se ha desmayado: tiene que ....!
b. Da gusto verle, duerme ....
c. ¿Qué te pasa? Tienes muy ....
d. No se preocupe por él, está ....
e. No he dormido nada: estoy ....

1 Completa estas frases seleccionando la opción correcta.

1. Me resulta sorprendente que en la actualidad __ tantas parejas que no quieren tener hijos.
- a. hay
- b. haya
- c. hubiera

2. Me queda claro que no __ correctamente en esta ocasión, pero ¿crees que volverá a comportarse así?
- a. ha actuado
- b. haya actuado
- c. actuara

3. Conviene que __ un poco más cariñoso con tus tíos y abuelos. Ellos te quieren mucho.
- a. ser
- b. seas
- c. estás

4. No permito que mis hijos __ más tarde de las nueve, aunque se hayan acostado a las tantas.
- a. se levantan
- b. se levantarán
- c. se levanten

5. Estuve hablando ayer con tu marido y me dijo que __ este verano con vosotros a la playa. ¿Te parece bien?
- a. iré
- b. iría
- c. fuera

6. No he notado que __ su comportamiento después de la terapia. ¿Tú crees que ha servido para algo?
- a. haya mejorado
- b. ha mejorado
- c. mejorará

7. Así que estás enfadado por lo que te dije ayer… Siento que te __, de verdad. Te pido disculpas.
- a. ha molestado
- b. molestó
- c. haya molestado

8. Nunca pensé que __ tan irresponsable. ¿Cómo pudiste llevar a tu hermano de diez años a la discoteca?
- a. eras
- b. fuiste
- c. fueras

9. Estoy de acuerdo con que __ un viaje juntos, pero ¿por qué no vamos a París? No lo conocemos.
- a. haremos
- b. hacemos
- c. hagamos

10. Te pido, por favor, que __ discreto y que no digas a nadie que me voy a casar el mes que viene. Es un secreto.
- a. eres
- b. seas
- c. serás

11. ¿Vas a llevar a tu hijo a ese colegio? Pues a ver si tienes suerte, yo el año pasado no conseguí que lo __
- a. aceptarían
- b. aceptaron
- c. aceptaran

12. El estrés que sufrió Ana por su enfermedad hizo que __ unos cuantos años en pocos meses.
- a. envejezca
- b. envejece
- c. envejeciera

2 Completa estas frases seleccionando la opción correcta.

1. La chica __ vive conmigo trabaja en un restaurante por las noches.
- a. quien
- b. la que
- c. que

2. Las personas __ más me relaciono ahora son extranjeras, por eso estoy probando muchos platos nuevos.
- a. en quien
- b. en las que
- c. con las que

3. __ trabaja en el restaurante por las noches es Ana, no María.
- a. La que
- b. El que
- c. A quien

4. __ le interese el curso de cocina a baja temperatura, hoy es el último día para apuntarse.
- a. Quien
- b. A quien
- c. A los que

5. __ van mañana a la cata de vinos tienen que estar en esta dirección a las ocho.
- a. Quien
- b. Los que
- c. El que

6. Esa amiga mía, __ hice las prácticas de hostelería, se ha ido a trabajar al Reino Unido.
- a. quien
- b. a quien
- c. con quien

7. Este es el supermercado __ compro la mayor parte de la comida. Está bastante bien.
- a. donde
- b. adonde
- c. a donde

8. La tienda de productos ecológicos está ahí mismo, __ está ese cartel verde.
- a. adonde
- b. en donde
- c. en el que

9. Tú, __ experto en vinos, ¿puedes recomendarme uno bueno para la cena de esta noche?
- a. quien eres
- b. que es
- c. que eres

10. Estoy buscando un local que __ céntrico y bien comunicado para abrir una panadería. ¿Conoces alguno?
- a. está
- b. estaría
- c. esté

11. Quiero dedicarme a una profesión en la que __ a gusto y feliz. Quizá algo relacionado con la cocina.
- a. me sienta
- b. me siento
- c. me siente

12. Estos regalos son solo para estos niños, que no __ ir esta noche a la cena de despedida.
- a. pueden
- b. puedan
- c. podían

Completa estas frases seleccionando la opción correcta.

1. Perdí completamente el apetito __ me operaran. Estaba muerto de miedo y se me cerró el estómago.
    a. antes de   b. antes de que   c. antes que

2. La ingresaron en el hospital __ el médico del ambulatorio le diagnosticara una neumonía.
    a. antes de que   b. después de   c. después de que

3. Estoy contento con ese centro médico, porque __ llegamos a la consulta, nos atendieron.
    a. en el momento   b. pronto como   c. en cuanto

4. Acabamos de hacerle análisis de sangre y orina; apenas __ los resultados, le avisaremos.
    a. tengamos   b. tenemos   c. tendremos

5. La herida es leve, no se preocupe. __ curada, le escayolaremos el tobillo.
    a. Una vez   b. Una vez que   c. Tan pronto como

6. Nosotros somos muy profesionales: solemos hacer el diagnóstico una vez que __ todos los resultados, no antes.
    a. tengamos   b. tendremos   c. tenemos

7. Ayer me encontré fatal todo el día, y __ llegar a casa me empezó a subir la fiebre. Hoy estoy un poco mejor.
    a. una vez   b. en cuanto   c. nada más

8. Te dije que cuando te __ el alta esperaras en la habitación a que yo llegara. ¿Por qué no lo hiciste?
    a. den   b. dieran   c. dieron

9. Su estado no es grave mientras no __ náuseas o vómitos. Si empieza con alguno de esos síntomas, llámenos.
    a. tiene   b. tenía   c. tenga

10. Mañana tengo cita con el fisioterapeuta para tratarme la contractura. Mientras tanto, __ este analgésico.
    a. tome   b. toma   c. tomaré

11. Ayer no quise irme a casa hasta que __ la operación. Quería saber que todo había salido bien.
    a. termine   b. terminaba   c. terminara

12. Antonio hizo vida normal __ un mes, que fue cuando le diagnosticaron el tumor.
    a. hasta hace   b. desde hace   c. hasta que

Completa estas frases seleccionando la opción correcta.

1. Mira, es aquí __ vamos a celebrar nuestro aniversario de boda.
    a. cuando   b. a donde   c. donde

2. Llego tarde, pero es que vengo __ no te imaginas: he estado en la peluquería y me he cortado el pelo al cero.
    a. de donde   b. en donde   c. a donde

3. Todavía no sabemos dónde ir de viaje de novios. Yo iría a un país exótico, pero al final iremos donde Juan __.
    a. quisiera   b. quiera   c. querría

4. Ya sabes que a mí todo me parece bien, así que este verano vamos __ tú quieras.
    a. a donde   b. en donde   c. de donde

5. Mira, para llegar al restaurante tailandés tienes que caminar __ veas un cartel amarillo y rojo. Es ahí.
    a. en donde   b. desde donde   c. hasta donde

6. Para llegar al ambulatorio tienes que dirigirte __ está el ayuntamiento y allí giras a la derecha.
    a. en donde   b. hacia donde   c. por donde

7. Puedes entrar al hospital __ quieras, pero lo más rápido es hacerlo por la puerta lateral.
    a. por donde   b. en donde   c. a donde

8. __ hábitos saludables, habrá más gente sana y feliz.
    a. Donde haya   b. Donde habría   c. Donde hubiera

9. Me gustaría que cocinaras las pechugas de pollo __ te lo expliqué la semana pasada.
    a. donde   b. como   c. a donde

10. __ oí ayer en la radio, van a abrir un nuevo supermercado en este barrio. Qué bien, ¿no?
    a. Así   b. Donde   c. Según

11. El pediatra me dijo que el niño podía tomar la fruta como __: en zumo, en papilla o entera.
    a. quiere   b. quisiera   c. quería

12. Según __ los resultados de los análisis, le pondremos el tratamiento adecuado.
    a. sean   b. son   c. eran

1 SERIE 1

↗ Elige la opción correcta y completa el cuadro de funciones con las fórmulas correspondientes a cada una.

1. ¿Y qué tal _____ todo, don Anselmo?
a. se va   b. te va   c. le va

2. Bueno, _____, ¿y usted, qué tal está?
a. tirando   b. yo también   c. gracias

3. Acaba de llegar la visita, _____ Laura.
a. señora   b. don   c. doña

4. ¿Me permite _____ al señor García?
a. introducirle   b. presentarte   c. presentarle

5. _____ presentarle a la doctora Hernández.
a. Gustaría   b. Quiera   c. Quisiera

6. ¡Qué bien que _____ a esta reunión tan importante!
a. vendrá   b. haya venido   c. vendría

7. ¡No sabe cuánto me alegra _____ aquí, don Ramón!
a. de que esté   b. que estés   c. que esté

8. Estoy encantada de _____ a esta estupenda fiesta.
a. haber ido   b. haber venido   c. haber estado

9. _____ mucho que no podamos quedar hoy contigo.
a. Lo siento   b. Lamento   c. Disculpe

10. Está bien, no hay _____ disculparse.
a. en qué   b. de qué   c. qué

11. Muchas gracias _____ haber llamado tan pronto.
a. de   b. para   c. por

12. ¡Ha venido, _____ agradezco sinceramente, Luis!
a. te lo   b. se lo   c. se

Tu listado

a. Hablar sobre cómo van las cosas
Todo bien, fenomenal, estupendamente, ¿y tú?
1. ....
2. ....

b. Dirigirse a alguien
3. ....

c. Presentar y responder a la presentación
Es un placer para mí conocerla.
4. ....
5. ....

d. Dar la bienvenida, responder y disculparse
6. ....
7. ....
8. ....
9. ....
10. ....
11. ....
12. ....

2 SERIE 2

↗ Elige la opción correcta y completa el cuadro de funciones con las fórmulas correspondientes.

1. Te felicito por tu premio: te lo _____, de verdad.
a. merecerías   b. mereces   c. mereció

2. _____ de que mi abuelo tuviera estudios.
a. Estoy orgulloso   b. Soy orgulloso   c. Esté orgulloso

3. Ana me _____ loco... ¡La echo tanto de menos!
a. está   b. pone   c. vuelve

4. Ana, siento mucho _____ tu padre. Era un buen hombre.
a. por   b. para   c. lo de

5. Me gustaría que _____ por la felicidad de los novios.
a. brindamos   b. brindáramos   c. brindaremos

6. ¿Te vas de viaje? Pues que _____ fenomenal.
a. se lo pase   b. te lo pases   c. te pases

7. ¿Tu madre está enferma? Pues que _____ pronto.
a. se recupere   b. se recupera   c. se recuperará

8. Tú también estás enfermo, así que _____ digo.
a. mismo   b. lo mismo   c. mismamente

9. ¿Vas a ver a los tíos? Pues dales recuerdos _____.
a. de nuestra parte   b. de su parte   c. por su parte

10. Envía _____ de mi parte a tus sobrinos.
a. salud   b. saludo   c. saludos

11. Me alegro mucho de hablar contigo. _____ quedamos otra vez.
a. A ver si   b. Por ver si   c. Veré que

12. Me ha encantado verte. Espero que nos _____ pronto.
a. veremos   b. volveremos a ver   c. volvamos a ver

Tu listado

e. Felicitar
1. ....

f. Expresar admiración y orgullo
Es increíble, impresionante que lo hayas hecho.
2. ....

g. Expresar gran afecto
Te adoro, me gustas, me atraes...
3. ....

h. Dar el pésame
4. ....

i. Brindar
Quisiera proponer un brindis por...
5. ....

j. Expresar buenos deseos
Te deseo todo lo mejor.
6. ....
7. ....
8. ....

k. Transmitir recuerdos y saludos
9. ....
10. ....

l. Despedirse
11. ....
12. ....

SERIE 3

Elige la opción correcta y completa el cuadro de funciones con las fórmulas correspondientes.

1. Esta mañana he pasado ____ sed terrible. No había agua.
   a. Ø   b. la   c. una
2. ____ un calor espantoso. Abre la ventana, por favor.
   a. Es   b. Tengo   c. Está
3. ____ helada, déjame tu chaqueta, por favor.
   a. Estoy   b. Soy   c. Tengo
4. Qué ____ tan horrible tengo. Voy a beber algo.
   a. hambre   b. sed   c. sueño
5. Estoy ____ desde que trabajo más de ocho horas.
   a. sediento   b. hambriento   c. agotado
6. Llevo todo el día sin parar: ____ tengo.
   a. qué cansancio   b. estás agotada   c. está cansado
7. Estos zapatos son pequeños, ____ daño.
   a. tengo   b. me quedan   c. me hacen
8. ¡Ay, ____ daño con la esquina de la mesa!
   a. me he hecho   b. hace   c. ha hecho
9. ¡Cómo ____ los pies de estar andando todo el día!
   a. me duele   b. me duelen   c. hacen daño
10. ¡Me encuentro fatal! ¡Tengo un dolor ____ cabeza horrible!
   a. de mi   b. de la   c. de
11. A mis primos, los productos lácteos ____ fatal.
   a. se sienten   b. le sientan   c. les sientan
12. ¿Y a ti, hay algo que ____ mal?
   a. te siente   b. sienta   c. te sienten
13. ¡Qué ____! Aquí al solecito se está de maravilla.
   a. gusto   b. calor   c. sed
14. A mí, tomar un poco el sol ____ estupendamente.
   a. me siento   b. sienta   c. me sienta

Tu listado

m. Hambre, sed, frío, calor, sueño
1. ....
2. ....
3. ....
4. ....

n. Cansancio
   ¡Qué cansado estoy!
5. ....
6. ....

ñ. Dolor, daño
7. ....
8. ....
9. ....
10. ....

o. Sentar bien, mal
11. ....
12. ....
13. ....
14. ....

Corrección de errores

Identifica y corrige los errores que contienen estas frases. Puede haber entre uno y tres en cada una.

a. Si bebes poco agua, no puedes tener buen salud.
b. Todos seres humanos somos capaz de ser feliz.
c. Cuidar a su propia salud es más importante para la vida.
d. A mi novio y yo nos da alegría que podemos casarnos pronto.
e. Me parece toda mi familia son preocupados por mi futuro.
f. Me sorprende que los españoles les interesa la salud.
g. Mi padre muere cuando yo era siete años.
h. Hay gente prefiere casar pronto.
i. Es posible que su familia es preocupada por su salud.
j. Dormir poco nos da daño y afecta salud mental.

Uso de preposiciones

Tacha la opción incorrecta en estas frases.

a. Algunos estudiantes cambian *en/de* nombre cuando vienen a España.
b. Tenemos que tener confianza *a/en* nuestras capacidades.
c. Yo me dedico *a/Ø* la medicina.
d. Si quieres conseguir trabajo, debes tener seguridad *de/en* ti mismo.
e. Yo no me siento muy seguro *de/en* mí mismo en algunas ocasiones.
f. Esta sociedad debe cuidar *Ø/a* las personas como se merecen.
g. A veces no es fácil convivir *con/en* algunos compañeros de piso.
h. Si quieres adelgazar, tienes que ponerte *a/en* dieta.
i. Creo que esta lata no está *de/en* buenas condiciones.
j. Para hoy tenemos carne *en/a* la brasa de segundo.

70 min

Tiempo disponible
para las 4 tareas.

TAREA 1

(Ver características y consejos, p. 252)

A continuación va a leer un texto. Después, deberá contestar a las preguntas, 1-6, y seleccionar la respuesta correcta, a), b) o c).

MUSICOTERAPIA

La AMTA, *American Music Therapy Asociation*, define la Musicoterapia como la utilización científica de la música para restaurar, mantener y mejorar la salud física y psíquica de las personas. La Musicoterapia puede aplicarse desde los primeros meses del embarazo hasta los últimos momentos de la vida de una persona. Esto hace que sus campos de intervención sean muy variados: problemas del lenguaje, déficit de atención, autismo... También llega a la geriatría (párkinson, alzhéimer...), salud mental (trastornos psicóticos, de la conducta alimentaria...) u otros campos médicos (bebés prematuros, oncología, rehabilitación neurológica, dolor crónico...).

El proceso de intervención comienza por iniciativa del paciente o tras la derivación por parte de un profesional (psicólogo, médico, terapeuta ocupacional...). Para establecer los objetivos y el tratamiento, se recabará previamente información, tanto del estado de salud del paciente como de sus experiencias con la música. Este tratamiento se aplica a lo largo de un periodo de tiempo, en sesiones normalmente semanales de una hora de duración aproximadamente. La estructura de las sesiones depende del sector de población al que va dirigida, del estado físico o emocional del paciente o de los objetivos terapéuticos que se persigan, entre otros factores.

Siendo la Musicoterapia una terapia fundamentalmente no verbal, nos comunicaremos a través de la música y de diversas expresiones musicales para obtener información que nos permita intervenir adecuadamente. Los recursos musicales utilizados van desde el canto hasta el uso de instrumentos, el movimiento, la creación musical, la escucha guiada de música o la improvisación. La Musicoterapia proporciona un espacio terapéutico estructurado, ofreciendo seguridad para propiciar los cambios deseados en cada paciente.

Es fundamental la música en directo. El musicoterapeuta, debidamente entrenado, será capaz de adaptar cada música al paciente, algo que no permite la música grabada. Las reacciones ante cada tipo de música son propias de cada individuo, dependen de su estado físico y psicológico, así como de su historia personal y cultural. Así, la simple escucha de un CD de música clásica no conllevará automáticamente la relajación del paciente.

La Musicoterapia es una profesión emergente y poco conocida en España, pero ya es impartida como formación reglada en estudios de posgrado de diversas universidades y centros privados. En estos estudios se abarca tanto el área clínica como la musical y la musicoterapéutica. Asociaciones nacionales e internacionales establecen que el musicoterapeuta profesional debe estar capacitado en estas tres áreas.

En el contexto socioeconómico actual la Musicoterapia desempeña una función importante. Podemos resaltar su condición de disciplina no farmacológica, carente de efectos secundarios. Ello ahorraría dinero al Sistema Nacional de Salud y repercutiría en el bienestar integral del paciente, al implicar a la persona y a su entorno en actividades placenteras. Por tanto, la música y todas sus expresiones, inherentes al ser humano desde tiempo inmemorial, pueden ser la respuesta a los retos en el futuro de la salud.

Carmen Miranda y Manu Sequera
Adaptado de www.huffingtonpost.es

PREGUNTAS

1. Según el texto, la Musicoterapia es eficaz…

   a) desde el nacimiento hasta el final de la vida.
   b) para la preparación en algunas intervenciones quirúrgicas.
   c) para diversas disciplinas médicas, entre ellas, problemas de la vejez.

2. En el texto se indica que el tratamiento de Musicoterapia…

   a) comienza solo tras la aprobación de un profesional.
   b) es más efectivo si el paciente tiene conocimientos musicales.
   c) se organiza según las circunstancias particulares de cada persona.

3. En el texto se indica que en las sesiones…

   a) el paciente no debe hablar.
   b) la música sirve para conocer los problemas de salud del paciente.
   c) el canto siempre se combina con instrumentos.

4. Según el texto, la música grabada…

   a) no tiene por qué ser clásica.
   b) no puede adaptarse a cada caso de tratamiento.
   c) no puede relajar al paciente.

5. En el texto se afirma que la Musicoterapia…

   a) está reconocida por asociaciones nacionales e internacionales.
   b) se ofrece en algunas clínicas.
   c) tiene carácter oficial en algunos centros y universidades españolas.

6. Según el texto, la Musicoterapia…

   a) prescinde de medicamentos.
   b) implica a la persona en la modificación de su entorno.
   c) está subvencionada por el Sistema Nacional de Salud.

TAREA 2

(Ver características y consejos, p. 254)

A continuación va a leer cuatro textos en los que cada persona habla de la figura de su abuelo.
Después, tendrá que relacionar las preguntas, 7-16, con los textos, a), b), c) y d).

PREGUNTAS

	a) Alfonso	b) Javier	c) Antonio	d) Juan
7. ¿Quién dice que su abuelo no tenía más que la educación básica?				
8. ¿Quién señala que su abuelo participaba en sus juegos infantiles?				
9. ¿Para quién fue muy importante el apoyo de su abuelo en los comienzos de su vida profesional?				
10. ¿Quién dice que su abuelo era canoso y tenía un gran porte?				
11. ¿Quién comenta que a su abuelo le gustaba viajar?				
12. ¿En qué texto se comenta que el abuelo fue profesor?				
13. ¿Quién describe a su abuelo como un hombre de múltiples aptitudes?				
14. ¿Quién recuerda a su abuelo como un gran narrador de historias?				
15. ¿Quién afirma que su abuelo le inculcó el amor a la lectura?				
16. ¿Quién dice que su abuelo no había ido a la escuela?				

a) Alfonso

Mi abuelo Emilio era una gran persona, alto, delgado con el pelo blanco y lacio. Yo, desde mi altura de ocho años, le veía majestuoso. Era apacible, nunca se enfadaba y yo le quería mucho. Vivía con nosotros desde siempre. Era el padre de mi madre, que era hija única. Mis amigos Chimo y Quique me envidiaban por tener a mi abuelo, porque ellos ya no lo tenían. Algunas veces el abuelo nos llevaba a los tres al cine, a la primera sesión de los sábados, dependiendo de si sacábamos buenas notas en el colegio; aunque lo más usual era que se sentara con sus amigos en un banco de nuestra urbanización, mientras nosotros jugábamos al fútbol, al escondite o al pilla pilla. Era socio del Club de Jubilados y se apuntaba a todas las excursiones: decía que así practicaba más geografía que en toda su vida juvenil y laboral.

Adaptado de www.tarragona.cat/lajuntament/conselleries

b) Javier

A pesar de la tristeza que me dejó su partida, siento un enorme agradecimiento por haberle tenido en mi vida. Mi abuelo, mi modelo a seguir, mi amigo. Me enseñó tantas cosas… Gracias a él leí mis primeras novelas: recuerdo con qué celo guardaba su colección de libros en el cuartito de arriba. Cada vez que los veo es como si le viera a él reflejado en ellos. Una de las cosas más importantes que aprendí de él es que hay que trabajar para lograr las cosas, que uno mismo es el artífice de su propio futuro, que al final uno siempre obtiene lo que merece por cada una de sus acciones… Siempre fue un hombre noble, un hombre de bien… Aún me resulta increíble y admirable que un hombre cuya máxima educación fue la básica lograse sacar adelante a cinco hijas, cada una de ellas con carrera, solo con su esfuerzo y trabajo.

Adaptado de http://mafalda3000.blogspot.com

c) Antonio

Mi abuelo tuvo un gran protagonismo en mi infancia y en la de mis seis hermanos, pues vivía con nosotros y entre sus libros en nuestro domicilio de Sevilla. Como mi padre salía muy temprano para su trabajo, el hombre que quedaba en casa era mi abuelo. Mi abuelo muchas veces se entregaba a la divertida pero difícil tarea de jugar y lidiar con nosotros; pero más de una vez hubo de darse por vencido. Por eso repetía, con cómica desesperación, que él fue capaz de mantener en orden y silencio a clases con docenas de alumnos y, sin embargo, no podía embridar ni ordenar a sus nietos. Ante estas situaciones, encontraba un remedio eficaz: contar cuentos. Cuentos que inventaba sobre la marcha, ayudado por su imaginación, su vasta cultura y que mantenían en suspenso y orden, siquiera por un rato, a sus traviesos nietos.

Adaptado de www.arrakis.es/~flara/siurot/recuerdos

d) Juan

Hoy recuerdo a mi abuelo, mecánico de profesión y polifacético, capaz de arreglar coches, lavadoras, grabar documentales o crear auténticas obras de arte en forma de esculturas y miniaturas a escala. Un homenaje justo para él es recordar lo grande que fue para con su familia, criando en medio de la dificultad a cinco hijos. Capaz de inventar, innovar, soñar y desarrollar su creatividad, sin dinero, sin medios. Fiel a la vez que bromista, siempre positivo, optimista, idealista, al tiempo que curioso y autodidacta. Mi abuelo me enseñó mucho y me demostró que, sin tener una educación reglada, con la ayuda simple de tu curiosidad y tu interés, se puede llegar a saber mucho. Cuando inicié mis sueños de construir mis propios coches y montar mi propia empresa, probablemente pocas personas me tomaron en serio, pero hubo una persona que mostró genuino interés en saber cuál era mi sueño. Ese fue mi abuelo.

Adaptado de http://guillegarciaalfonsin.blogspot.com.es

TAREA 3

(Ver características y consejos, p. 255)

A continuación va a leer un texto del que se han extraído seis fragmentos. Después, lea los ocho fragmentos propuestos, a)-h), y decida en qué lugar del texto, 17-22, hay que colocar seis de ellos. Cuidado, hay dos fragmentos que no tiene que elegir.

EL *TUPPER* ARRASA EN LA OFICINA

Muchos afirman que es la mejor forma para mantener la línea y la salud. Otros notan la mejoría en el bolsillo. Sea cual sea la excusa, el tupper acompaña tanto a los obreros como a los trabajadores más encorbatados. Expertos en nutrición avisan de que comer en tupper es tan sano como hacerlo en casa.

17. _____. Hay que evitar envases no homologados. Los plásticos de uso alimentario, que no desprenden aditivos, cuentan con el dibujo de una copa y un tenedor. Estos envases deben cambiarse cuando se empiecen a estropear los bordes o pierdan la transparencia. **18.** _____. Se puede transportar de todo en un envase adecuado, siempre que no se rompa la cadena de refrigeración. Por ello, una vez que se llegue al trabajo es necesario contar con frigoríficos donde guardarlo hasta la hora de comer para que se mantenga a la temperatura necesaria.

19. _____. Normalmente, en los trabajos existen microondas donde introducimos el alimento, calentamos y sale la temperatura ideal para tomarlo. Pero lo mejor en estos casos sería aumentar su temperatura unos minutos más para asegurarnos de matar posibles bacterias como la salmonela.

20. _____. Con todo, son los platos de vidrio y cerámica los más idóneos para calentar la comida, ya que no contienen los aditivos de los plásticos y cuentan con una superficie no porosa que ayuda a que se limpien mejor y se eliminen las bacterias.

Desde el punto de vista dietético, los nutricionistas subrayan la necesidad de un plan de comida semanal que incluya variedad. El mayor problema al que nos enfrentamos es la falta de tiempo, algo que puede llevar a problemas de obesidad, por muy sano que creamos comer.

21. _____. Muchas veces nos escudamos en la falta de electrodomésticos para calentarlos para tender, por comodidad, a tirar de alimentos de fácil preparado, como bocadillos. Comer queso o fiambres alguna vez no es malo, pero no debe convertirse en costumbre.

22. _____. Estos, por su parte, han de huir de la monotonía en las comidas y recordar que se puede transportar de todo, incluido frutas, verduras y legumbres. El *tupper* es solo un medio para comer tan sano como lo haríamos en nuestra casa.

Silvia R. Taberné

Adaptado de www.elmundo.es/elmundosalud

FRAGMENTOS

a)

Los recipientes de cerámica resultan más adecuados para calentar los alimentos en el microondas.

b)

Lo mejor en estos casos es hacer una previsión y sacar tiempo para hacer la compra, elegir los mejores productos y cocinarlos.

c)

Aunque creamos que pueden todavía servir, siempre es más fácil que los aditivos del plástico lleguen a la comida.

d)

A la hora de comer, es recomendable calentar los alimentos a una temperatura mayor de lo habitual para eliminar todo rastro de contaminación.

e)

Ahora bien, este hábito exige ciertas condiciones de conservación y calentamiento de los alimentos.

f)

Los bocadillos son un buen recurso cuando la escasez de tiempo nos impide hacer una planificación.

g)

También las empresas tienen su responsabilidad, pues han de facilitar las instalaciones y condiciones adecuadas para que los empleados puedan llevar su comida.

h)

Los plásticos homologados para el transporte de comida tienen altos niveles de seguridad y no presentan peligros.

TAREA 4

(Ver características y consejos, p. 258)

A continuación va a leer un texto. Complete los huecos, 23-36, con la opción correcta, a), b) o c).

La leyenda del ladrón

El sol que entraba por la ventana dejaba a su visitante a contraluz, por lo que al principio Clara pensó que se trataba de la panadera. La mujer llevaba el rostro cubierto de un polvo blanquecino, ____**23**____ fue lo que engañó a la joven. Pero en un segundo vistazo comprendió que lo que había tomado por harina no era sino albayalde, la sustancia con la que las mujeres se maquillaban. Desde luego no había ____**24**____ de común en aquella mujer. Todo en su atuendo llamaba la atención, desde el prominente escote hasta el vestido, de un color verde chillón. ____**25**____ Clara no lo había percibido al principio, la mujer se había perfumado con agua de rosas. El conjunto era tan llamativo ____**26**____ indefinido, y se dio cuenta de que hubiera sido incapaz de precisar la edad de su visitante.

Clara sonrió comprensiva. Había visto muchas veces pasar consulta a Monardes. A menudo los pacientes no sabían comunicar bien sus síntomas, ya fuera porque estos les avergonzaban o porque no eran capaces de identificarlos, ____**27**____ Monardes, impaciente, les hacía multitud de preguntas, a veces desabridas, para averiguar qué era lo que tenían. ____**28**____ resultado los pacientes se ponían aún más nerviosos e ____**29**____ llegaban a marcharse indignados. El médico, de naturaleza orgullosa, se limitaba a encogerse de hombros y a afirmar que ya ____**30**____.

Clara no estaba de acuerdo con aquella manera de actuar. Sabía bien que las palabras podían ____**31**____ tan dolorosas como una úlcera o un hueso roto. Cuando le habló de sus pensamientos al médico, este la mandó a rellenar los aljibes de muy malos modos. Pero algo ____**32**____ de calar sus palabras porque a partir de entonces Clara notó cómo intentaba moderarse con los pacientes.

–Pasad y sentaos, por favor –le dijo Clara a su visitante.

Esta pareció reacia al principio a cruzar la barrera ____**33**____ suponía el mostrador, pero acabó accediendo. Clara le acercó una silla y se sentó frente a ella.

–Estamos solas, así que podéis hablar con total libertad. Vuestro asunto es de índole... ¿íntima?

–¿Íntima? Íntimo es mi negocio, sí, pero no tiene nada que ver con ____**34**____. Me llamo Lucía, y apellido no llevo porque fui abandonada en una iglesia, pero todos me llaman la *Puños*. Y ____**35**____ a lo que me dedico no vengas con esas, chica. ¿A santo de qué venía ____**36**____ la mirada de arriba abajo que me has echado cuando he entrado por la puerta?

–Bueno, pensé que tal vez fuerais una dama de alta cuna, o quizás... –mientras Clara hablaba, todas las piezas del rompecabezas iban cayendo en su sitio.

Texto adaptado, Juan Gómez Jurado

23. a) que	b) el cual	c) lo que
24. a) cualquiera	b) algo	c) nada
25. a) Aunque	b) Y eso que	c) A pesar de
26. a) que	b) como	c) porque
27. a) salvo que	b) con motivo de que	c) de manera que
28. a) Como	b) Por	c) Para
29. a) siquiera	b) incluso	c) por poco
30. a) volvieran	b) volverían	c) volverán
31. a) llegar a ser	b) quedarse	c) ponerse
32. a) pudieron	b) tuvieron	c) debieron
33. a) la cual	b) que	c) la que
34. a) ese	b) eso	c) esa
35. a) en cuanto	b) a propósito	c) acerca
36. a) entonces	b) así	c) por tanto

Anote el tiempo que ha tardado:

Recuerde que solo dispone de **70 minutos**

 **Tiempo disponible para las 5 tareas.**

 CD II Pistas 1-6

TAREA 1

(Ver características y consejos, p. 259)

A continuación va a escuchar seis conversaciones breves. Oirá cada conversación dos veces seguidas. Después, tendrá que seleccionar la opción correcta, a), b) o c), correspondiente a cada una de las preguntas, 1-6.
Dispone de 30 segundos para leer las preguntas.

PREGUNTAS

Conversación 1   Pista 1
1. La mujer le dice al marido que…
   a) vaya a ver cómo se encuentra el niño.
   b) es posible que el niño se sienta un poco mareado.
   c) le va a dar una medicina para el resfriado.

Conversación 2   Pista 2
2. Pedro le dice a Juan que…
   a) ha estado en el dentista.
   b) por qué está escayolado.
   c) no se queje, pues nunca ha tenido buena salud.

Conversación 3   Pista 3
3. La clienta del restaurante va a tomar…
   a) una tarta casera.
   b) una botella de agua.
   c) pollo.

Conversación 4   Pista 4
4. Las dos compañeras de piso van a comprar…
   a) un objeto para arreglarse las uñas.
   b) medicinas.
   c) una pomada desinfectante para granos.

Conversación 5   Pista 5
5. Teresa le dice a Carmen que…
   a) las niñas le ponen muy nerviosa.
   b) la niña se parece mucho a la familia de su marido.
   c) cree que los padres de la niña tienen poco sentido común.

Conversación 6   Pista 6
6. El profesor le dice a la madre que…
   a) el niño se ha caído y han tenido que llevarlo a un hospital.
   b) la herida no es importante y no le quedarán marcas.
   c) el niño se ha tomado dos medicinas distintas.

Especial DELE B2 Curso completo

TAREA 2

(Ver características y consejos, p. 259-260)

A continuación va a escuchar una conversación entre dos especialistas sobre la adicción al tabaco. Después, indique si los enunciados, 7-12, se refieren a lo que dice Plácido, a), Teresa, b), o ninguno de los dos, c). Escuchará la audición dos veces.
Dispone de 20 segundos para leer los enunciados.

PREGUNTAS

	a) Plácido	b) Teresa	c) Ninguno de los dos
0. La relación de un fumador con el tabaco es como una amistad.	✔		
7. El dejar de fumar es una actividad muy complicada.			
8. El enfoque de varias disciplinas y la coordinación del personal son fundamentales en la ayuda para dejar de fumar.			
9. La Unidad de Tabaquismo de La Princesa realiza terapias en grupo que apoyan a los centros de salud.			
10. En el tabaco hay muchos elementos nocivos como desinfectantes y metales.			
11. Las recaídas son el principal problema de los adictos al tabaco.			
12. Hay dos tipos de fumadores: los que tienen adicción al tabaco y los que no.			

CD II
Pista 8

TAREA 3

(Ver características y consejos, p. 259-260)

A continuación va a escuchar parte de una entrevista a una especialista en lenguaje no verbal hablando sobre cómo dar la mano adecuadamente. Escuchará la entrevista dos veces. Después, conteste a las preguntas, 13-18. Seleccione la respuesta correcta, a), b) o c).
Dispone de 30 segundos para leer las preguntas.

PREGUNTAS

13. En esta entrevista, Elsa Punset dice que…
    a) dar la mano de forma correcta sirve para dar buena impresión.
    b) el lenguaje no verbal dice cosas de nosotros.
    c) el apretón de manos no siempre nos define.

14. En la entrevista se informa de que…
    a) algunos tipos de mono se saludan de formas similares al apretón de manos.
    b) las personas dependientes de otras son más vulnerables cuando dan la mano.
    c) los esquimales siempre se saludan entre ellos dándose bofetadas.

15. Elsa Punset cuenta que…
    a) puede ser difícil cambiar tu forma natural de dar la mano.
    b) orientar la mano hacia arriba es una de las peores formas de saludo.
    c) hay que tener cuidado cuando das la mano a personas que ponen la palma hacia arriba.

16. La entrevistada dice que cuando pones la palma de la mano hacia arriba…
    a) debes poner debajo la mano que no agarra la mano contraria.
    b) es correcto para que el otro se excuse por algo.
    c) puede indicar que quieres pedir perdón.

17. En esta entrevista se nos explica que…
    a) el apretón de manos débil no sirve para encontrar un buen trabajo.
    b) también la posición del dedo gordo puede indicar dominación o vulnerabilidad.
    c) las mujeres suelen dar apretones de manos flojos.

18. La entrevistada nos dice que el apretón de manos correcto…
    a) es con la mano en posición horizontal.
    b) sirve para pedir perdón si pones el pulgar vertical.
    c) debe ir acompañado, entre otras cosas, de una mirada a los ojos del otro.

CD II
Pistas
9-15

TAREA 4

(Ver características y consejos, p. 259-260)

A continuación va a escuchar a seis personas que nos cuentan cómo duermen. Escuchará a cada persona dos veces. Después, seleccione el enunciado, a)-j), que corresponde al tema del que habla cada persona, 19-24. Hay diez enunciados incluido el ejemplo. Seleccione únicamente seis.

Dispone de 20 segundos para leer los enunciados.
Escuche el ejemplo:
  Persona 0
  La opción correcta es el enunciado g.

ENUNCIADOS

a) No duerme muchas horas, pero descansa lo necesario.

b) Una enfermedad le impide dormir muchas horas.

c) Puede dormirse en cualquier posición y circunstancia.

d) Las pipas le dan sueño.

e) Quiere que lo graben mientras duerme para poner el vídeo en Internet.

f) Estaba tan aburrida viendo la Capilla Sixtina que se durmió.

g) *Cuando era joven era más dormilona que en la actualidad.*

h) La televisión actúa como un medicamento que le da sueño.

i) Está levantado a las tres y media.

j) De joven, cuando se dormía, se iba apoyando en la pared para no caerse.

	PERSONA		ENUNCIADO
	Persona 0	Pista 9	g)
19.	Persona 1	Pista 10	
20.	Persona 2	Pista 11	
21.	Persona 3	Pista 12	
22.	Persona 4	Pista 13	
23.	Persona 5	Pista 14	
24.	Persona 6	Pista 15	

CD II
Pista 16

TAREA 5

(Ver características y consejos, p. 259-260)

A continuación va a escuchar a D. Alfonso Valenzuela, especialista en nutrición, hablando sobre los beneficios del chocolate. Escuchará la audición dos veces. Después, conteste a las preguntas, 25-30. Seleccione la respuesta correcta, a), b) o c).
Dispone de 30 segundos para leer las preguntas.

PREGUNTAS

25. En esta entrevista, el doctor Valenzuela dice que...
   a) el chocolate es un alimento muy bueno para la salud.
   b) el cacao no gusta mucho a la gente.
   c) el cacao es el único componente del chocolate.

26. En la audición se informa de que...
   a) el cacao puede curar la diabetes.
   b) el chocolate aumenta la presión arterial.
   c) el cacao es muy bueno para el corazón y el aparato circulatorio.

27. El entrevistado cuenta que...
   a) el chocolate tiene muchas calorías y azúcares.
   b) los aztecas tomaban el cacao introduciéndolo en agua.
   c) Hernán Cortés se dio cuenta de que el chocolate le daba fuerza.

28. Según el especialista en nutrición...
   a) fue en Suecia donde se empezó a fabricar chocolate con leche por vez primera.
   b) el chocolate con cacao de primera calidad no pueden tomarlo todos por razones económicas.
   c) el cacao traído de América fue comercializado por los Padres Agustinos.

29. En esta entrevista se nos explica que...
   a) el chocolate tiene muchas sustancias flavonoides.
   b) el cacao funciona como un anticoagulante de los grandes vasos.
   c) el cacao no cura enfermedades, pero previene algunas.

30. El doctor Valenzuela...
   a) dice que algunas sustancias del cacao protegen de la oxidación.
   b) afirma que la grasa y el colesterol provienen de la oxidación en los vasos sanguíneos.
   c) nos aconseja tomar grandes cantidades de chocolate.

Anote el tiempo que ha tardado:

Recuerde que solo dispone de **40 minutos**

Especial DELE B2 Curso completo

Tiempo disponible
para las 2 tareas.

TAREA 1

(Ver características y consejos, p. 261)

En su barrio van a instalar una antena de telefonía móvil, a pesar de la oposición de los vecinos. Usted tiene dolores de cabeza y vómitos que, según ha leído, pueden acentuarse con dicha antena. Escriba una carta al periódico local donde exponga su rechazo a la medida. En la carta debe:

- presentarse;
- explicar en qué le afecta la instalación de la antena;
- explicar las consecuencias que, en su opinión y lo que ha oído y leído en los medios de comunicación, tendrá esta medida;
- proponer soluciones alternativas.

Número de palabras: entre 150 y 180.

CD II
Pista 17

Va a escuchar una noticia relacionada con **la instalación de antenas de telefonía móvil y sus efectos nocivos en la salud.**

Redactar una carta al director

CARACTERÍSTICAS

La sección «Cartas al director» es una de las más leídas de los periódicos, ya que constituye un foro excelente para cualquier reivindicación que se quiera hacer.

Podemos decir que las características primordiales que ha de tener son:

1. Veracidad.
2. Brevedad.
3. Originalidad.
4. Identificación del autor.
5. Lugar y fecha.
6. Ordenar bien las ideas y argumentos.
7. Sencillez.
8. Evitar difamar o insultar.
9. Claridad y corrección gramatical y ortográfica.
10. Actualidad.
11. Usar el humor sin molestar ni insultar.

Expresión e interacción escritas

MODELO DE CARTA AL DIRECTOR

TÍTULO COLOCADO POR EL PERIÓDICO

ENCABEZAMIENTO
Siempre ponemos
Sr. director:

¡¡¡IMPORTANTE!!!
Detrás del saludo se
ponen siempre DOS
PUNTOS.

(fecha)

Operaciones estéticas o antiestéticas

INICIO DE LA CARTA
Un ejemplo, una frase
corta que resuma
el contenido posterior.

Señor director:

Cada vez más vemos en los medios de comunicación la necesidad que tienen algunos de pasar por el quirófano para alterar su cuerpo.

PRESENTACIÓN Y EXPOSICIÓN DEL PROBLEMA
- Soy un suscriptor y lector asiduo de su revista…
- Suelo leer con asiduidad e interés los artículos…
- Soy un lector habitual de su periódico…

Soy un asiduo lector de su periódico, y debo decir que tras leer su artículo del pasado domingo sobre el precio de ciertas operaciones estéticas he decidido escribirles, ya que me indigna que se tomen tan a la ligera estas cuestiones, y que se promueva un modelo de belleza artificial que puede acarrear enormes problemas.

HACER CRÍTICAS CONSTRUCTIVAS
Es mejor dar ideas para solucionar el problema que hacer una crítica sin más.

En los quirófanos solo hay que entrar por un problema de salud (también entra corregir una malformación física), por lo que les invito a una reflexión sobre la influencia negativa que este tipo de artículos puede tener entre los más jóvenes.

MOTIVO DE LA CARTA
- Tras leer el artículo… me ha llamado la atención…
- … y en el reportaje/ artículo del pasado…, firmado por… se vierten opiniones ofensivas sobre…
- … en esta ocasión quiero manifestarle mi total desacuerdo/ rechazo de las opiniones…

Por supuesto, debemos ser tolerantes con las decisiones de cada cual, pero siempre que la persona que toma una decisión similar a esta sea responsable y mayor de edad.

AGRADECER
- Le doy las gracias de antemano/ anticipadamente por su atención.
- … y estoy seguro/a de que una revista de la categoría de la suya sabrá seguir en su línea de hacer honor al rigor y objetividad que siempre le han caracterizado…

Les doy las gracias de antemano por su atención. Estoy seguro de que un periódico como el suyo sabrá rectificar con el rigor que les caracteriza.

Lorenzo Amigo, Alcalá de Henares (Madrid)

IDENTIFICACIÓN

TAREA 2

(Ver características y consejos, p. 262)

Elija solo una de las dos opciones que se le ofrecen a continuación:

OPCIÓN A

Usted colabora con el departamento de salud de su distrito y le han pedido que escriba un informe sobre las principales causas de muerte prematura, para adoptar medidas preventivas. En él debe incluir y analizar la información que se ofrece en el siguiente gráfico.
Número de palabras: entre 150 y 180.

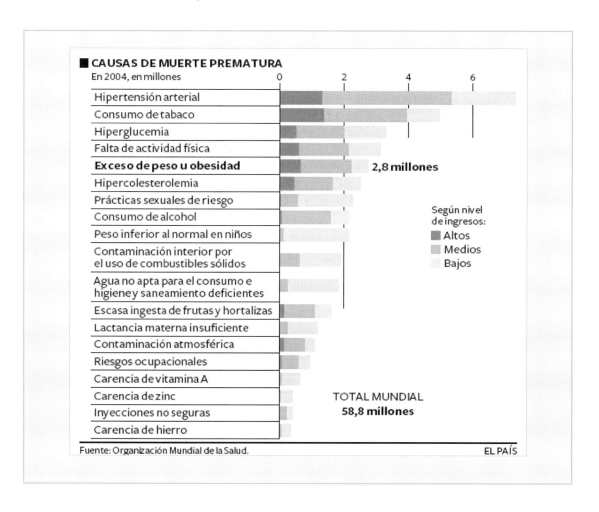

Redacte un texto en el que deberá:
- hacer referencia a los principales factores que inciden en las muertes prematuras;
- comparar de forma general los porcentajes de las distintas causas de muertes prematuras en relación con el nivel de ingresos;
- resaltar los datos que considere más relevantes del estudio;
- expresar su opinión sobre la información recogida en el gráfico;
- recoger en una conclusión las medidas preventivas que se deben tomar.

OPCIÓN B

Usted asistió ayer a una sesión informativa sobre la Campaña de Vacunación contra la Gripe Estacional. Debe escribir una circular en su centro de trabajo en la que dé pautas de actuación claras y precisas para prevenir la enfermedad. Para ello cuenta con unas notas tomadas durante la sesión. Número de palabras: entre 150 y 180.

QUE LA GRIPE
NO CAMBIE TUS PLANES
Campaña de Vacunación contra la Gripe Estacional

Contagio: saliva, tos, estornudo.

Público destinatario: mayores de 60 años, grupos de riesgo.

Algunos grupos de riesgo:
- Enfermos con afecciones metabólicas, obesidad, anemia…
- Quienes convivan con personas de riesgo.
- Mujeres embarazadas.
- Personal sanitario.
- Trabajadores que realicen servicios esenciales: conductores de metro y autobús, bomberos, policías, medios de comunicación…

No deben vacunarse:
- Personas alérgicas a la vacuna.
- Personas que tienen fiebre en ese momento.

Fechas de vacunación: meses de octubre y noviembre.

Lugar: Centro de Salud. Con cita previa.

Protegerse de la gripe:
- Evitar cambios bruscos de temperatura.
- Protegerse del frío.
- Respirar por la nariz.
- No acudir a lugares con muchas personas y sin ventilación.
- No compartir objetos contaminados.

Adaptado de www.madrid.org

Redacte un texto en el que deberá:
- hacer una pequeña introducción sobre la importancia de la prevención de la gripe;
- explicar en qué consiste la campaña de vacunación, los grupos de riesgo y las contraindicaciones;
- recomendar la vacunación y dar consejos para evitar el contagio;
- contar casos concretos de algún efecto secundario.

Anote el tiempo que ha tardado:

Recuerde que solo dispone de **80 minutos**

PRUEBA 4

Expresión e interacción orales

20 min

Tiempo disponible para las 3 tareas.

20 min

Tiempo disponible para la preparación de la intervención oral.

TAREA 1

(Ver características y consejos, p. 266)

Usted deberá hablar durante 3 o 4 minutos de las ventajas e inconvenientes de una serie de soluciones que se proponen para un determinado problema. Después, conversará con el entrevistador sobre el tema. Tiempo total, 6-7 minutos.

PROBLEMAS DE ALIMENTACIÓN

En el mundo hay un grave problema con la alimentación: según la ONU, más de 1300 millones de personas en el mundo padecen problemas de obesidad o sobrepeso, y las previsiones de la OCDE son que estos datos aumentarán un 10% hasta 2020. Además el problema es especialmente grave entre los niños de seis a doce años.

Expertos en alimentación se han reunido para discutir algunas medidas que ayuden a solucionar esta situación.

Lea las propuestas recogidas y explique las ventajas e inconvenientes de, como mínimo, cuatro de ellas.

Después de su monólogo conversará con el entrevistador sobre el tema y las propuestas.

En su exposición debe especificar por qué le parece una buena o mala solución esa propuesta, qué inconvenientes puede tener, a quién beneficia y a quién perjudica; si puede ocasionar otros problemas o si habría que precisar algo más.

Fuente: EL PAÍS

Expresión e interacción orales

Se deberían hacer campañas mundiales de prevención de la obesidad y el sobrepeso donde se expliquen los graves riesgos que tienen para la salud. La gente tiene que asumir su responsabilidad en los enormes gastos sanitarios que esto acarrea.

Yo fomentaría el deporte y la vida activa en todas las edades: organizaría más torneos y competiciones deportivas con premios atractivos para los ganadores e incentivos para los participantes.

Habría que invertir más dinero en investigación para descubrir fármacos que regulen la sensación de apetito y que no permitan la absorción de la grasa de los alimentos.

Yo establecería normas en los comedores públicos, colegios, institutos, etc. Prohibiría la venta de bollería industrial y de bebidas con muchas calorías y restringiría la sal.

Yo dejaría las cosas como están. La gente tiene que ser feliz y no puede estar todo el día obsesionada con las calorías y el peso. Cada uno es como es y hay que respetarlo. Esa obsesión puede derivar en anorexia.

Yo haría leyes que no permitieran la fabricación de productos procesados que contuvieran grasas poco saludables, excesos de productos químicos y de sal... Lo mismo haría con los restaurantes de comida rápida.

EXPOSICIÓN

Ejemplo: *Yo estoy de acuerdo con la propuesta de fomentar el deporte en todas las edades porque...*

CONVERSACIÓN

Cuando el candidato termine su monólogo sobre las propuestas de la lámina (3 o 4 minutos), el entrevistador le hará algunas preguntas sobre el tema durante otros 3 minutos.
La duración total de esta prueba es de 6 a 7 minutos.

EJEMPLO DE PREGUNTAS DEL ENTREVISTADOR

Sobre las propuestas
- ¿Está de acuerdo con todas las propuestas? ¿Eliminaría o añadiría alguna?

Sobre su realidad
- ¿Considera que en su país hay problemas de alimentación como la obesidad y el sobrepeso? En caso afirmativo, ¿en qué edades es más apreciable el problema? ¿Se da por igual en hombres y en mujeres? ¿Se han tomado o se van a tomar medidas para resolverlo?

Sobre sus opiniones
- ¿Cree que la educación desde edades tempranas es importante? ¿Cree que esto debe ser una tarea de cada persona, de los padres, del Ministerio de Sanidad, del Gobierno...? ¿Qué haría si fuera médico, político o si tuviera hijos?

TAREA 2
(Ver características y consejos, p. 269)

Usted debe imaginar lo que está sucediendo en la fotografía y, a continuación, tiene que describir-
la durante 2 minutos aproximadamente, a partir de unas preguntas que se le ofrecen. Puede haber
más de una respuesta.
Después, hablará con el entrevistador y expresará sus opiniones sobre ese tema.

UNA NOTICIA IMPACTANTE

Las personas que ve en la fotografía acaban de recibir una noticia impactante. Imagine qué ha podido ocurrir para que estas personas hayan reaccionado de esta manera y hable sobre ello durante
2 minutos aproximadamente. Puede centrarse en los siguientes aspectos:

- ¿Dónde cree que se encuentran estas personas? ¿Por qué piensa eso?
- ¿Cree que existe alguna relación entre ellas? ¿Por qué?
- Seleccione a dos o tres personas de la fotografía e imagine cómo son, dónde viven, a qué se
  dedican…
- ¿Qué cree que ha sucedido? ¿Por qué piensa eso?
- ¿Puede explicar, a partir de los gestos, los sentimientos y las emociones que están viviendo estas
  personas?
- ¿Qué cree que va a suceder después? ¿Cómo va a continuar la escena?

Después de la descripción, el entrevistador le hará algunas preguntas sobre el tema hasta completar
el tiempo total de esta prueba, que es de 5-6 minutos.

EJEMPLOS DE PREGUNTAS DEL ENTREVISTADOR

- ¿Ha vivido alguna vez una situación impactante como la de la foto? ¿Puede contar qué sucedió,
  cómo se sintió, qué hizo después…?
- ¿Cree que la manifestación de las emociones en este tipo de situaciones es igual en todas las
  personas y en todas las culturas o cree que puede haber diferencias?

TAREA 3

(Ver características y consejos, p. 270)

Usted tiene que dar su opinión a partir de unos datos de noticias, encuestas, etc., que se le ofrecen (2-3 minutos). Después debe conversar con el entrevistador sobre esos datos, expresando su opinión al respecto.
Esta tarea no se prepara previamente.

ENCUESTA DE SALUD
Aquí tiene una encuesta sobre salud. Léala y responda a las preguntas:

---

1. ¿Cómo cree que es el estado general de salud de la gente de su país?
☐ Malo   ☐ Regular   ☐ Bueno   ☐ Muy bueno

2. ¿Qué porcentaje de población cree que ha sufrido dolores físicos durante el último mes?
☐ El 25%   ☐ El 50%   ☐ El 75%   ☐ El 100%

3. ¿Qué porcentaje de la población de su país cree que tiene el peso adecuado para su estatura y edad?
☐ El 25%   ☐ El 50%   ☐ El 75%   ☐ El 100%

4. ¿Cuántas personas piensa que fuman en su país?
☐ El 25%   ☐ El 50%   ☐ El 75%   ☐ El 100%

5. ¿Qué proporción de jóvenes de su país suele beber mucho alcohol al menos una vez al mes?
☐ El 25%   ☐ El 50%   ☐ El 75%   ☐ El 100%

A continuación compare sus respuestas con los resultados obtenidos en España en la misma encuesta.
- ¿En qué se parecen? ¿Hay alguna diferencia importante?
- ¿Quiere destacar algún aspecto? ¿Cree que hay otros indicadores que debería contener la encuesta? ¿Puede explicarlo?

- Siete de cada 10 españoles valoran su estado de salud como bueno o muy bueno.

- El 23,4% de la población de 75 y más años ha sufrido dolor físico severo en el último mes.

- Más de la mitad de las personas de 18 y más años está por encima del peso considerado como normal, mientras que el 8,4% de la población de 18 a 24 años tiene peso insuficiente.

- Uno de cada cuatro jóvenes de 16 a 24 años fuma a diario.

- El 20,6% de la población de 16 a 24 años bebe mucho alcohol al menos una vez al mes.

Fuente: Encuesta Europea de Salud. www.ine.es

examen 6

POLÍTICA, TEMAS SOCIALES, RELIGIÓN Y FILOSOFÍA

Curso completo

▶ **Léxico** — Política y sociedad

▶ **Gramática**

▶ **Funciones**

Modelo de examen 6

VIDA EN COMUNIDAD Y CONDUCTA SOCIAL

Agresividad (la) ....
Arrogancia (la) ....
Civil ....
Clase alta/media/baja ....
Comunitario/a ....
Convivencia (la) ....
Derechos humanos (los) ....
Discriminación (la) ....
Distribución de la riqueza (la) ....
Estatal ....
Explotación (la) ....
Integración (la) ....
Marginación (la) ....
Minoría étnica (la) ....
Protección (la) ....
Solidaridad (la) ....
Tolerancia (la) ....

POLÍTICA Y GOBIERNO

Abstención (la) ....
Candidato/a (el/la) ....
Colegio electoral (el) ....
Dictador/-a (el/la) ....
Diplomático/a (el/la) ....
Diputado/a (el/la) ....
Elecciones generales (las) ....
- autonómicas
Electorado (el) ....
Gobierno central (el) ....
- democrático
- totalitario
Jornada de reflexión (la) ....
Mesa electoral (la) ....
Papeleta (la) ....
Referéndum (el) ....
Senador/-a (el/la) ....
Separación de poderes (la) ....
Urna (la) ....
Votante (el) ....
Voto en blanco (el) ....
- nulo (el) ....
Verbos y expresiones
Aprobar una ley ....
Convocar elecciones ....
Dar un golpe de estado ....
Hacer campaña ....
Presentarse a (las) elecciones ....
Ser de un partido político ....

LEY Y JUSTICIA

Banda organizada (la) ....
Coartada (la) ....
Criminal (el/la) ....
Delincuente (el/la) ....
Malos tratos (los) ....
Pista (la) ....
Prueba (la) ....
Red de tráfico (la) ....
Secuestrador/-a (el/la) ....
Sentencia (la) ....
Tribunal (el) ....
Verbos y expresiones
Asesinar a alguien
Atentar contra alguien
Cometer un delito ....
Condenar a una pena ....
Detener a alguien
Ser (in)justo ....

FILOSOFÍA Y RELIGIÓN: CELEBRACIONES RELIGIOSAS Y FAMILIARES

Agnóstico/a ....
Alma (el) ....
Altar (el) ....
Ateísmo (el) ....
Encierros (los) ....
Ermita (la) ....
Espíritu (el) ....
Ideológico/a ....
Laico/a ....
Metafísico/a
Pensamiento (el) ....
Peregrino (el) ....
Procesión (la) ....
Razón (la) ....
Romería (la) ....
Sanfermines (los) ....
Verbos y expresiones
Celebrar un bautizo ....
- una boda ....
- una comunión ....
Convertirse al
- budismo ....
- cristianismo ....
- hinduismo ....
- islamismo ....
Decir misa ....
Hacer una promesa ....
Tener fe

1 Observa las fotos, identifica los problemas sociales que representan y explica cómo se podrían solucionar utilizando las palabras propuestas.

La primera imagen se relaciona con… y se podría solucionar…

Problemas sociales

- La marginación
- La discriminación racial
- Las diferencias entre las clases altas y bajas
- La explotación
- La injusta distribución de la riqueza
- Los conflictos religiosos

Posibles soluciones

- La convivencia
- La protección
- El perdón
- La compasión
- La tolerancia
- La cooperación
- La integración social

1.

2.

3.

4.

5.

6.

2 **A. Identifica la palabra que no corresponde a cada serie y colócala en la adecuada.**

a. El miembro, la clase social, la mayoría, la minoría religiosa, étnica, social.
b. Ser de clase alta, media, baja, los derechos básicos.
c. Los derechos humanos, la regla, los derechos constitucionales.
d. Común, comunitario, la clase trabajadora, estatal.
e. Convivir, la desigualdad, cooperar, integrarse.
f. La norma, el poder, civil, la participación.
g. La hipocresía, la arrogancia, obedecer, la agresividad, la rebeldía.

B. Escribe la palabra que corresponde a cada definición.

a. La falta de *igualdad* es: ....
b. Colaborar con otras personas: ....
c. Colectivo pequeño de personas: ....
d. Pertenecer a un nivel social alto: ....
e. Vivir con otras personas: ....
f. Hacer lo que otras personas dicen: ....
g. Incluir a personas en un grupo: ....

3 **Completa estas frases con las palabras adecuadas.**

cooperar • mayorías religiosas • minoría étnica • aprobar una ley • igualdad • miembros • rebeldía

a. Los gitanos son la .... más numerosa de Europa.
b. La Constitución española establece la .... de todos los españoles ante la ley.
c. El cristianismo y el islamismo son .... en el mundo.
d. La mayoría de los .... de la Real Academia Española (RAE) son hombres.
e. La .... es propia de la juventud.
f. Si queremos salir pronto de la crisis, todos tenemos que ....
g. Yo creo que se debería .... para garantizar un salario justo a todo el mundo.

Selecciona tres o cuatro derechos humanos que están amenazados en el mundo y escribe una o dos medidas que tomarías para solucionar cada uno de ellos.

Yo creo que no se cumple el derecho a la alimentación y la vivienda y por eso yo haría…

Derechos humanos

1. Todos nacemos libres e iguales
2. No a la discriminación
3. Derecho a la vida
4. No a la esclavitud
5. No a la tortura
6. Tienes derechos en todas partes
7. Todos somos iguales ante la ley
8. Tus derechos están protegidos por la ley
9. No a la detención ilegal
10. Derecho a un juicio justo
11. Todos somos inocentes hasta que se pruebe lo contrario

12. Derecho a la privacidad
13. Libertad de movimientos
14. Derecho a un lugar seguro para vivir
15. Derecho a una nacionalidad
16. Derecho a casarse y formar una familia
17. Derecho a la propiedad privada
18. Libertad de pensamiento
19. Libertad de expresión
20. Derecho de reunión
21. Derecho a la democracia
22. Derecho a la seguridad social

23. Derecho de los trabajadores
24. Derecho al descanso
25. Derecho a alimentación y vivienda
26. Derecho a la educación
27. Derecho a la cultura
28. Derecho a un mundo justo y libre
29. Deber de respetar los derechos de los demás
30. Nadie puede quitarte tus derechos humanos

A. Completa el nombre de estos sistemas políticos y escribe una característica de cada uno.

a. M_ _XI_MO   b. F_ _CIS_O   c. A_ARQU_ _ MO   d. SO_ _ _ LISMO   e. CO_ _ NISMO   f. TO_ _ _ITARISMO

B. Di si estas afirmaciones son verdaderas o falsas.

☐ a. El nacionalismo es la ideología de un pueblo que quiere ser un estado independiente.
☐ b. La democracia es una forma de gobierno en la que el poder es ejercido por una minoría.
☐ c. El estado totalitario concentra el poder en un partido único y ejerce un fuerte control social.
☐ d. El liberalismo defiende la libertad y la intolerancia en la vida de la sociedad.
☐ e. El golpe de Estado es la actuación violenta y rápida del Estado contra militares en rebeldía.
☐ f. La dictadura es un régimen político que concentra todo el poder en una persona y reprime los derechos humanos y las libertades individuales.

Selecciona la opción correcta. En España...

a. El poder que se encarga de la elaboración de leyes es el poder *judicial/legislativo*.
b. Los representantes del pueblo que están en el Congreso son *diputados/senadores*.
c. Para elegir alcaldes y concejales se celebran las elecciones *municipales/autonómicas*.
d. La persona que se dedica a las relaciones internacionales es un *parlamentario/diplomático*.
e. El conjunto de personas que participan en unas elecciones es el *electorado/referéndum*.
f. La institución más alta donde los jueces dictan sentencias es el *Tribunal Supremo/Derecho Civil*.

Relaciona cada palabra con su imagen.

a. El colegio electoral   b. La papeleta   c. La mesa electoral   d. La urna

1.
2.
3.
4.

8 Completa los textos seleccionando las palabras adecuadas de cada cuadro.

A

Pertenecer a un partido
Ser de un partido
El candidato/El líder
Dar un discurso
La propaganda electoral
La campaña electoral

B

Presentarse a
Celebrar
Convocar
Ganar
Perder

} las elecciones

C

La jornada de reflexión
Votar
El voto en blanco
El voto nulo
La abstención
Abstenerse

Uno de los principales .... a las elecciones autonómicas .... a un partido nacionalista. Durante la .... electoral dio un .... que fue muy discutido.

Las últimas elecciones se .... el pasado mes de octubre y se .... a finales de diciembre. Se .... más de diez partidos y .... el Partido Popular, pero sin obtener la mayoría absoluta.

En las últimas elecciones la participación fue alta y solo se .... el 25 % de los votantes. Hubo casi un millón de votos en .... y nulos. Durante la ...., se produjo un incidente que fue rápidamente denunciado.

9 Relaciona las dos columnas.

a. El/la sospechoso/a
b. El/la acusado/a
c. El/la testigo
d. La sentencia
e. El/la abogado/a defensor/-a
f. El jurado popular
g. La coartada
h. La pista
i. La prueba
j. E/la fiscal

1. Funcionario público que representa al Estado y se encarga de la acusación.
2. Persona de la que se cree que puede haber cometido algún delito.
3. La decisión que toma un juez o un jurado sobre un caso después de un juicio.
4. Razones o argumentos con que se demuestra la verdad o la falsedad de algo.
5. Persona que presencia algún delito o que tiene conocimiento directo de él.
6. Institución no profesional formada por ciudadanos que declara inocente o culpable a un acusado
7. Persona que defiende en un juicio los intereses de los acusados o de las víctimas.
8. Persona a la que se acusa de haber cometido un delito.
9. Conjunto de indicios y señales que pueden ayudar a averiguar algo.
10. Es una prueba de que el acusado no estaba presente en el lugar del delito.

10 Escribe tres noticias en las que incluyas las siguientes palabras.

Secuestrar a
El/la sospechoso/a
El/la testigo
La banda organizada
Detener
La falsificación

El juicio
El acusado
El jurado popular
La coartada
La prueba
El fiscal
Declarar culpable
Condenar a prisión

Atentar contra
La agresión
Los malos tratos
El tráfico de drogas
La pista
El delincuente

11 Relaciona estas palabras con su imagen.

a. El submarino   b. La pistola y las balas   c. El fusil   d. La espada   e. El tanque y el cañón

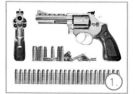 1.

 2.

 3.

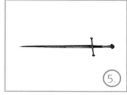 4.

 5.

12 Asocia las palabras. ¿Qué relación tienen entre sí?

a. El enemigo
b. Declarar la guerra
c. Enfrentarse a
d. Atacar

1. Defender
2. Defenderse de
3. El aliado
4. Firmar la paz

¿Crees que debe haber un servicio militar obligatorio?

¿Es mejor tener un ejército de voluntarios o un ejército profesional?

13 Completa el nombre de estas religiones.

1. EL CAT _ _ I _ _ S _ O   2. EL CR _ _ T _ _ N _ _ _ O   3. EL I_L _ _   4. EL HI _ _ UÍ _ _ _
5. EL P _ O _ ES _ A _ T _ _ _ O   6. EL _ UD _ _ MO   7. EL JU _ _ÍS _ O

14 Di si estas palabras están relacionadas con alguna religión concreta, con todas o con ninguna.

A ▼	B ▼	C ▼	D ▼	E ▼
• El cura • El párroco • La monja • El purgatorio • Celebrar misa • Celebrar un bautizo	• La procesión • Hacer un milagro • Hacer penitencia • Hacer un sacrificio • Hacer una promesa • Bendecir	• El paraíso • El alma • El espíritu • La oración • El pecado • Pecar	• El Antiguo Testamento • El Nuevo Testamento • Las Sagradas Escrituras • El Evangelio • El Corán	• Religión monoteísta • Religión politeísta • El rabino • El imán • El ateísmo • El agnosticismo

15 Elige la opción correcta para completar las expresiones.

a. Celebrar algo con todo lujo y esplendor es celebrarlo por todo lo *grande/alto*.
b. La vida después de la muerte es el más *allá/arriba*.
c. Ser una persona muy buena y generosa es tener un corazón de *oro/diamante*.
d. Cambiar de bando o partido político por conveniencia es cambiar de *chaqueta/camisa*.
e. Para protestar por algo que se considera injusto se dice: «¡No hay *razón/derecho*!».
f. Las actuaciones ilegales contra un grupo social o político son la guerra *sucia/negra*.
g. Permanecer apartado o sin participar en algo es estar al *margen/borde*.
h. Decir a una persona que uno siente la muerte de alguien cercano es darle el *pésame/sentimiento*.
i. Liberarse de una carga o preocupación es quitarse un peso de *encima/plomo*.
j. Una persona que cambia mucho de opinión es una *peonza/veleta*.

16 Completa estas frases con la expresión adecuada del ejercicio anterior.

a. Algunos políticos .... cuando su partido pierde las elecciones.
b. Ha muerto la madre de un compañero. Voy a llamarle para ....
c. Mi sobrina no sabe qué estudiar y cada día dice una cosa: es una ....
d. Nuestra organización es neutral, así que vamos a estar .... de la situación.
e. Mi hijo se va a casar y vamos a celebrarlo ....
f. Teresa colabora con una ONG, siempre intenta ayudar a todo el mundo… Tiene un ....
g. ¡Así que el proyecto no se cancela y sigue adelante…! ¡Pues me has ....!
h. Las elecciones se acercan, así que no es extraño que empiece una .... entre los candidatos.
i. En muchas religiones se cree en el ...., en que hay otra vida después de la muerte.
j. Van condenar a un hombre a un año de prisión por robar una gallina. ¡No ....!

1 Completa estas frases seleccionando la opción correcta.   SERIE 1

1. Está detenido __ ha cometido un grave delito de tráfico de armas.
    a. por   b. porque   c. a causa de

2. __ te presentas como candidato a las elecciones municipales, si te eligen, podrías mejorar nuestro barrio, ¿no?
    a. Ya que   b. Porque   c. Es que

3. __ nuestro partido ha obtenido más votos en las elecciones generales, tenemos derecho a formar gobierno.
    a. Porque   b. Debido a que   c. Puesto que

4. __ había muchos casos de discriminación salarial en nuestra empresa, decidimos denunciarlo.
    a. Como   b. Porque   c. A causa de que

5. Actuó de ese modo __ defender los derechos de los trabajadores.
    a. ya que   b. puesto que   c. por

6. Todo lo que hacemos es __ vosotros, para que aprendáis a ser tolerantes y compasivos.
    a. debido a   b. por   c. porque

7. No se ha podido celebrar el juicio esta mañana __ del mal tiempo.
    a. debido a   b. por   c. a causa

8. Dígame __ si no lo hace, no podré preparar una buena defensa.
    a. la verdad que   b. la verdad, como   c. la verdad, porque

9. No es que esté enfadada con Juan, __ me molestó que ayer llegara una hora tarde y no se disculpara.
    a. debido a que   b. lo que pasa es que   c. a causa de que

10. Siento mucho que hayamos perdido el juicio, pero __ el juez no admitió la prueba más importante.
    a. debido a que   b. porque   c. es que

11. ¿Sabéis __ hay tanta gente pobre? Pues porque hay una injusta distribución de la riqueza.
    a. por qué   b. porque   c. por que

12. No sé __ existe una declaración universal de derechos humanos si luego en muchos países no se cumplen.
    a. porque   b. puesto que   c. por qué

2 Completa estas frases seleccionando la opción correcta.   SERIE 2

1. Los asientos de la primera fila del Congreso de los Diputados son __ los ministros del gobierno.
    a. por   b. a   c. para

2. Las buenas maneras y los buenos modales son fundamentales para __.
    a. la convivencia   b. convivamos   c. conviviendo

3. Las próximas elecciones son __ elegir a nuestros representantes autonómicos.
    a. por   b. a   c. para

4. Saldré antes del trabajo __ a tiempo al funeral.
    a. para llegar   b. en llegar   c. llegando

5. El abogado defensor hizo todo lo posible __ no condenaran al acusado.
    a. para   b. a que   c. para que

6. Yo creo que ese señor está metido en política para que no le __ de corrupción.
    a. acusaran   b. acusan   c. acusen

7. Hemos venido __ votar a primera hora porque luego el colegio electoral se llena de gente.
    a. para que   b. a   c. en

8. Ayer fuimos a la policía __ nos devolvieran los objetos que nos habían robado.
    a. a que   b. de que   c. en que

9. Nosotros les dimos nuestra opinión razonada sobre el asunto __ tomaran medidas urgentes.
    a. a fin de   b. con motivo de   c. a fin de que

10. Las víctimas del atentado pusieron una denuncia __ obtener una indemnización por los daños sufridos.
    a. a fin de que   b. a   c. a efectos de

11. Nuestras instalaciones permanecerán cerradas esta semana __ la celebración de la Pascua.
    a. a efectos de que   b. con motivo de   c. a que

12. Se ha aprobado una ley __ las elecciones sean siempre en domingo.
    a. con el objeto de   b. al objeto de   c. con el objeto de que

Completa estas frases seleccionando la opción correcta.

1. Si lo __ con tanta facilidad, fue porque no había suficientes medidas de seguridad en el edificio.
    a. secuestrarán   b. secuestrarían   c. secuestraron

2. Si ya se __ que esa ley crearía polémica, deberían reformarla para hacerla más justa.
    a. sabría   b. sabía   c. sabrá

3. Si te has abstenido en las elecciones, ahora no __ de los resultados.
    a. te quejes   b. te quejas   c. te has quejado

4. Si no__ las guerras, viviríamos todos en paz y seríamos mucho más felices.
    a. existan   b. existieran   c. existen

5. Si en la próxima votación no __ elegido el candidato, habría que repetir las elecciones.
    a. haya salido   b. salga   c. saliera

6. Si lo __ antes, el criminal estaría ya en la cárcel.
    a. hubieran juzgado   b. habrían juzgado   c. juzgaran

7. Si lo hubieran detenido por malos tratos, no __ a su pareja. Ahora ya no tiene remedio.
    a. asesinara   b. habría asesinado   c. asesinaría

8. Llevo siempre poco dinero encima __ me roban sin darme cuenta.
    a. si   b. siempre que   c. por si

9. Lo dejaremos en libertad __ colabore con la policía cuando sea necesario.
    a. con tal de   b. por si   c. a condición de que

10. Vamos a empezar la ceremonia de la boda, __ alguna persona tiene algo que objetar.
    a. salvo si   b. siempre y cuando   c. a no ser que

11. Creo que le van a condenar a cadena perpetua, __ aparezcan nuevas pruebas que lo exculpen.
    a. salvo que   b. salvo si   c. a no ser

12. El domingo irá mi madre a misa, a no ser que __ enferma otra vez.
    a. se pondrá   b. se ponga   c. se pone

Completa estas frases seleccionando la opción correcta.

1. Ana cuando llegó a Alemania se integró __ todos los vecinos le regalaban cosas y la invitaban a sus fiestas.
    a. tanta que   b. tanto como   c. tanto que

2. La cooperante trabajó tanto que __ alimentos y alojamiento para todos los refugiados.
    a. consiguiera   b. consiguió   c. consiga

3. En algunos países muchos niños comen __ que presentan graves problemas de desnutrición.
    a. tan poco   b. tanto   c. tampoco

4. Los impuestos sobre actividades culturales son __ altos que su consumo está descendiendo.
    a. tan   b. tanto   c. tantos

5. La noche pasada cayó __ agua que se inundó el colegio electoral y tuvieron que retrasar la hora de apertura.
    a. tan   b. tanto   c. tanta

6. El conferenciante hablaba el español de __ manera que era imposible entenderlo.
    a. tan   b. la   c. tal

7. El fiscal se dirigió al acusado de un __ que provocó un gran escándalo y hubo que interrumpir el juicio.
    a. manera   b. forma   c. modo

8. El señor ministro no va a hacer declaraciones, de __ manera que queda cancelada la rueda de prensa.
    a. esta   b. Ø   c. una

9. El acusado ha ganado el juicio, __ debe ser puesto en libertad inmediatamente.
    a. por lo que   b. por que   c. con el que

10. Usted ha agredido a un representante de la autoridad, __, ha cometido un delito y va a ser detenido.
    a. de una manera   b. de forma   c. por lo tanto

11. Se ha concluido la votación y el candidato ya ha sido elegido. __, se cierra la sesión.
    a. Por consiguiente   b. De tal forma   c. De modo

12. Después de muchos meses de negociaciones se llegó a un acuerdo. __, se dio por finalizada la guerra.
    a. De un modo   b. De tal modo   c. De este modo

1 SERIE 1

Elige la opción correcta y completa el cuadro de funciones con las fórmulas correspondientes a cada una.

1. __ que solo hablara de política.
   a. Me aburría   b. Me aburrí   c. Esto es un rollo
2. __ de que me preguntes siempre lo mismo.
   a. Me cansa   b. Estoy harta   c. ¡No lo aguanto más!
3. __ que protestara siempre tanto y por eso lo dejé.
   a. ¡Ya está bien…!   b. ¡Ya basta!   c. Me cansó
4. __ con ese político, porque insulta y trata mal a sus adversarios.
   a. Estoy indignado   b. Me pone furioso   c. Me fastidia
5. __ que haya espectáculos en los que los animales sufren.
   a. Me da rabia   b. Me enfado   c. No lo aguanto
6. Yo __ si aumentara el número de votantes a partidos extremistas.
   a. me preocupo   b. me preocupa   c. me preocuparía
7. A mí __ mucho que mi hijo sea una persona solidaria y comprometida.
   a. siento miedo de   b. me da miedo   c. me importa
8. ¡__ que nos atraquen unos ladrones por la noche!
   a. Siento miedo   b. Qué miedo me da   c. Me asustó
9. __ que no me avises cuando vas a llegar tarde.
   a. Me pongo nervioso b. Me desespero   c. Me pone nervioso
10. __ que llegue siempre tarde a las reuniones del partido.
   a. Me desespera   b. ¡Qué nervios…!   c. Pierdo la paciencia
11. __ mucho que te haya afectado tanto la noticia.
   a. Te entiendo   b. Sé cómo te sientes   c. Siento
12. ¿Que te han declarado culpable en el juicio? ¡__!
   a. A mí me pasa lo mismo   b. Te da rabia   c. Ay, pobre

Tu listado

a. Aburrimiento y hartazgo
   Me aburro de ver...
   1. ....
   2. ....
   3. ....

b. Enfado e indignación
   4. ....
   5. ....

c. Miedo, ansiedad y preocupación
   6. ....
   7. ....
   8. ....

d. Nerviosismo
   9. ....
   10. ....

e. Empatía
   11. ....
   12. ....

2 SERIE 2

Elige la opción correcta y completa el cuadro de funciones con las fórmulas correspondientes.

1. ¡__ se hubiera evitado la guerra!
   a. Esperaba   b. Eso espero   c. Ojalá
2. __ ese partido apruebe esa ley tan injusta.
   a. Qué rabia   b. Me desilusiona que   c. Me decepcionó que
3. ¡Otra vez ha bajado el presupuesto de educación! ¡__!
   a. Qué alivio   b. Qué le vamos a hacer   c. No está todo perdido
4. El tráfico de armas es algo muy generalizado; es así y __.
   a. otra vez será   b. no hay nada que hacer   c. no me resigno
5. ¡__ no hayamos podido ir al bautizo de tu hijo!
   a. Es una pena   b. Qué lástima   c. Lamento que
6. __ que no hubiera pensado antes en las consecuencias.
   a. Qué pena   b. Lo lamento   c. Es lástima
7. A mi primo, el concejal, __ que le reconozcan por la calle.
   a. está avergonzado b. tiene vergüenza   c. le da vergüenza
8. __ vergüenza de decir en público lo que pienso.
   a. No tengo   b. No me da   c. No estoy
9. __ haber dicho las cosas que te dije.
   a. Estoy avergonzado b. Me avergüenzo   c. Me avergüenza
10. Me __ que hubiera llegado tan pronto a la ceremonia.
   a. lo esperaba   b. estoy sorprendida   c. extrañó
11. __ raro que el acusado no declarase en el juicio.
   a. Me sorprendió   b. Me pareció   c. Qué cosa tan
12. __ de que no hayan dicho nada del secuestro.
   a. Me asombra   b. Qué raro   c. Estoy extrañada

Tu listado

f. Esperanza
   1. ....

g. Decepción
   2. ....

h. Resignación
   3. ....
   4. ....

i. Arrepentimiento
   5. ....
   6. ....

j. Vergüenza
   7. ....
   8. ....
   9. ....

k. Sorpresa y extrañeza
   ¡Estás en la misma ONG que yo! ¡Qué casualidad!
   10. ....
   11. ....
   12. ....

SERIE 3

Elige la opción correcta y completa el cuadro de funciones con las fórmulas correspondientes.

1. __ enviar tu voto por correo antes del miércoles.
   a. Hace falta que   b. Te ruego   c. No olvides

2. __ que me comunicaran si hay alguna nueva pista en el caso.
   a. Necesito   b. Les agradecería   c. Les ruego

3. __ que me hiciera un favor antes de irse a casa.
   a. Te agradecería   b. Necesitaría   c. Necesito

4. ¿Me __ ese libro que está detrás de ti?
   a. alcanza   b. alcanzas   c. alcanzaría

5. __ muchísimo que me prestaras tu carné de socio esta tarde.
   a. Tengo que pedirte   b. Necesito   c. Te agradecería

6. ¿Podrías __ con el recuento de votos?
   a. echarme una mano   b. tu colaboración   c. que me ayudaras

7. Siento muchísimo lo que ha pasado. __ que me perdone.
   a. Te ruego   b. Le ruego   c. Os ruego

8. ¿Quieren colaborar con nuestra ONG? Pues sí, claro, __.
   a. encantados   b. por supuesto que   c. ya veremos

9. ¡Quiere que haga un donativo a su ONG…! Pues, no sé, __.
   a. si insiste   b. cómo no   c. no me da la gana

10. Lo siento, no puede poner la denuncia: __ está ya cerrado.
   a. de ninguna manera   b. bueno, ya veremos   c. lamentablemente

11. ¿Les __ que abriera la ventana? Es que hace mucho calor.
   a. sería posible   b. doy permiso para   c. importaría

12. __ que no. Abra, abra, que aquí no se puede respirar.
   a. De ningún modo   b. Por supuesto   c. Bueno, ya veremos

13. __ que los menores de 16 años se casen en España.
   a. Está prohibido   b. Está permitido   c. Le prohibió

14. ¿Quieres que me quede en casa castigada? Pues __.
   a. no me da la gana   b. claro que sí   c. lo haré de todas formas

Tu listado

l. Dar órdenes e instrucciones
   1. ....
   2. ....

m. Pedir un favor
   3. ....

n. Pedir objetos
   4. ....
   5. ....

ñ. Pedir ayuda
   6. ....

o. Rogar
   7. ....

p. Responder a una orden o petición
   8. ....
   9. ....
   10. ....

q. Pedir, dar o denegar permiso
   11. ....
   12. ....

r. Prohibir y rechazar prohibición
   13. ....
   14. ....

Corrección de errores

Identifica y corrige los errores que contienen estas frases. Puede haber entre uno y tres en cada una.

a.   Estoy de acuerdo que se aprueba una ley que garantice los trabajos.
b.   Los políticos no quieren que votamos los jóvenes.
c.   Me sorprendo que en España hay tanta corrupción.
d.   Yo tengo confianza a seres humanos.
e.   Yo no estoy acuerdo de ningún religión.
f.   Hay gente llevan cara muy seria en la foto.
g.   En mi punto de vista es muy importante igualdad.
h.   Podría ser muy bien organizar una compañía de firmas para aprobar esa ley.
i.   Todo el mundo necesitan la economía se desarrolla.
j.   Es bien ampliar nuestra vista de las problemas en el mundo.

Uso de preposiciones

Tacha la opción incorrecta en estas frases.

a.   María va a presentarse *a/en* las próximas elecciones. ¿Qué te parece?
b.   Yo no soy *de/a* ningún partido político. ¿Y tú?
c.   El acusado fue condenado *a/por* dos años de cárcel.
d.   Estoy sorprendida *Ø/de* que seas fiscal.
e.   Yo no me fío nada *en/de* él: creo que miente.
f.   Deberías pensar más *a/en* los demás.
g.   Me aburro *Ø/de* ver siempre a los mismos políticos diciendo las mismas cosas.
h.   Mi profesor de yoga se convirtió *en/a* la religión budista hace poco.
i.   El acusado se ha defendido muy bien *por/de* los ataques del abogado.
j.   En algunas guerras no se sabe bien *ante/contra* quién se lucha.

Tiempo disponible para las 4 tareas.

TAREA 1

(Ver características y consejos, p. 252)

A continuación va a leer un texto. Después, deberá contestar a las preguntas, 1-6, y seleccionar la respuesta correcta, a), b) o c).

LA PRENSA
PRIMER PERIÓDICO DIGITAL

Martes, 11 de Junio de 2013

Notas de prensa / Suscripción   Teleprensa en youtube   Contacto   Google™ Búsqueda personalizada   Buscar

ÚLTIMA HORA

CAPITAL   PROVINCIA   **SOCIEDAD**   ECONOMÍA   CULTURA Y OCIO   DEPORTES   UNIVERSIDAD   Almanzora   Leer

LA FELICIDAD DE LAS PERSONAS MAYORES

Marta Morales

La felicidad en la vejez depende más de una actitud positiva que de la salud que se tenga, señala un estudio realizado por la Universidad de California. El estudio llama la atención por la inusual consideración de criterios subjetivos para evaluar el estado del envejecimiento. En esta investigación se examinó a 500 voluntarios de edades comprendidas entre los 60 y 98 años, que habían padecido diversas enfermedades como el cáncer, fallos cardiacos, problemas mentales u otras disfunciones.

A los participantes en el estudio se les pidió que evaluaran su envejecimiento en una escala del 1 al 10, siendo 10 un grado de muy buena calidad de vida en la vejez. La media de esta valoración entre los encuestados fue de 8.4, lo que desvela la actitud positiva dominante respecto a cómo vivían su envejecimiento. Lo más sorprendente de los resultados obtenidos, sin embargo, fue que los voluntarios más optimistas –aquellos que pensaban que estaban envejeciendo bien– no siempre coincidían con los que tenían mejor salud.

La investigación, dirigida por el profesor Dilip Jeste, señala que el optimismo es más importante para un envejecimiento exitoso que las mediciones tradicionales de salud y bienestar. Es decir, que el estado físico no es sinónimo de un envejecimiento óptimo. Por el contrario, una buena actitud es casi una garantía de un buen envejecimiento. Jeste pretende seguir investigando esta cuestión, al observar una relación entre la actividad física y un buen envejecimiento corporal y mental.

Suele considerarse normalmente que una persona «envejece bien» si tiene pocas dolencias o si sigue manteniendo más o menos sus facultades, si bien no existe un consenso en la comunidad médica a la hora de definir con exactitud lo que puede entenderse como un envejecimiento adecuado. Es más, parece que un mal estado físico no tiene por qué desembocar en un envejecimiento negativo.

Este estudio demuestra que la percepción de uno mismo es más importante que el estado físico para considerar que el envejecimiento se desarrolla adecuadamente. Jeste quiere profundizar en el estudio del cerebro, pues el mundo científico ha adelantado que puede que haya neuronas que sí se regeneran, a pesar de la edad. De esta manera, Jeste pretende descubrir por qué hay personas que con 80 o 90 años siguen activas y de qué depende el estar bien la mayor parte del tiempo que podamos de nuestra vida.

Otra conclusión que se desprende de este estudio es que la preocupación de las personas que se adentran en edades avanzadas no debe centrarse tanto en el estado de salud como en el cuidado y cultivo de actitudes positivas, ya que estas actitudes pueden ser más importantes que el estado de salud corporal para alcanzar el envejecimiento adecuado. La investigación también ha demostrado que la gente que pasa algo de tiempo cada día socializándose, leyendo o participando en otras actividades de ocio tiene un nivel de satisfacción más alto en la vejez.

Adaptado de www.tendencias21.net

PREGUNTAS

1. Según el texto…

   a) la subjetividad influye en la percepción de la salud.

   b) el estudio contiene elementos subjetivos.

   c) la subjetividad no puede medirse científicamente.

2. En el texto se indica que…

   a) las personas con buena salud son más optimistas.

   b) el estudio evaluó la salud de los participantes.

   c) no existe necesariamente una relación entre salud y optimismo.

3. En el texto se afirma que…

   a) tradicionalmente no se ha tenido en cuenta la actitud positiva para valorar el bienestar.

   b) el optimismo garantiza totalmente un buen envejecimiento.

   c) la actitud mental recibe la influencia del estado físico.

4. Según el texto…

   a) no puede hablarse de un buen envejecimiento.

   b) no existe unanimidad a la hora de describir un buen envejecimiento.

   c) la ausencia de enfermedad es decisiva para definir un buen envejecimiento.

5. En el texto se señala que…

   a) el estado físico es secundario respecto a la visión personal del envejecimiento.

   b) hay que investigar por qué hay personas que con 80 o 90 años no están enfermas.

   c) las neuronas se siguen regenerando a edades avanzadas.

6. El autor del texto indica que…

   a) el optimismo es más importante que la salud para envejecer adecuadamente.

   b) relacionarse con otras personas durante la vejez es algo muy satisfactorio.

   c) muchas personas mayores no tienen una actitud positiva.

Especial DELE B2 Curso completo

TAREA 2

(Ver características y consejos, p. 254)

A continuación va a leer cuatro textos en los que cuatro personas hablan sobre las romerías. Después, tendrá que relacionar las preguntas, 7-16, con los textos, a), b), c) y d).

PREGUNTAS

	a) José	b) Macarena	c) Luis	d) Dolores
7. ¿Quién juzga que la tradición española ha incorporado perfectamente elementos opuestos?				
8. ¿Quién advierte de que en las romerías ocurren romances?				
9. ¿Para quién es esencial la combinación del disfrute y del banquete en cualquier fiesta tradicional?				
10. ¿Quién habla de las distintas fases que tiene una romería?				
11. ¿Quién afirma que la combinación de elementos religiosos y profanos no debe verse como falsa?				
12. ¿Quién advierte que hay en toda romería un componente de desobediencia a lo establecido?				
13. ¿Quién precisa que la esencia de la romería es básicamente la diversión?				
14. ¿Quién justifica que la diversión no va en contra de lo sagrado?				
15. ¿Quién señala que en toda España existen romerías?				
16. ¿Quién indica que los lugares de las verbenas no son siempre los mismos?				

a) José

En nuestra cultura tradicional, del mismo modo que sucede en otras culturas no europeas, los símbolos forman un lenguaje cuya interpretación es fundamental para examinar hasta los últimos detalles de cualquier manifestación popular. En el sentido más amplio del concepto, toda romería encierra unos símbolos cuyas claves de lenguaje son ante todo manifiestamente festivas. En el fondo, y más evidentemente en la forma, podemos apreciar que toda fiesta popular, para que lo sea en toda su extensión, ha de contar con dos elementos esenciales: la alegría y la comida. Y, ya sea en las tierras del Cantábrico, en la meseta central, en las orillas levantinas del Mediterráneo, o en las tierras del sur, la verdad es que contamos con romerías de gran trascendencia etnológica y antropológica que nos pueden servir de ejemplo de ello.

b) Macarena

De una forma más didáctica y divulgativa que académica, y tomando las romerías marianas del sur de España como paradigma del resto de ellas, digamos que toda manifestación romera consta de tres etapas bien definidas: el camino hacia la Madre, el encuentro con la Madre y el desmadre*, dicho sea esto último en el sentido más amplio de los excesos y consiguiente pérdida de respeto a la «oficialidad» –ya sea eclesiástica o civil— de las normas establecidas. Efectivamente, en la mayoría de los santuarios la romería acaba en fiesta: es la desacralización del rito y la vuelta al mundo profano después de haber permanecido durante unos instantes en contacto con lo sagrado: el encuentro con la Madre. Después del encuentro con lo sagrado, los romeros se alivian del camino penitencial que lleva hacia la Madre, comiendo, bebiendo y bailando.

c) Luis

Una conclusión de urgencia nos lleva a opinar que en estos casos festivos los extremos (penitencia y fiesta) no se contradicen en modo alguno, sino que se refuerzan mutuamente. La cultura tradicional ha sabido integrar secularmente todos los contrarios: a los periodos festivos siguen épocas de penitencia, a estas de nuevo los festivos; al Carnaval sigue la Cuaresma, a esta la Semana Santa, a esta última el estío festivo. La alegría de la fiesta con sus comilonas y sus bailes no es, pues, como pudiera parecerles a primera vista a quienes profesan una cultura urbana, una muestra de la hipocresía de los romeros, sino que es una consecuencia lógica de cómo reparar los esfuerzos y los sufrimientos realizados durante el camino hasta llegar al santuario. Cervantes justifica que las leyes del gusto humano tienen más fuerza que las de la religión.

d) Dolores

La romería ha supuesto tradicionalmente la fecha en que se formalizaban los noviazgos. Y aún hoy, tiempos de costumbres más relajadas en este aspecto, la romería sigue siendo lugar de iniciación amorosa para los más jóvenes. Estos tienden a despistarse por los bosques de encinas, eso sí, siempre bajo la atenta mirada de sus madres, pendientes de la romería, pues no en vano ellas también vivieron alguna vez «su romería» y saben del influjo mágico de la pradera y de sus consecuencias. Tanto esa noche, como la precedente, tiene lugar una verbena popular cuya ubicación ha ido cambiando de emplazamiento según qué épocas, desde que tuvo lugar la primera romería hace ahora sesenta años.

*Desmadre: exceso en palabras o acciones (coloquial).

Adaptado de http://cronistadeguarroman.bitacoras.com

TAREA 3

(Ver características y consejos, p. 255)

A continuación va a leer un texto del que se han extraído seis fragmentos. Después, lea los ocho fragmentos propuestos, a)-h), y decida en qué lugar del texto, 17-22, hay que colocar seis de ellos. Cuidado, hay dos fragmentos que no tiene que elegir.

ONCE

La inversión solidaria que miles de ciudadanos realizan cada día con la compra del cupón de la ONCE es devuelta por la ONCE a la sociedad en forma de servicios especializados para personas con ceguera o deficiencia visual. **17.** _____.

Una buena dosis de energía -que nosotros llamamos ilusión- es el combustible que permitió poner en marcha, en 1938, lo que hoy el mundo conoce como ONCE, que en este año 2013 celebra sus 75 años de existencia. **18.** _____. Un organismo gubernamental, constituido por varios ministerios y la propia ONCE, vela por el cumplimiento de sus fines sociales y la progresiva adecuación a las transformaciones sociales, políticas y económicas.

19. _____. Este fue la Fundación ONCE para la Cooperación e Inclusión Social de Personas con Discapacidad, que en 2013 también está de aniversario. En este lapso, Fundación ONCE ha generado más de 80 000 empleos para personas con discapacidad. Hoy el conjunto institucional, aunado en su primordial fin –la inclusión social y laboral de las personas con discapacidad–, es conocido como la ONCE y su Fundación.

A lo largo de los años, la Institución ha articulado otras iniciativas de solidaridad. La Fundación ONCE para la atención a las personas ciegas de América Latina, nacida en 1998 es buena muestra. **20.** _____. También se constituyó, en el año 2007, la Fundación ONCE para la Atención de Personas con Sordoceguera.

Mientras, en el seno de la Unión Europea, la ONCE y su Fundación estrechan lazos para que la atención a la discapacidad vaya ganando espacio en el terreno de las políticas comunitarias. Junto con otras organizaciones del mundo de la discapacidad, anota logros de gran importancia como la Convención de la ONU sobre los Derechos de las Personas con Discapacidad (2006), y un buen posicionamiento de sus tesis en debates como la normativa europea sobre accesibilidad o el empleo de las personas con discapacidad. **21.** _____.

Además, la enorme transformación de las estructuras sociales, tanto en Europa como en España, ha conducido a la ONCE a figurar con decisión en un recién nacido pero pujante modelo social y económico, a decir de muchos indispensable ya, el llamado Tercer Sector, una plataforma representativa de más de nueve millones de personas en riesgo de exclusión. **22.** _____.

Adaptado de www.once.es

FRAGMENTOS

a)

En este largo tiempo, ha construido un sistema de prestación social para personas con ceguera o discapacidad visual severa sin equivalencia en ninguna parte.

b)

Estos centros han mejorado la vida de muchas personas discapacitadas y han orientado su vida laboral.

c)

Esa misma fuente de energía -la ilusión- permitió que en 1988 viera la luz un gran proyecto.

d)

En dicho centro, durante la mañana los alumnos dan clase al igual que en cualquier instituto o colegio ordinario.

e)

Esta aglutina a asociaciones civiles, personas con discapacidad, fundaciones y agrupaciones que luchan por proteger los derechos sociales.

f)

Actualmente desarrolla proyectos de formación y empleo en 19 países de la región americana y otras zonas deprimidas.

g)

En esta línea, una comisión europea ha incluido en su agenda de trabajo una visita a las instalaciones centrales de la ONCE.

h)

Gracias a ese esfuerzo, en España estas personas disfrutan de plena integración educativa, social y laboral.

TAREA 4
(Ver características y consejos, p. 258)

A continuación va a leer un texto. Complete los huecos, 23-36, con la opción correcta, a), b) o c).

PALMERAS EN LA NIEVE

Unos chiquillos se abalanzaron sobre sus bolsillos esperando encontrar _____23_____ golosina. Kilian los complació entre risas y repartió pequeños dulces que había comprado en la factoría de Julia. Varios hombres detuvieron su andar pausado, se acercaron y estrecharon su mano, sosteniéndola afectuosamente entre las suyas y llevándosela al corazón.

–Ösé... ¿Dónde están todas las mujeres? –preguntó Kilian–. ¡Me parece que no _____24_____ poner a prueba tu amenaza!

José se rio.

–_____25_____ terminando de preparar la comida y adornándose para la boda. Quedan pocas horas. A todas las mujeres les cuesta un buen rato pintarse.

–¿Y qué hacemos _____26_____?

–Nos sentaremos con los hombres a esperar que _____27_____ el tiempo.

Se dirigieron a una plaza cuadrada. En el centro, a la sombra de árboles sagrados, _____28_____ unos arbustos con unos cuantos pedruscos que servían de asiento a un grupo de hombres _____29_____ los saludaron agitando la mano. Unos pasos más allá se levantaban dos pequeñas cabañas donde adorar a los espíritus.

– ¿No tienes que cambiarte de ropa? –Kilian dejó su mochila en el suelo junto a los otros hombres.

–¿_____30_____ no voy bien así? –José llevaba pantalones largos y una camisa de color blanco–. Llevo lo mismo que usted...

–Sí, claro que vas bien. Es que pensaba que, _____31_____ eres el padre de la novia, te pondrías algo más... más... de los tuyos...

–¿Como plumas y conchas? Mire, Kilian, a mi edad ya no tengo que demostrar nada. Yo soy el mismo aquí que abajo, en la finca. Con camisa o sin ella.

Kilian asintió, abrió la mochila y sacó tabaco y licores. Los hombres agradecieron los presentes con gestos de alegría. Los más jóvenes hablaban español y los más ancianos, que en realidad tendrían la edad de José y Antón, intentaban con gestos _____32_____ con el *öpottò* o extranjero. Cuando veían que la comunicación era imposible, entonces recurrían a los traductores. Kilian se mostraba siempre respetuoso y si tenía alguna duda, ahí estaba José para _____33_____. Se sentó en el suelo y se encendió un cigarrillo mientras esperaba a que los hombres terminaran de analizar y comentar sus presentes y centraran su atención _____34_____ él.

Se fijó en que la piel de serpiente, cuyo nombre –*boukaroko*– _____35_____ costaba repetir, colgaba con la cabeza mirando hacia arriba de la rama más baja de uno de los árboles, en vez de estar en las ramas altas. Supuso que la _____36_____ para que los bebés alcanzaran a tocarla desde los brazos de sus madres. Los bubis creían que esa serpiente era como su ángel guardián, que podía proporcionarles riquezas o causarles enfermedades. Por eso, una vez al año se le rendía respeto llevando a los niños nacidos durante el año anterior para que tocaran con sus manos la cola de la piel.

Texto adaptado, Luz Gabás

23.	a) cualquiera	b) alguna	c) toda
24.	a) podré	b) pueda	c) pudiera
25.	a) Estarán	b) Estarían	c) Estén
26.	a) durante	b) al tanto	c) mientras tanto
27.	a) pasa	b) pasará	c) pase
28.	a) habría	b) había	c) habían
29.	a) que	b) los que	c) quienes
30.	a) Ya que	b) Es que	c) Como
31.	a) según	b) con tal de que	c) como
32.	a) entendiéndose	b) entendidos	c) entenderse
33.	a) ayudarle	b) que le ayudara	c) que le ayudaría
34.	a) en	b) por	c) con
35.	a) se	b) le	c) lo
36.	a) hayan bajado	b) habrían bajado	c) hubieran bajado

Anote el tiempo que ha tardado:

Recuerde que solo dispone de **70 minutos**

PRUEBA 2

Comprensión auditiva

40 min — **Tiempo disponible para las 5 tareas.**

CD II Pistas 18-23

TAREA 1

(Ver características y consejos, p. 259)

A continuación va a escuchar seis conversaciones breves. Oirá cada conversación dos veces segui-das. Después, tendrá que seleccionar la opción correcta, a), b) o c), correspondiente a cada una de las preguntas, 1-6.
Dispone de 30 segundos para leer las preguntas.

PREGUNTAS

Conversación 1   Pista 18
1. En esta conversación…
   a) el hombre pregunta a la mujer si es cierto que sabe ya a quién votar.
   b) la mujer sabe que no participará en la votación.
   c) el hombre va a dar su voto al partido político al que suele votar siempre.

Conversación 2   Pista 19
2. La mujer que da las noticias dice…
   a) que se ha terminado el periodo de tiempo destinado a las votaciones.
   b) que va a ofrecer un resumen con los resultados de las elecciones.
   c) que ya se sabe quién ha ganado las elecciones.

Conversación 3   Pista 20
3. En este diálogo…
   a) se dice que la mujer secuestrada fue liberada por la policía.
   b) la mujer dice que el secuestrador está en la cárcel en espera de juicio.
   c) el hombre no puede comprender que los investigadores no hayan encontrado ninguna prueba durante tanto tiempo.

Conversación 4   Pista 21
4. En esta conversación…
   a) el hombre pide la opinión a su mujer sobre el descenso en el número de personas que tienen creencias religiosas.
   b) la mujer dice que ya no existe el pecado.
   c) el hombre le pregunta a su mujer qué pueden hacer ellos al respecto.

Conversación 5   Pista 22
5. En la audición se dice que el tío Juan…
   a) no pudo evitar ir a la guerra.
   b) desde el primer momento tuvo dificultades en la guerra.
   c) recibió una herida de bala en pleno corazón.

Conversación 6   Pista 23
6. En esta conversación escuchamos que…
   a) la mujer propone a su novio ir a una fiesta tradicional religiosa.
   b) la mujer le dice a su novio que se divertirán porque conoce ya a su familia.
   c) el hombre quiere ir pero no puede porque tiene otro compromiso.

CD II
Pista 24

TAREA 2

(Ver características y consejos, p. 259-260)

A continuación va a escuchar una conversación entre dos personas que hablan sobre el Camino de Santiago, importante ruta de peregrinaje desde la Edad Media. Después, indique si los enunciados, 7-12, se refieren a lo que dice Javier, a), Marta, b), o ninguno de los dos, c). Escuchará la audición dos veces.
Dispone de 20 segundos para leer los enunciados.

PREGUNTAS

	a) Javier	b) Marta	c) Ninguno de los dos
0. En el Camino de Santiago se produce una evolución personal.	✓		
7. Si haces el Camino a pie, puedes tardar cerca de un mes.			
8. Santiago de Compostela significa *Campo de estrellas*.			
9. Hasta el siglo xix no se descubrieron los posibles restos del apóstol Santiago.			
10. Durante diez siglos apenas se escribió nada sobre la presencia de Santiago en España.			
11. El Camino de Santiago es una tradición de 2000 años de antigüedad.			
12. Hay pruebas de que el cáliz de Cebreiro es el original de la última cena.			

Comprensión auditiva

CD II
Pista 25

TAREA 3

(Ver características y consejos, p. 259-260)

A continuación va a escuchar parte de una entrevista a Francesc Torralba, doctor en Filosofía y Teología. Escuchará esta entrevista dos veces. Después, conteste a las preguntas, 13-18. Seleccione la respuesta correcta, a), b) o c).
Dispone de 30 segundos para leer las preguntas.

PREGUNTAS

13. En la entrevista escuchamos que…
    a) tenemos la impresión de que vivimos con poca quietud y tranquilidad.
    b) en la vida hay una fuerza desconocida que nos empuja hacia un destino seguro.
    c) desde que nos levantamos hasta que nos acostamos debemos responder a muchas preguntas.

14. Este filósofo dice que…
    a) es bueno preguntarse cosas.
    b) los filósofos se cuestionan muchas cosas y esto forma parte de su profesión.
    c) el planteamiento sobre el sentido de la vida puede tener una respuesta científica.

15. Francesc Torralba dice que…
    a) encontraremos nuestro propio sentido de la vida si indagamos en la vida de los demás.
    b) no hay contestaciones definitivas para el planteamiento del sentido de la vida.
    c) los teólogos pueden dar una respuesta definitiva al sentido de la vida y eso es lo más interesante.

16. En la entrevista se dice que…
    a) nos planteamos cuál es el sentido de la vida ante determinados estados de la existencia.
    b) la felicidad se encuentra si intentamos pensar poco.
    c) pasear por la playa hace que nos planteemos el sentido de la vida.

17. El filósofo nos explica que…
    a) las relaciones personales firmes dan sentido a nuestra vida.
    b) cuestionarnos el sentido de la vida es algo que está siempre con nosotros.
    c) las preguntas instrumentales hacen que nos cuestionemos el sentido de la vida.

18. En la audición escuchamos que…
    a) hay países donde es difícil plantearse el sentido de la vida.
    b) el disponer de confort y bienestar debería ser una razón para querer vivir.
    c) el tener una vida confortable y cómoda no siempre implica felicidad.

CD II
Pistas
26-32

TAREA 4

(Ver características y consejos, p. 259-260)

A continuación va a escuchar a seis personas hablando sobre los sanfermines, fiesta tradicional de Pamplona (Navarra). Escuchará a cada persona dos veces.
Después, seleccione el enunciado, a)-j), que corresponde al tema del que habla cada persona, 19-24. Hay diez enunciados incluido el ejemplo. Seleccione únicamente seis.

Dispone de 20 segundos para leer los enunciados.
Escuche el ejemplo:
  Persona 0
  La opción correcta es el enunciado j.

ENUNCIADOS

a) En 1591 se cambió la fiesta de San Fermín de otoño a primavera.

b) Muchos extranjeros piensan que los toros están domesticados.

c) Hace 27 años murió un joven de Alcalá de Henares en los sanfermines.

d) La fiesta actual de San Fermín actual tiene su origen en la unión de una fiesta religiosa con otra laica.

e) Si los toros del encierro se caen, no pueden volver a levantarse.

f) Durante los sanfermines hay más gente de fuera de Pamplona que de allí.

g) Los accidentes en el encierro están provocados en muchas ocasiones por el desconocimiento.

h) En los sanfermines han muerto menos de veinte personas desde los años 20 del siglo pasado.

i) Las fiestas de San Fermín atraen a muchos turistas.

j) *En realidad, los sanfermines son conocidos mundialmente desde hace poco tiempo.*

	PERSONA		ENUNCIADO
	Persona 0	Pista 26	j)
19.	Persona 1	Pista 27	
20.	Persona 2	Pista 28	
21.	Persona 3	Pista 29	
22.	Persona 4	Pista 30	
23.	Persona 5	Pista 31	
24.	Persona 6	Pista 32	

CD II
Pista 33

TAREA 5

(Ver características y consejos, p. 259-260)

A continuación va a escuchar a un hombre que habla de los orígenes y características de la fiesta del Carnaval porteño. Escuchará la audición dos veces. Después, conteste a las preguntas, 25-30. Seleccione la respuesta correcta a), b) o c).
Dispone de 30 segundos para leer las preguntas.

PREGUNTAS

25. En esta audición se dice que…
    a) la máscara y el disfraz son los rasgos más distintivos del Carnaval porteño.
    b) el Carnaval de Buenos Aires es considerado como algo peligroso.
    c) algunas características del Carnaval porteño son la broma y el tono satírico.

26. Este hombre dice que…
    a) los esclavos celebraban el Carnaval independientemente de sus amos.
    b) en el Carnaval de Buenos Aires muchos se transformaban por unos días en lo contrario de lo que eran.
    c) el Carnaval porteño es un escándalo.

27. En el audio escuchamos que…
    a) en Europa los Carnavales son tan antiguos como en América.
    b) los conquistadores exportaron a Argentina el Carnaval.
    c) los descubridores consideraban el Carnaval porteño como algo subversivo.

28. En la audición nos cuentan que…
    a) antes del siglo xix existía la costumbre de tirarse perfume durante el Carnaval.
    b) después del siglo xix se arrojaban frascos Cradwell unos a otros.
    c) antiguamente, en los carnavales porteños se tiraban agua unos a otros.

29. En este audio dicen que…
    a) en los años 70 del siglo pasado, el lunes y el martes de Carnaval dejaron de considerarse festivos.
    b) al empezar el siglo xix cada barrio tenía su murga.
    c) Los Averiados de Palermo fueron unos compositores muy importantes en los años 30.

30. El hombre explica que…
    a) hay muchos artistas que con sus obras hacen más populares los carnavales porteños.
    b) la dictadura permitió los Carnavales hasta 1983.
    c) la participación y la creación colectiva no pueden eliminar el discurso anticarnavalero.

Anote el tiempo que ha tardado:

Recuerde que solo dispone de **40 minutos**

Expresión e interacción escritas

80 min

Tiempo disponible
para las 2 tareas.

TAREA 1

(Ver características y consejos, p. 261)

Usted ha estudiado Administración de Empresas y le gustaría trabajar en algún organismo oficial. Ha escuchado en la radio, en un programa de ofertas de empleo, que hay una plaza para trabajar en el ayuntamiento de la ciudad en la que vive. Escriba una carta donde solicite dicho empleo. En ella debe:

- presentarse;
- explicar dónde ha obtenido la información sobre el puesto de trabajo;
- explicar el motivo de la carta;
- explicar sus méritos y por qué cree que merece el trabajo.

Número de palabras: entre 150 y 180.

CD II
Pista 34

Va a escuchar una noticia relacionada con **la convocatoria de un concurso de méritos para obtener un trabajo en el Ayuntamiento de su ciudad.**

Carta de presentación

CARTA DE PRESENTACIÓN	
CARTA DE PRESENTACIÓN Suele ir acompañada de un currículum. No debe enviar copias de cartas, sino originales. Hay que considerar a cada empresa como «única». Tiene que mostrar interés por cada empresa a la que se dirija.	• No debe ser demasiado extensa (una página). • Hay que usar un lenguaje claro y conciso. • Los párrafos deben ser cortos. • Mejor si se usa papel de buena calidad. • Se debe firmar la carta al final. • No se debe escribir a mano.

MODELO DE CARTA DE PRESENTACIÓN

DATOS DE LA PERSONA QUE ESCRIBE

Marisa López Marina
C/ Torrelaguna, 43 3ª
28041 Madrid
620421199

DESTINATARIO

Dña. Esperanza Aguado
Gerente de Recursos Humanos
ABRACADABRA publicidad
28017- MADRID

LUGAR Y FECHA

Madrid, 21 de febrero de (año)

LUGAR DE REFERENCIA DEL TRABAJO

ENCABEZAMIENTO SALUDOS FORMALES
- Muy señor mío:
- Señores.:
- Sr. Director de…:
- Sr. /Sra. X:
- Estimado/a Sr./Sra.

Estimada señora Aguado:

Me dirijo a usted en respuesta al anuncio aparecido el día 17 del presente mes en el diario *ABC*, donde indican la existencia de una vacante para el puesto de contable.

MOTIVO DE LA CARTA

En ese sentido, le adjunto mi currículum vítae, en el que podrá comprobar que me licencié en contabilidad, economía y derecho en la Universidad Complutense de Madrid. Durante los cinco años siguientes llevé el departamento de contabilidad de la empresa de Suministros Aldex en Toledo.

EXPLICACIÓN BREVE DE NUESTRA EXPERIENCIA Y/O FORMACIÓN

Tengo capacidad para planificar y organizar los plazos límite, comunicarme en diferentes niveles, delegar trabajo y usar la imaginación para solucionar los problemas de forma creativa.

Soy una trabajadora muy minuciosa y desearía seguir mi carrera laboral en un lugar como su empresa. Por ello, me agradaría poder comentar con usted mi solicitud de forma más detallada.

AGRADECIMIENTO Y PETICIÓN DE POSTERIOR INFORMACIÓN
- En espera de recibir noticias suyas…
- Agradezco la atención prestada…
- Sin otro particular y a la espera de una respuesta favorable…

En espera de recibir noticias suyas, atentamente,

DESPEDIDAS FORMALES
- Atentamente,
- Cordialmente,

Marisa López Marina

FIRMA

TAREA 2

(Ver características y consejos, p. 262)

Elija solo una de las dos opciones que se le ofrecen a continuación:

OPCIÓN A

Usted colabora con un periódico de su distrito y le han pedido que escriba un artículo de actualidad sobre la confianza que tienen los europeos en sus instituciones. En él debe incluir y analizar la información que se ofrece en el siguiente gráfico.
Número de palabras: entre 150 y 180.

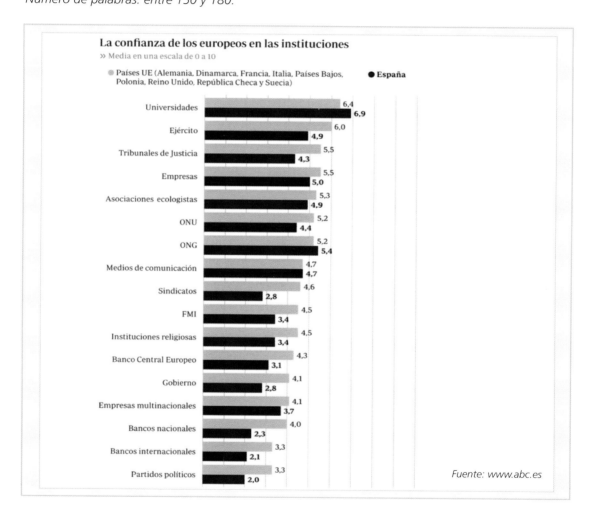

Redacte un texto en el que deberá:
- introducir el tema del estudio y señalar su importancia social y política en el momento actual;
- resaltar los datos que considere más relevantes;
- comparar y valorar las diferencias más apreciables entre los europeos y los españoles;
- expresar su opinión sobre la información recogida en el gráfico;
- recoger en una conclusión los aspectos en los que se podría mejorar y las medidas que se deberían tomar para ello.

OPCIÓN B

Usted leyó ayer la siguiente noticia sobre la condena a un grupo de delincuentes que robaban en viviendas. Debe escribir una entrada en un blog en la que cuente su experiencia como víctima o testigo de un caso similar y donde exprese su opinión al respecto.
Número de palabras: entre 150 y 180.

Condenado a prisión un grupo criminal dedicado al robo en chalés

La Audiencia Provincial de Valencia ha condenado a penas de entre seis y seis años y medio de prisión a los cuatro miembros de un grupo criminal dedicado a robar en chalés en la región valenciana, que además traficaba con objetos procedentes de robos realizados por otras personas. La sentencia señala que los procesados realizaban vigilancias y seguimientos de las viviendas y sus moradores a distintas horas para proceder después al robo.

Los hechos se remontan a agosto de 2011, cuando tuvo lugar el primer robo en una casa a la que accedieron trepando por la terraza interior y a través de un ventanal del comedor. En este caso, los autores se llevaron numerosas joyas, relojes de alta gama y objetos informáticos, tasados en conjunto en 20 059 euros.

Una operación policial permitió la detención de los cuatro sospechosos, que habían sido vigilados por la Policía, y en los dos registros domiciliarios practicados se encontraron numerosos efectos que las víctimas reconocieron como propios.

Además, los condenados deberán indemnizar a una de las víctimas con 10 683 euros por los bienes sustraídos y 940 euros por los daños causados en su vivienda.

Adaptado de www.elmundo.es

Redacte un texto para publicarlo en un blog en el que deberá:
- hacer una pequeña introducción sobre el problema de la seguridad ciudadana;
- contar un robo similar al de la noticia conocido por usted, especificando el lugar, el día, la hora, las circunstancias, los objetos robados…;
- describir a los ladrones y precisar la situación judicial en la que se encuentran actualmente;
- enumerar algunas medidas que se podrían tomar para evitar este tipo de delitos.

Anote el tiempo que ha tardado:

Recuerde que solo dispone de **80 minutos**

Expresión e interacción orales

20 min Tiempo disponible para las 3 tareas.

20 min Tiempo disponible para la preparación de la intervención oral.

TAREA 1

(Ver características y consejos, p. 266)

Debe hablar durante 3 o 4 minutos de las ventajas e inconvenientes de una serie de soluciones que se proponen para un determinado problema. Después, conversará con el entrevistador sobre el tema. Tiempo total, 6-7 minutos.

LOS PROBLEMAS
DE LOS DERECHOS HUMANOS

Desde que en la Organización de las Naciones Unidas (ONU) se aprobó la Declaración Universal de Derechos Humanos en 1948, en el mundo se han dado muchos pasos positivos en este sentido. Sin embargo, todavía queda mucho camino que recorrer para conseguir la igualdad, la justicia y la paz de toda la familia humana.

Expertos en Derechos Humanos se han reunido para denunciar los principales problemas y discutir algunas medidas que ayuden a remediarlos.

Lea las propuestas recogidas y explique las ventajas e inconvenientes de, como mínimo, cuatro de ellas.

Después de su monólogo conversará con el entrevistador sobre el tema y las propuestas.

En su exposición debe especificar por qué le parece una buena o mala solución esa propuesta, qué inconvenientes puede tener, a quién beneficia y a quién perjudica; si puede ocasionar otros problemas o si habría que precisar algo más…

Expresión e interacción orales

> Se deberían tomar medidas para asegurar el derecho a la vida, a la igualdad y a la libertad de todos los seres humanos independientemente de su origen, sexo, religión...

> Es prioritario que los poderes públicos garanticen los derechos básicos de alimentación, vestido, vivienda, asistencia médica y social, etc., para que todas las personas puedan llevar una vida digna.

> Sería conveniente establecer leyes internacionales que persigan con firmeza los casos de tortura, tratos crueles y degradantes y que impidan que casos como estos queden impunes.

> Habría que facilitar el derecho a circular libremente, a elegir la residencia en el territorio de un Estado y a tener una nacionalidad. Los países más ricos deberían mostrar más solidaridad al respecto con los más pobres.

> Yo crearía leyes para que los gobiernos y organismos competentes garanticen el derecho al trabajo, a un salario digno y a la protección social en caso de desempleo.

> Yo creo que habría que dejar que las cosas se solucionen por sí mismas. Todavía hay muchos países poco desarrollados. A medida que vayan progresando, irán mejorando los derechos humanos de sus habitantes.

EXPOSICIÓN

Ejemplo: *Yo estoy de acuerdo con la propuesta de establecer leyes internacionales que persigan la tortura porque...*

CONVERSACIÓN

Cuando el candidato termine su monólogo sobre las propuestas de la lámina (3 o 4 minutos), el entrevistador le hará algunas preguntas sobre el tema durante otros 3 minutos.
La duración total de esta tarea es de 6 a 7 minutos.

EJEMPLO DE PREGUNTAS DEL ENTREVISTADOR

Sobre las propuestas

- ¿Está de acuerdo con todas las propuestas? ¿Eliminaría o añadiría alguna?

Sobre su realidad

- ¿Cree que en general se respetan los derechos humanos en el mundo? Explique su respuesta.

Sobre sus opiniones

- ¿Cree que hay derechos humanos que son más fáciles o más difíciles de alcanzar que otros? ¿Quién cree que debe encargarse de hacer cumplir estos derechos: los organismos internacionales, los gobiernos de cada país o asociaciones y ONG? ¿Cree que, en general, se está avanzando o retrocediendo en este tema? ¿Qué medidas tomaría al respecto si fuese político?

TAREA 2

(Ver características y consejos, p. 269)

Usted debe imaginar la situación que se está produciendo en la fotografía y, a continuación, tiene que describirla durante 2 minutos aproximadamente, a partir de unas preguntas que se le ofrecen. Puede haber más de una respuesta.
Después, hablará con el entrevistador y expresará sus opiniones sobre ese tema.

UNA PROTESTA CIUDADANA
Las personas que aparecen en esta fotografía están asistiendo a una manifestación en la calle. Imagine la situación y hable sobre ella durante 2 minutos aproximadamente. Para ello puede centrarse en los siguientes aspectos:
- ¿Dónde cree que se encuentran estas personas? ¿Por qué piensa eso?
- ¿Cree que existe alguna relación entre ellas? ¿Por qué?
- Seleccione dos o tres personas de la fotografía e imagine cómo son, dónde viven, a qué se dedican…
- ¿Puede explicar, a partir de los gestos y movimientos, qué está sucediendo en ese momento?
- ¿Cómo cree que va a continuar la escena? ¿Cree que les va a pasar algo a las personas que están en primer término en la foto?

Después de la descripción, el entrevistador le hará algunas preguntas sobre el tema hasta completar el tiempo total de esta prueba, que es de 5-6 minutos.

EJEMPLOS DE PREGUNTAS DEL ENTREVISTADOR
- ¿Ha asistido o ha visto de cerca alguna vez una situación como la de la foto? En caso afirmativo, ¿puede contar dónde fue, cuál era el motivo de la manifestación, qué pasó…?
- ¿Cree que las manifestaciones de los ciudadanos ayudan a resolver los problemas? ¿Puede dar alguna opinión a favor y en contra de ellas?

TAREA 3

(Ver características y consejos, p. 270)

Usted tiene que dar su opinión a partir de unos datos, de noticias, encuestas, etc., que se le ofrecen (2-3 minutos). Después, debe conversar con el entrevistador sobre esos datos, expresando su opinión al respecto.
Esta tarea no se prepara previamente.

TEMAS SOCIALES Y POLÍTICOS

Aquí tiene algunas imágenes relacionadas con la vida social, política y religiosa. Relacione cada imagen con su realidad correspondiente (por ejemplo, la imagen 1 representa el derecho de manifestación) y después seleccione dos o tres imágenes para expresar su opinión al respecto:

- ¿Por qué ha elegido esas imágenes? ¿Qué le llama la atención sobre ellas?
- ¿Puede explicar su respuesta?
- En su caso, ¿cuál de estos temas representados le parece más relevante en la actualidad?
- ¿Cómo ve el futuro de todas estas cuestiones?

examen 7

VIAJES, TRANSPORTES, GEOGRAFÍA Y MEDIO AMBIENTE

Curso completo

▶ **Léxico** ——————
▶ **Gramática**
▶ **Funciones**

{ Viajes
{ Transportes
{ Geografía y Medio ambiente

Modelo de examen 7

VIAJES Y VACACIONES

Albergue (el) ....
Bandera de la playa (la) ....
Cama supletoria (la) ....
Cubo (el) ....
Flotador (el) ....
Itinerario (el) ....
Pala (la) ....
Parador (el) ....
Puesto de socorro (el) ....
Ruta (la) ....
Viaje de novios (el) ....

Verbos y expresiones

Acampar ....
Alojarse ....
Dar la vuelta al mundo ....
Dar(se) un baño ....
Escalar ....
Extraviar el equipaje ....
Jugar a las palas ....
Poner una reclamación ....
Recorrer ....
Tener vistas (a) ....

TRANSPORTES

Autovía (la) ....
Bache (el) ....
Carretera (la) ....
Chaleco (el) ....
Compartimento (el) ....
Cruce (el) ....
Curva (la) ....
Grúa (la) ....
Pasajero (el) ....
Peatón (el) ....
Rotonda (la) ....
Rueda de repuesto (la) ....
Seguro (el) ....
Taller (el) ....
Trayecto (el) ....
Vagón (el) ....
Ceda el paso (el) ....

Verbos y expresiones

Acelerar ....
Adelantar ....
Cancelar un vuelo ....
Chocar contra algo ....
Dar la vuelta ....
Facturar ....
Frenar ....
Hacer un crucero ....

TRANSPORTES (continúa)

Llevar la voz cantante ....
No pegar ojo ....
Pinchar(se) una rueda ....
Poner una multa ....
Sacar(se) el carné de conducir ....
Salir(se) de la carretera ....

GEOGRAFÍA Y NATURALEZA

Alga (el) ....
Arbusto (el) ....
Cometa (el) ....
Laguna (la) ....
Luna llena (la) ....
Orilla (la) ~ del río/del mar ....
Paisaje árido (el) ....
Relámpago (el) ....
Temporal (el) ....
Trueno (el) ....

Verbos y expresiones

Caer un chaparrón ....
Granizar ....
Helar ....
Ponerse (el sol) ....
Salir (el sol) ....
Soplar (el viento) ....

EL MEDIO AMBIENTE

Ahorro energético (el) ....
Calentamiento global (el) ....
Cambio climático (el) ....
Catástrofe natural (la) ....
Contaminación del agua (la) ....
Desarrollo sostenible (el) ....
Desertización (la) ....
Ecosistema (el) ....
Efecto invernadero (el) ....
Glaciar (el) ....
Impacto medioambiental (el) ....
Inundación (la) ....
Marea negra (la) ....
Maremoto (el) ....
Nivel del mar (el) ....
Placas fotovoltaicas (las) ....
Residuos (los) ....
Sequía (la) ....
Sobrepesca (la) ....

Verbos y expresiones

Extinguir(se) ....
Incendiar(se) ....
Preservar el medio ambiente ....
Talar un árbol ....

1 Jack y Jenny van a viajar una semana por España en verano y están haciendo el equipaje. No saben si llevar maleta, mochila o bolsa de viaje. ¿Qué les recomiendas? Ayúdales a completar la lista.

DOCUMENTACIÓN   ROPA
- PASAPORTE   - ....
- ....   - ....
OTROS   - ....
- GUÍAS   - ....
- ....   - ....
- ....   - ....

2 ¿Alguna vez te ha ocurrido alguno de estos percances en tus viajes? Escribe dos experiencias.

PARA AYUDARTE

- Que te hayan registrado el equipaje
- Perder o extraviarse las maletas
- Tener exceso de equipaje
- No llevar la documentación
- Tener que pagar por facturar en el aeropuerto
- Tener que cambiar o anular el billete
- Perder el tren, el vuelo…
- Tener que cancelar el viaje

Una vez me registraron la maleta y…

3 ¿Qué tipos de viaje suelen hacer estas personas? Relaciona las columnas.
En tu opinión, ¿a qué lugares suelen ir?

a. Una pareja de recién casados
b. Un grupo de amigas jóvenes
c. Un grupo de jóvenes de unos 20 años
d. Un grupo de estudiantes con su profesor
e. El ministro de Exteriores de un país
f. Un matrimonio de 50 a 60 años amante de la naturaleza
g. Una familia con niños pequeños
h. Una persona sola

1. Un crucero
2. Un safari
3. Un viaje de estudios
4. Un viaje de aventura
5. Un viaje de turismo rural
6. Un viaje solidario
7. Un viaje de novios
8. Un viaje oficial

4 Escribe el nombre de cada tipo de alojamiento después de su definición y relaciónalo con su fotografía. Luego, piensa quién puede alojarse en cada uno de ellos y en qué circunstancias: edad, situación económica, objetivo del viaje, etc.

El hostal   •   El albergue   •   La tienda de campaña   •   El bungaló   •   El parador   •   La pensión

a. Alojamiento portátil al aire libre que se puede montar y desmontar: ....

b. Establecimiento de categoría inferior a un hotel: ....

c. Alojamiento barato donde se suelen alojar jóvenes y que ofrece habitaciones compartidas con literas: ....

d. Casa pequeña de una planta en un lugar de vacaciones: ....

e. Alojamiento similar a un hostal, pero que ofrece menos servicios: ....

f. Hotel de alta categoría que depende de organismos oficiales. Pueden ser antiguos castillos, etc.: ....

1. ....   2. ....   3. ....   4. ....   5. ....   6. ....

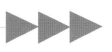

5 Relaciona el nombre de estos objetos con su foto. ¿Con qué tipo de viaje o alojamiento están relacionados?

a. La colchoneta   b. La nevera portátil   c. El saco de dormir   d. La cama supletoria

1. ....   2. ....   3. ....   4. ....

6 Escribe dos pequeñas historias con estas palabras.

1
- Alojarse en
- Vestíbulo
- Registrarse en
- Tener vistas a
- Cama supletoria
- Pedir la hoja de reclamaciones
- Dar a

2
- Hacer una acampada
- Acampar
- Montar la tienda
- Desmontar la tienda
- Alquilar la colchoneta

7 Escribe cada palabra debajo de su foto correspondiente. ¿Has practicado alguna de estas actividades? ¿Es lo mismo el montañismo y la escalada?

a. El senderismo   b. La escalada   c. El descenso de barrancos   d. El montañismo

1. ....   2. ....   3. ....   4. ....

8 Si tuvieras tiempo y dinero, ¿qué tipo de viaje montarías? Usa el máximo vocabulario posible de viajes.

Si tuviera tiempo y dinero, iría a...

PARA AYUDARTE
- Montar, organizar un viaje
- Pasar el verano
- Recorrer un país
- Dar la vuelta al mundo
- Cruzar el océano

a. Lugar: *ruta, trayecto, itinerario,* ....
b. Medio de transporte: *en avión, a pie,* ....
c. Tipo de alojamiento: ....
d. Duración: *una semana,* ....
e. Acompañantes: ....
f. Actividades: ....

9 Escribe estas palabras debajo de su imagen.

a. Las palas   b. El cubo   c. El rastrillo   d. El flotador   e. La pala

1. ....   2. ....   3. ....   4. ....   5. ....

10 Responde a estas preguntas con la ayuda del léxico relacionado con la playa.

a. ¿Qué sueles llevar en la bolsa de la playa?
b. ¿Qué actividades suelen hacer allí los niños, los jóvenes y los adultos?
c. ¿De qué color tiene que estar la bandera para podernos bañar?
d. ¿Cómo te gusta que esté el agua para bañarte?
e. ¿Adónde tenemos que ir si nos quemamos o si nos pica algún bicho?
f. ¿Cómo tiene que estar el agua para bucear bien?

PARA AYUDARTE

- El puesto de socorro • La bandera verde, amarilla, roja • El paseo marítimo • La arena • Las olas • Jugar a las palas • Jugar al voleibol • Jugar en la orilla • Hacer castillos de arena • Ir de pesca • Bucear • Darse un baño, bañarse • Quemarse la espalda • Estar el agua buena, fría, caliente • Estar el agua limpia, sucia, transparente

11 Describe esta imagen de la playa usando todo el vocabulario que puedas de esta sección.

A la izquierda hay una señora debajo de una sombrilla.

12 Observa, relaciona la palabra con su letra y explica cada accidente geográfico. Busca en el diccionario las que no están representadas.

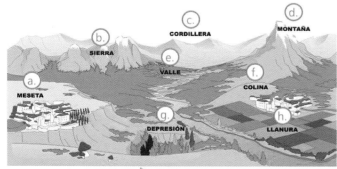

1. El acantilado ....
2. El cabo ....
3. El golfo ....
4. El estrecho ....
5. La bahía ....
6. La laguna ....
7. La cascada ....
8. La cordillera ....
9. La llanura ....
10. El monte o la montaña ....
11. La colina ....
12. El valle ....
13. La meseta ....
14. El archipiélago ....

Identifica el tipo de paisaje de estas fotos. Describe sus características y di cuál te gusta más y por qué.

a. De montaña   b. Urbano   c. Tropical   d. Volcánico   e. Desértico   f. Rocoso

1. ....   2. ....   3. ....   4. ....   5. ....   6. ....

Relaciona las columnas para hablar del tiempo.

a. El chaparrón
b. El parte meteorológico
c. El trueno
d. El relámpago
e. El anticiclón
f. El granizo
g. La borrasca

1. Tormenta, temporal fuerte.
2. Ruido fuerte producido en una tormenta.
3. Agua congelada que cae en granos, no en copos.
4. Lluvia fuerte e intensa.
5. Resplandor o luz muy rápida producida por un rayo.
6. Información sobre el tiempo que va a hacer.
7. Fenómeno atmosférico que suele traer buen tiempo.

A. En estas series sobre el clima hay un intruso: localízalo, explica por qué y colócalo en su serie correcta.

1. Templado, desértico, suave.
2. Inestable, variable, cálido.
3. Cambiante, mediterráneo, continental.
4. Veraniego, primaveral, caluroso.

B. Describe con tres adjetivos.

a. El tiempo en invierno en Europa: b. La temperatura en otoño en tu país: c. El clima en julio en España:

A. Escribe el verbo de los siguientes sustantivos.

Granizo: ...granizar...........   Helada: ....   Nieve: ....   Lluvia: ....

B. Relaciona las columnas para formar expresiones. Después, utilízalas para describir el tiempo que hace normalmente en tu país.

En mi país, en primavera, normalmente...

Despejado   Nuboso   Cubierto   Lluvia

a. Soplar   1. un día estupendo, un día horrible.
b. Hacer   2. una nevada, helada o tormenta.
c. Estar   3. el viento.
d. Caer   4. una ola de frío, de calor.
e. Haber   5. nublado, despejado.

Llovizna   Chubasco   Tormenta   Nieve

Elige la palabra adecuada para completar estas expresiones y locuciones y explícalas.

sol • relámpago • perros • hacer • tiempo • marcha • aires • nubes

a. Estoy muy cansado, creo que me va a venir bien cambiar de ....
b. Venga, ya es la hora de ponernos en .... y empezar nuestro proyecto.
c. Me voy corriendo a casa porque hace un tiempo de ....
d. Estoy cansada de estar todo el día trabajando de sol a ....
e. Para beber quería agua del ....
f. No sé qué te pasa estos días, Pablo, que estás en las .... todo el rato.
g. Tengo que hacer un viaje .... a Sevilla para arreglar unos asuntos.
h. Hemos llegado demasiado pronto, vamos a tener que .... tiempo.

1 Escribe estas palabras junto a su definición.

el paso de cebra • el carril bici • el túnel • pasar la aduana • haber (un) embotellamiento
interurbano • la vía • el semáforo • cruzar la frontera

a. Tipo de autobús que va de una ciudad a otra: ....

b. Pasar el límite entre dos países: ....

c. Pasar el control que hay para entrar en otro país: ....

d. Calzada por donde circulan los coches: ....

e. Aparato con luces para controlar el paso de peatones: ....

f. Otro nombre que recibe el paso de peatones: ....

g. Paso subterráneo para comunicar un lugar con otro: ....

h. Haber (un) atasco: ....

i. Vía por donde circulan los ciclistas: ....

2 Estas definiciones se han desordenado: coloca las palabras marcadas en su lugar adecuado.

a. Para cambiar de línea en el metro hay que hacer un *asiento*. ....Transbordo............

b. La Red Nacional de Ferrocarriles Españoles se llama *el andén*. ....

c. La persona que viaja en un medio de transporte es *el compartimento*. ....

d. Cada una de las partes de que se compone un tren es *RENFE*. ....

e. El lugar donde se espera a un tren o al metro es *el vagón*. ....

f. Cada una de las partes en que se divide un vagón es *el pasajero*. ....

g. El lugar donde nos sentamos en un medio de transporte es *el transbordo*. ....

3 Escribe el nombre correcto debajo de las imágenes. ¿Para qué se usan estos barcos?

a. El barco de vela/velero   b. El *ferry*/transbordador   c. La barca   d. El pesquero   e. La piragua

1. ....   2. ....   3. ....   4. ....   5. ....

4 Escribe una pequeña historia en la que uses todas estas palabras.

la tripulación • el pasajero • embarcar • desembarcar • hacer un crucero • marítimo

5 Completa este texto con estas palabras. Los verbos deben ir en el tiempo adecuado.

aterrizar • despegar • azafata • escala • asientos • sacar • retraso • cancelar

El año pasado fui a Noruega con mi familia en avión. a. _____ los billetes por Internet y nos salió muy barato, pero cuando llegamos al aeropuerto nos dijeron que el vuelo tenía un b. _____ de dos horas. Después de esperar casi tres horas nos dijeron que el vuelo se c. _____ y que la única posibilidad de ir a Oslo era en un avión que hacía d. _____ en Amsterdam. No tuvimos más remedio que cogerlo, pero fue incómodo porque los e. _____ que nos tocaron estaban separados. Estuvimos media hora esperando en la pista para f. _____ porque había niebla y durante el trayecto hubo muchas turbulencias, por lo que la g. _____ tuvo que estar tranquilizando a muchos pasajeros que se pusieron nerviosos. Al final h. _____ sin más contratiempos y pasamos unas estupendas vacaciones.

6 Responde a estas preguntas.

¿Te gusta más que el asiento del avión tenga ventanilla o prefieres que dé al pasillo?

¿Prefieres viajar en un vuelo chárter (más barato) o en un vuelo regular?

¿Qué es más cómodo para viajar entre dos ciudades: el puente aéreo (sistema de vuelos frecuentes entre dos localidades) o el AVE (tren de alta velocidad)?

¿Has tenido algún percance o experiencia en tus viajes en avión? Cuéntalo.

7 ¿Alguna vez has montado en… o has hecho…? En caso afirmativo cuenta tu experiencia. Y si no lo has hecho, ¿te gustaría probar alguno de ellos?

Yo una vez me monté en helicóptero y…

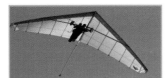

| El parapente | El ala delta | El helicóptero | El globo |

8 Lee esta información de la DGT (Dirección General de Tráfico) sobre estas medidas de seguridad obligatorias en España y compáralas con las de tu país.

El casco   El cinturón de seguridad   El chaleco   La silla homologada

> ### EL CINTURÓN DE SEGURIDAD
> Según la Organización Mundial de la Salud, el cinturón de seguridad es uno de los inventos que más vidas ha salvado. En España son obligatorios desde 1974 y en zona urbana desde 1992.
> ### EL CASCO
> El casco de protección, homologado, es obligatorio para conductores y ocupantes de motos. Así mismo, es obligatorio para bicicletas, si circulan por vías interurbanas.

9 Identifica estas partes de un coche.

a. La matrícula   b. El maletero   c. Los faros   d. El parabrisas   e. Las ruedas

1.

2.

3.

4.

5.

10 Observa los nombres y los colores de los diferentes tipos de carreteras en España y di si estas informaciones son verdaderas o falsas.

Autovía   Carretera: autonómica o secundaria

Autopista de peaje   Carretera: nacional o de interés general del Estado

☐ a. En las autovías hay que pagar peaje.

☐ b. Las autopistas tienen doble carril en cada sentido.

☐ c. Las autovías tienen un solo carril en cada sentido.

☐ d. Las carreteras nacionales ahora se llaman *carreteras de interés general del Estado*.

☐ e. La señal de las carreteras nacionales es de color verde y blanco.

11 Escribe el nombre de estas señales de tráfico que indican distintas normas de circulación.

a. Prohibido aparcar
b. Área de descanso
c. Cruce
d. Baches
e. Ceda el paso
f. Peligro rotonda
g. Curvas
h. Prohibido girar a la izquierda

1. ....   2. ....   3. ....   4. ....

5. ....   6. ....   7. ....   8. ....

12 Lee la información sobre el carné por puntos y las infracciones de tráfico. Después, responde a las preguntas.

Es un sistema creado en España por la DGT (Dirección General de Tráfico) para evitar accidentes. Todos los conductores empiezan con 8 puntos que pueden aumentar a 12 y 15 para los buenos conductores o disminuir hasta perder el carné para los que no cumplen las normas de tráfico.

ASIGNACIÓN INICIAL DE PUNTOS

8   12   15

De 8 puntos pasa a 12 si en dos años no se pierden y de 12 a 15 si en tres años no se pierden tampoco.

INFRACCIONES QUE MÁS PUNTOS HAN QUITADO EN ESTOS SEIS AÑOS

Desde que se implantó el permiso por puntos, las principales infracciones que han motivado la pérdida de puntos han sido:

Exceso de Velocidad 42%   No llevar puesto el cinturón 13%   Uso del teléfono móvil 9%   Consumo de Alcohol 9%

EN TU PAÍS...   - ¿Existe el carné por puntos? ¿Qué te parece este sistema?
     - ¿Cómo se saca el carné de conducir?
     - ¿Cuáles son las principales infracciones de tráfico? ¿Cómo podrían evitarse?

13 Relaciona cada definición con su verbo correspondiente y escribe una frase con cuatro de ellos.

a. Aparcar
b. Parar
c. Girar
d. Arrancar
e. Acelerar
f. Frenar
g. Adelantar
h. Poner el intermitente
i. Tocar el claxon

1. Avisar de un peligro usando un mecanismo del coche que emite un sonido fuerte.
2. Pasar a un coche que va más despacio.
3. Cambiar la dirección por la que se circula hacia la derecha o la izquierda.
4. Poner el coche a más velocidad.
5. Estacionar el coche en un lugar permitido.
6. Frenar por completo.
7. Poner el motor del coche en marcha.
8. Disminuir la velocidad.
9. Señalar con las luces que vamos a girar o a adelantar.

4 **Lee esta información y contesta a las preguntas.**

Una vez iba conduciendo tranquilamente y tuve un pinchazo en una rueda delantera. Reduje la velocidad como pude, frené bruscamente y paré a un lado. Afortunadamente no me pasó nada, pero el susto todavía lo tengo metido en el cuerpo. Llevaba la rueda de repuesto en el maletero, pero no sabía cambiarla, así que llamé al seguro. Al cabo de media hora llegó una grúa y llevó el coche a un taller que había en un pueblo cercano. Allí me lo arreglaron y me dijeron que me daban tres meses de garantía por la reparación. Después de este incidente pude seguir mi viaje con normalidad.

a. ¿Qué le pasó al conductor del coche mientras conducía?
b. ¿En qué parte del coche se produjo la avería?
c. ¿Qué hizo cuando le ocurrió?
d. ¿Por qué no pudo arreglar el coche?
e. ¿Cómo se llevaron el coche al taller?

5 **¿Alguna vez te han ocurrido estas cosas? Busca las palabras nuevas e intercambia la información con tus compañeros.**

a. Has perdido el control del coche.
b. Se te ha pinchado una rueda.
c. Te has quedado sin gasolina.
d. Te has quedado sin frenos.
e. Te has salido de la carretera.
f. Has chocado contra algo.
g. Te has dado un golpe contra otro coche.
h. Te has saltado un ceda el paso.
i. Has recibido una multa por exceso de velocidad.
j. Has visto algún accidente.
k. Has aparcado en zona verde o azul sin pagar.

6 **Relaciona los ejemplos con las definiciones de las expresiones marcadas.**

a. Entramos en el vagón, pero salimos de allí a todo correr.
b. Llegamos del viaje a altas horas de la madrugada.
c. En el crucero nos divertimos a tope.
d. De repente se cruzó un niño y tuve que frenar en seco.
e. En algunos vuelos la gente viaja como sardinas en lata.
f. Como me lo vuelvas a hacer, te voy a mandar a la porra.
g. Tenemos comida para parar un tren.
h. Tu amigo Antonio está como un tren.
i. Tu vecino vive a todo tren y no trabaja. ¿Cómo lo hace?
j. ¿Estás seguro? Luego no puedes dar marcha atrás.

1. En exceso, en abundancia.
2. De golpe, bruscamente.
3. Arrepentirte, volver atrás.
4. No querer escuchar más lo que dice otra persona.
5. Muy apretada, con muy poco espacio.
6. Es muy atractivo.
7. Con gran lujo y comodidad.
8. Muy tarde, casi al amanecer.
9. A toda velocidad, muy rápido.
10. Al máximo, todo lo que pudimos.

7 **Completa estas frases con las expresiones adecuadas del ejercicio anterior.**

a. Por las mañanas vamos en el metro .... Deberían poner más trenes.
b. Esta tarde, cuando salía del garaje, un niño se ha cruzado delante del coche y he tenido que ....
c. Hoy me he levantado .... para coger un vuelo a París. Estoy agotada.
d. En el bufé del crucero había comida y bebida .... Y todo estaba riquísimo.
e. Ana y Javier siempre viajan .... ¡Les encanta el lujo!
f. Piensa si quieres o no contratar un seguro de viaje, luego no puedes .... si pasa algo.
g. Cuando aterricemos, tenemos que salir .... para no perder el siguiente vuelo.
h. ¿Te has fijado en lo guapo que es el piloto? Míralo bien, ...
i. Estoy muy enfadado contigo, así que te voy a .... como sigas molestándome.
j. El fin de semana pasado estuvimos en Ibiza y disfrutamos .... de la playa y de las discotecas.

1 Escribe estas palabras debajo de su imagen.

| a. La puesta de sol | b. La constelación | c. El eclipse | d. La luna llena | e. El cohete |

1. ....
2. ....
3. ....
4. ....
5. ....

2 Completa estas palabras con las letras que faltan y contesta a las preguntas.

a. Lo contrario de la *luna nueva* es la luna L _ _ _ A.
b. La Osa Mayor y la Osa Menor son dos tipos de _ON_TE_A_I_NES.
c. Lo contrario de *salir* el sol es _O_ _ R _ E.
d. El estudio de la influencia de los astros en las personas es la AS_ _O_O _ ÍA.
e. El artefacto que se mueve por el espacio es el C _ H _ TE.
f. La acción de enviar al espacio una nave es el LAN _ AM_ _ _TO ESP_CIAL.

¿CREES EN…

- la astrología?
- los signos del zodíaco: Capricornio, Leo, Cáncer…?
- la influencia de la luna y las mareas en las personas?
- la vida extraterrestre?

3 Escribe dos frases con estas palabras.

| la astronomía • la galaxia • el cometa • Saturno • Mercurio • Venus |
| el astronauta • girar un planeta • brillar • apagarse una estrella |

a. ....
b. ....

4 Observa el gráfico, selecciona tres problemas demográficos que consideras graves y piensa alguna solución para ellos. ¿En qué zonas del planeta piensas que habrá más problemas: América, Europa, Extremo Oriente, Oriente Medio…?

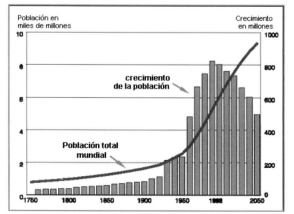

PROBLEMAS DEMOGRÁFICOS EN EL FUTURO

a. El aumento o la disminución de la población.
b. El elevado o escaso índice de natalidad y de mortalidad.
c. La superpoblación de algunas zonas del planeta.
d. La escasa densidad (habitantes por metro cuadrado) de población en algunas áreas.
e. El exceso de población urbana, joven, adulta…
f. La disminución de la población rural.
g. El aumento de la emigración y de la inmigración.

Escribe el nombre de cada palabra debajo de su imagen.

a. El pétalo b. El polen c. La semilla d. El alga e. La seta f. El arbusto

1. .... 2. .... 3. .... 4. .... 5. .... 6. ....

Relaciona cada definición con su imagen.

a. El jarrón es un recipiente de vidrio o cerámica decorado.
b. El florero es un recipiente para poner flores.
c. La maceta es un objeto para poner una planta.
d. La jardinera es una maceta para varias plantas.

Busca en el diccionario las palabras nuevas y contesta a las preguntas.

- ¿Qué tipo de plantas y flores plantarías en un jardín: carnívora, trepadora, acuática, silvestre, venenosa?
- ¿Qué elegirías para decorar tu casa: flores naturales, artificiales, secas, silvestres, exóticas…?
- ¿Qué pondrías para decorar un local para una fiesta: un ramillete, un centro de flores, una corona, una guirnalda de flores?
- ¿Qué le regalarías a tu madre el Día de la Madre: una planta, un centro, un ramo, un ramillete?

Lee estos consejos y completa la información con estas palabras para cultivar un huerto urbano.

transplantan • semilla • regar • hayan brotado • sembrar • cosecha • cultivar • ecológica • crecer

Huerto urbano

El principio básico de todo huerto urbano es que cada hueco, cada centímetro cuadrado es útil: balcones, terrazas, porches, jardines, patios…

a. _____ un huerto urbano promueve el consumo responsable, la agricultura b. _____ y la sensibilización ambiental. Las plantas necesitan la luz del sol para c. _____, por lo que cuanta más luz tengamos mejor.

También es importante tener un grifo cerca de nuestro huerto para d. _____. Existen dos métodos para e. _____: uno es la siembra directa de la f. _____ en la tierra y la otra es sembrar las semillas en semillero y cuando g. _____, se h. _____. Cuando los frutos estén maduros, podemos recoger nuestra propia i. _____.

Busca en la lista los siguientes animales y responde a las preguntas.

a. Un animal que ayuda al hombre en su trabajo.
b. Un ave que es típica de la primavera.
c. Un animal marino que puede ser peligroso.
d. Un reptil que no tiene patas.
e. Dos animales de granja.
f. Un mamífero salvaje.

La vaca • La serpiente • La mosca • La ballena • El oso • El delfín • El cerdo • El lobo • El cocodrilo • La gallina
La oveja • El mosquito • El tiburón • El conejo • El perro policía • El gorrión • La golondrina • El perro de caza

- ¿Te gustan los animales? ¿Cuáles son tus preferidos? ¿Tienes algún animal de compañía?
- ¿Crees que es bueno para algunas personas tener mascotas? ¿Por qué?
- En España los más populares son los pájaros, los perros, los peces y los gatos. ¿Y en tu país?

10 Relaciona las dos columnas. ¿Crees que son conceptos importantes? ¿Por qué?

a. Ecosistema
b. Entorno
c. Reserva de la biosfera
d. Desarrollo sostenible

1. Es el ambiente que rodea a los seres vivos.
2. Comunidad de seres vivos que se relacionan entre sí y se desarrollan en un mismo ambiente.
3. Modelo de desarrollo que respeta el medio ambiente y los recursos naturales.
4. Espacio natural protegido legalmente para preservar su ecosistema.

11 Escribe debajo de las imágenes los diferentes tipos de energía y explica cuáles son las ventajas e inconvenientes de cada una.

nuclear • eólica • solar • eléctrica • biomasa

1. ....
2. ....
3. ....
4. ....
5. ....

12 Estas son algunas recomendaciones para ahorrar energía y reciclar. Léelas y anota lo que tú haces ya y lo que crees que deberías hacer.

Yo no uso el transporte público, pero creo que debería...

¿CÓMO PUEDES AYUDAR TÚ EN EL DÍA A DÍA?

1. Dúchate en lugar de bañarte.
2. Cierra el grifo mientras te lavas los dientes, te enjabonas o te afeitas.
3. No emplees el inodoro como papelera.
4. Llena la lavadora en toda su capacidad o utiliza un programa de media carga.
5. Desconecta los cargadores del móvil y del portátil una vez esté llena la batería.
6. Apaga la televisión y todas las pantallas con el botón, no solo con el mando.
7. Utiliza bombillas de bajo consumo.
8. Calienta solo el agua que necesitas para tomarte un té.
9. Usa el transporte público.
10. Utiliza detergentes eficaces y lava con agua fría.

Reducir

Reutilizar

Reciclar

13 Mira estos contenedores y contesta a las preguntas para aprender a reciclar.

Azul
para papel y cartón

para cartones de
bebidas, envases de
plásticos y metálicos

Gris
para restos

Verde
para vidrio

¿En qué contenedor debemos tirar...
a. los restos de comida?
b. los periódicos y las revistas?
c. una botella de agua vacía?
d. un envase de leche?
e. una botella de vino vacía?
f. una caja de zapatos?
g. un frasco de colonia?

4 **Escribe una consecuencia catastrófica de estos desastres naturales.**

DESASTRES NATURALES

a. Una sequía
b. Un maremoto
c. Una inundación
d. Un incendio
e. Un terremoto
f. Un huracán
g. Una erupción de un volcán

CONSECUENCIA

....
....
....
....
....
....
....

5 **A. Relaciona cada problema medioambiental con su definición.**

a. La contaminación, la polución
b. El impacto medioambiental
c. El cambio climático
d. El agotamiento de los recursos naturales
e. El agujero de la capa de ozono
f. La marea negra
g. La desertización
h. El efecto invernadero
i. Los residuos tóxicos
j. La exposición a la radiación solar
k. La tala de árboles
l. La lluvia ácida
m. La extinción de especies animales y vegetales

1. Variación global del clima de la Tierra.
2. Proceso por el que se convierte una tierra productiva en un desierto.
3. Acción y efecto de cortar árboles por su base.
4. Fenómeno por el cual los gases de la atmósfera retienen el calor emitido por la Tierra.
5. Hecho de recibir en el cuerpo los efectos de la energía solar.
6. Tipo de lluvia que contiene sustancias ácidas y tóxicas.
7. Efecto que tiene la actividad humana en el medio ambiente.
8. Extinción de los bienes que proporciona la naturaleza.
9. Desaparición de formas de vida animal y vegetal.
10. Degradación del medio ambiente con sustancias contaminantes.
11. Contaminación del mar por escapes de petróleo o hidrocarburos.
12. Disminución de la capa de gas ozono que protege la Tierra de los rayos ultravioletas del sol.
13. Restos de actividades industriales, médicas etc., que son perjudiciales para el medio ambiente y para los seres vivos.

B. Imagina que trabajas en el Ministerio de Medio Ambiente de tu país. Selecciona los cuatro problemas medioambientales que te parezcan más graves y piensa alguna medida para luchar contra ellos.

Un problema muy grave es la desertización. Si fuera ministro del Medio Ambiente, plantaría…

6 **Elige la opción correcta para completar las expresiones.**

a. Qué pesado es tu hermano: no me deja ni a sol ni a *luna/sombra*.
b. Venga, chicos, dejad de hacer el *burro/caballo* y venid a merendar.
c. Me he dado un golpe con la esquina de la mesa y he visto *la luna/las estrellas*.
d. Estás todo el día encerrado trabajando… Sal un poco a *tomar/coger* el aire.
e. Nunca quiere salir, se pasa todo el día encerrado… ¡Es un *bicho/animal* raro!
f. Ana es encantadora, te ayuda siempre que puede. ¡Es *un cielo/una estrella*!
g. No me fío mucho del resultado de la entrevista. Voy a tocar *un espejo/madera* por si acaso.
h. ¿Que quieres ir a la playa en pleno mes de enero? Estás como una *oveja/cabra*.
i. A diferencia de sus hermanos, Jaime no es buen estudiante. Es la oveja *negra/blanca*.
j. Cuando escucho esa sinfonía de Mozart, se me pone la carne de *pato/gallina*.

7 **Escribe cuatro frases con algunas expresiones del ejercicio anterior.**

1. Completa estas frases seleccionando la opción correcta.

1. Ahora el viento no sopla __ fuerte __ antes, así que voy a poner la sombrilla.
    a. igual… que   b. tanto… como   c. tan… como

2. Ayer no hizo __ calor__ hoy. Me voy a bañar a ver si me refresco.
    a. tanto… como   b. tan… como   c. lo mismo… que

3. El coche que alquilamos durante las vacaciones corría __ el nuestro.
    a. igual de   b. lo mismo que   c. el mismo que

4. Esta gallina que me he comprado pone __ huevos __ las otras.
    a. tantos… que   b. más… que   c. más… de

5. Ese caballo que ves ahí es el que __ corre __ todos.
    a. más… que   b. más… de   c. superior… a

6. El equipamiento de este modelo de coche es __ al resto.
    a. superior   b. mayor   c. el doble

7. No te quejes del apartamento, que este año está __ lejos de la playa __ el del año pasado.
    a. más… que   b. menos… que   c. tan… como

8. Los próximos días la temperatura será __ la habitual en estas fechas y habrá riesgo de heladas.
    a. superior a   b. la mitad   c. inferior a

9. Qué mala suerte, mi habitación tiene __ de espacio __ la tuya y además no tiene terraza.
    a. el doble… que   b. menos… que   c. la mitad… que

10. ¡Voy a reservar este apartamento inmediatamente! ¡No cuesta __ 60 € la noche! ¡Es baratísimo!
    a. menos que   b. más que   c. menos de

11. Estoy encantado con este anorak y, no te lo creerás, pero me costó nada __ 15 € en las rebajas.
    a. más que   b. más de   c. menos de

12. Voy a echar gasolina porque creo que la próxima gasolinera está a __ 30 Km de aquí y no llegamos.
    a. más que   b. menos de   c. más de

2. Completa estas frases seleccionando la opción correcta.

1. Aunque mis padres me __ que vuelva a casa pronto, no pienso hacerlo.
    a. hayan dicho   b. dirían   c. decían

2. Qué negro se está poniendo… Pues aunque mañana __, iremos de excursión.
    a. llueve   b. llueva   c. llovería

3. Esta mujer es increíble, __ su edad, sale a caminar todos los días.
    a. aunque   b. a pesar de que   c. a pesar de

4. Mi tío Pedro, __ tener noventa años, sigue conduciendo. ¡Un día va a tener un accidente!
    a. aunque   b. a pesar de   c. a pesar de que

5. A pesar de que __ más cómodos en un hotel, prefiero que vayamos a casa de mi hermana.
    a. estuvimos   b. estaríamos   c. estábamos

6. Tanto si __ frío como si __ calor, iremos de excursión al monte.
    a. haga… haga   b. hará… hará   c. hace… hace

7. Tanto si __ como si no, daría la vuelta al mundo para disfrutar de la experiencia.
    a. me acompañaras   b. me acompañes   c. me acompañarías

8. __ que buscan soluciones al calentamiento global, la temperatura del planeta sigue subiendo.
    a. Por más   b. Por muchas   c. Por poco

9. __ árboles que plantes, si luego no los riegas, no sirve para nada.
    a. Por mucho   b. Por pocos   c. Por muchos

10. Lo que hagamos por el medio ambiente, por poco que __, nos beneficiará a todos.
    a. es   b. sea   c. será

11. Yo nunca tiraría un papel o un envase al suelo, __ no tuviera cerca una papelera.
    a. a pesar de   b. por más   c. incluso si

12. Te has quemado la espalda, __ que te había dicho que te dieras crema y que no te pusieras al sol.
    a. aunque   b. a pesar   c. y eso

3 Completa estas frases seleccionando la opción correcta.

1. [Aquí está lloviendo sin parar]. Ayer hablé con Juan y me dijo que allí __ lloviendo sin parar.
    a. está   b. estará   c. estaría

2. [El hotel tiene unas vistas preciosas]. Tú me dijiste que el hotel __ unas vistas preciosas y no es así.
    a. tuvo   b. ha tenido   c. tenía

3. [Se ha producido un ligero terremoto cerca]. Anoche dijeron que se __ un terremoto cerca de aquí.
    a. ha producido   b. produjo   c. producía

4. [En 2015 hubo una gran sequía en España]. Ayer dijeron que en 2015 __ una gran sequía en España.
    a. hay   b. había habido   c. habría

5. [Cultivaré un huerto cuando esté jubilado]. Luis me dijo que __ un huerto cuando estuviera jubilado.
    a. cultive   b. cultivará   c. cultivaría

6. [Esta semana hay un eclipse de luna]. En la radio dijeron que esta semana __ un eclipse de luna.
    a. había   b. habría   c. haya

7. [Yo viviría cerca del mar si pudiera]. Ana me dijo que ella __ cerca del mar si pudiera.
    a. vivirá   b. viviría   c. viviera

8. [Iré a vuestra casa el lunes]. Tu madre nos dijo que __ aquí a casa el lunes, así que vamos a limpiar.
    a. irá   b. vendré   c. vendría

9. [Este verano he estado en Cancún]. María me dijo que había estado en Cancún __.
    a. ese verano   b. el verano pasado   c. aquel verano

10. [Estaremos allí a las nueve]. Pon la mesa, que tus amigos nos dijeron que estarían __ a las nueve.
    a. allí   b. ahí   c. aquí

11. [Volveré mañana por la tarde]. Ayer me dijo Juan que volvería __ por la tarde.
    a. mañana   b. esta mañana   c. hoy

12. El cambio climático, __, está afectando a los cultivos en muchos países del mundo.
    a. según dicen   b. han dicho   c. decían

4 Completa estas frases seleccionando la opción correcta.

1. [¿Hace buen tiempo en Madrid?]. Peter me ha preguntado __ hace buen tiempo aquí en Madrid.
    a. si   b. que   c. qué

2. [¿Qué autobús va a Callao?]. Esa señora quiere saber __ autobús va a Callao, yo no lo sé, ¿y tú?
    a. si   b. que   c. qué

3. [¿Adónde fuisteis anoche?]. Mamá me ha preguntado que __ fuimos anoche. ¿Qué le digo?
    a. si   b. donde   c. adónde

4. [¿Has salido este puente?]. Paula me preguntó __ había salido este puente y no le dije la verdad.
    a. que   b. si   c. qué

5. [¿Cuándo te presentas al DELE?]. La profesora me ha preguntado __ me presento al DELE.
    a. si   b. cuando   c. cuándo

6. [¿Vas a ir a la fiesta mañana?]. Ana me preguntó ayer que si __ hoy a la fiesta y le he dicho que no.
    a. fuera   b. iba a ir   c. iría

7. [Esperadme en la clase, ahora voy]. El profesor nos ha dicho que lo __ en la clase, que ahora viene.
    a. esperemos   b. esperaríamos   c. esperáis

8. [No os olvidéis de traer el pasaporte]. En la agencia nos dijeron que no nos __ de llevar el pasaporte.
    a. olvidaremos   b. olvidamos   c. olvidáramos

9. [¿Vienes de viaje conmigo?]. Luis me pidió __ fuera con él de viaje y le he dicho que me lo pensaré.
    a. si   b. que   c. qué

10. [Deberías reciclar, mamá]. Mi hijo me __ que reciclara la basura, pero a mí me parece una tontería.
    a. preguntó   b. recomendó   c. ha dicho

11. Vete a jugar más lejos, que me estás llenando de arena. ¿No me has oído? __ de una vez.
    a. Que te vas   b. Te vayas   c. Que te vayas

12. ¿Que quieres bañarte con la bandera roja? Ya te he dicho antes __ .Y no quiero volver a repetirlo.
    a. qué no   b. que no   c. si no

1 SERIE 1

Elige la opción correcta y completa el cuadro de funciones con las fórmulas correspondientes a cada una.

1. Oye, ¿qué pasó __ tu reclamación? ¿Te devolvieron el dinero?
- a. con de
- b. con lo
- c. con lo de

2. __, primero llamé por teléfono y reclamé el dinero, luego…
- a. El otro día
- b. Pues una vez
- c. Pues verás

3. __, que, como no me hacían caso, les puse una denuncia.
- a. Pues nada
- b. Pues que
- c. Te cuento

4. ¿__ de Juan? Pues que se ha roto una pierna escalando.
- a. Sabes qué
- b. Sabes
- c. Te has enterado de lo

5. Perdona, ¿tienes un __? Es que quería contarte una cosa.
- a. prisa
- b. tiempo
- c. momentito

6. ¿__ ustedes que España tiene una gran diversidad biológica?
- a. Sabíais
- b. Sabían
- c. Sabes

7. ¿__? La verdad es que no tenía ni idea de esa diversidad.
- a. Que me dices
- b. Es serio
- c. En serio

8. __ que me lo contaras, pero es que ahora tengo mucha prisa.
- a. Me encantaría
- b. Disculpa
- c. Perdóname

9. ¿Que has estado en plena selva? ¡__!, con lo peligroso que es.
- a. No me digas
- b. Que dices
- c. Sí, ya me lo imagino

10. ¡Que no puedes venir con nosotros al viaje! Qué pena, pero __.
- a. ¡anda!
- b. lo entiendo
- c. alucinante

11. Con este tiempo es mejor ir al campo que a la playa, ¿__?
- a. sabías
- b. no te parece
- c. vaya

12. Estaba entrando en el agua y __ me picó una medusa.
- a. por eso
- b. tan pronto
- c. de repente

Tu listado

a. Empezar un relato
Oye, cuéntame algo de tu viaje.
1. ....
2. ....
3. ....

b. Introducir el tema de un relato
4. ....
5. ....
6. ....

c. Reaccionar ante un relato
7. ....
8. ....

d. Seguir un relato con interés
9. ....
10. ....

e. Controlar la atención del interlocutor
11. ....

f. Introducir un hecho
De pronto...
12. ....

2 SERIE 2

Elige la opción correcta y completa el cuadro de funciones con las fórmulas correspondientes.

1. Para el viaje a Berlín __ saquemos los billetes de avión.
- a. para empezar
- b. lo primero es que
- c. primeramente

2. Y luego Ana y Juan, __, nos pueden buscar allí el alojamiento.
- a. lo primero es
- b. primeramente
- c. por su parte

3. El agua de mar no solo es buena para bañarse, __ para cocinar.
- a. y también
- b. pero
- c. sino también

4. El clima en el norte de España es húmedo, __, en el sur es seco.
- a. en cambio
- b. sino
- c. mientras

5. Sí, llegamos tarde al aeropuerto. __, el vuelo al final se canceló.
- a. En otras palabras
- b. Total que
- c. De todas maneras

6. Aparca en la zona verde, __, en la azul, que es más barata.
- a. en conclusión
- b. en definitiva
- c. mejor dicho

7. Pusieron muchas pegas al itinerario.__ lo tuvimos que cambiar.
- a. Lo primero es
- b. De todas maneras
- c. Total, que

8. El tráfico se intensificará por la tarde, __, entre las 17 y las 20 h.
- a. una cosa
- b. resumiendo
- c. concretamente

9. Como __ Ana, es mejor que vayamos todos en un solo coche.
- a. dirías
- b. ha dicho
- c. dijiste

10. __, ¿habéis reservado ya el hotel? Queda poco para el viaje.
- a. Mejor dicho
- b. En otras palabras
- c. Por cierto

11. Sí, hice la reserva hace un mes. __, tengo que confirmarla hoy.
- a. A propósito
- b. Continuemos
- c. Cambiando de tema

12. Bueno, __, ¿qué os parece el perro que he adoptado?
- a. eso no tiene nada que ver
- b. cambiemos de tema
- c. por cierto

Tu listado

g. Presentar y ordenar la información
1. ....
2. ....

h. Conectar elementos
3. ....
4. ....

i. Reformular lo dicho
5. ....
6. ....
7. ....

j. Destacar un elemento
8. ....

k. Introducir palabras de otros
9. ....

l. Abrir y cerrar digresiones
¿De qué estábamos hablando?
10. ....
11. ....

m. Rechazar un tema
12. ....

3 SERIE 3

Elige la opción correcta y completa el cuadro de funciones con las fórmulas correspondientes.

1. Un momento, __, ¿habéis alquilado ya el coche?
a. no hablemos de esto b. sí, ya… c. antes de que se me olvide
2. ¿__? Va a hacer frío durante el viaje, así que llevad abrigos.
a. Puedo decir una cosa b. Oye c. Espera un momento
3. __. Estaba diciendo que en el apartamento no hay wifi y que…
a. Te escucho b. Déjame terminar c. Adelante
4. No te enfades conmigo, estaba hablando yo, luego __ si quieres.
a. ya termino b. espera un momento c. hablas tú
5. Ya podemos empezar las presentaciones. __, por favor, señor Gil.
a. Usted primero b. Espera un momento c. Te escucho
6. __ , solo me queda agradecerles su participación en este curso.
a. Ya termino b. Tú primero c. Te escucho
7. Por favor, __, decía que hay muchas especies amenazadas y…
a. usted primero b. no me interrumpa c. solo me queda
8. __ al número de especies en peligro de extinción, le diré que…
a. Por cierto b. Por otra parte c. Respecto
9. Y __ con la flora, he leído que han desaparecido más de mil…
a. respecto b. en relación c. a propósito
10. __ quisiera pasar a hablarles de los efectos de la lluvia ácida.
a. Otra cosa b. A continuación c. Luego te cuento
11. Pues iba con el móvil, me para la poli, __, me pone una multa.
a. por último b. y nada c. en conclusión
12. Y __ , debemos estar unidos para preservar la biodiversidad.
a. en conclusión b. total c. y nada
13. Se me ha hecho muy tarde, bueno, __.
a. te dejo b. oye c. vale
14. Vale, __. Que pases una buena semana.
a. oye, un momento b. hablamos c. nos veamos

Tu listado

n. Interrumpir
1. ....
2. ....

ñ. Reanudar el discurso
3. ....
4. ....

o. Conceder la palabra
5. ....

p. Indicar que se desea continuar
6. ....
7. ....

q. Introducir un nuevo tema
8. ....
9. ....
10. ....

r. Concluir el relato
11. ....
12. ....

s. Cerrar una conversación
13. ....
14. ....

4 Corrección de errores

Identifica y corrige los errores que contienen estas frases. Puede haber entre uno y tres en cada una.

a. Hay que hacer algo que sirve para eliminar las residuos tóxicas.
b. Me parece un poco curioso que 27 porcentaje prefiere la playa como destinación en vacaciones.
c. Nadar en un sitio como así es insaludable.
d. La tema de energía nuclear es muy controversial.
e. El año pasado había un terremoto a las cuatro por la mañana en Nepal.
f. En respecto a especies a borde de extinción creo que no hay las soluciones que son fácil para tomar.
g. En vacaciones estuvimos en viaje y nos pasamos bien, pero hay lluvia y no tenemos paragua.
h. Hay poco agua en el mundo y las políticas son poco realísticas.
i. En Madrid hay una buena sistema de transportación pública.
j. Ha aumentado el coche en la ciudad y si esto ocurra hay que cambiar las maneras de pensar.

5 Uso de preposiciones

Tacha la opción incorrecta en estas frases.

a. En algunas regiones de España la población no llega a 10 habitantes *para/por* Km².
b. El aparcamiento del parque nacional estará *en/con* obras los próximos meses.
c. En España hay 150 especies animales *de/en* peligro de extinción.
d. Casi seis millones de personas salieron *para/de* puente la semana pasada.
e. A causa de la lluvia, el autobús se salió *en/de* la carretera en una curva.
f. El conductor perdió el control del coche y chocó *hasta/contra* unos arbustos.
g. La prueba teórica para obtener el permiso de circulación consta *de/en* 30 preguntas.
h. El número de emigrantes depende *en/de* la situación económica de un país.
i. El índice de natalidad en España es bajo en relación *a/con* el número de habitantes.
j. Por culpa del agujero de la capa de ozono es necesario protegerse *de/a* las radiaciones solares.

70 min

Tiempo disponible
para las 4 tareas.

TAREA 1

(Ver características y consejos, p. 252)

A continuación va a leer un texto. Después, deberá contestar a las preguntas, 1-6, y seleccionar la respuesta correcta, a), b) o c).

---

el portal para el marketing, publicidad y los medios　　los medios　　　Google™ Búsqueda personalizada　**Buscar**　X

PERDER EL MIEDO A LOS VIAJES DE TRABAJO

Muchos son los puestos de trabajo en los que hay que viajar. Cuando eres joven, lo agradeces, es una aventura y toda una experiencia empresarial. Con el paso de los años, te gustaría no tener que viajar tanto y pasar más días en tu casa.

Si viajas con compañeros o con tu jefe, en muchas ocasiones no te queda más remedio que pasar ratos con ellos, cuando tal vez no te apetezca. Si viajas solo, al final es un poco aburrido; terminas comiendo cualquier cosa… En fin, que en muchas ocasiones, no es tan bonito ni tan divertido como lo pintan.

Elige primero el vuelo y ajusta después los horarios de tus reuniones. Si tus interlocutores son flexibles, podrás ahorrar hasta un 50% en el billete de avión, dependiendo de la hora del vuelo. Si reservas con tiempo y por Internet, tendrás más opciones entre las que elegir, y pagarás menos. Paga tu viaje con tarjeta. La mayoría de las entidades financieras «premian» a sus clientes con un seguro de viajes extra (sin coste adicional) y otras ventajas por pagar con tarjeta de crédito.

Verifica que toda tu documentación esté en regla -sobre todo si necesitas pasaporte o visado- y haz una fotocopia de los documentos más importantes, por si perdieses alguno de ellos. No apures la duración de tu visado: algunos países exigen que tenga como mínimo seis meses de vigencia en la fecha del viaje.

No factures tu ordenador, PDA, móvil, ni la documentación importante: más de 29 millones de maletas se perdieron el año pasado en los aeropuertos europeos. Protege tu información utilizando redes de comunicación seguras, incluye contraseñas en ordenador, teléfono, etc., y duplica la información relevante en un disco externo o en un sistema remoto que tu empresa podrá proporcionarte. Desactiva los servicios que no vayas a utilizar en el viaje y cambia las contraseñas cuando vuelvas.

Si te gusta el deporte, busca un hotel con gimnasio; lleva ropa deportiva en tu maleta y trata de mantener tus hábitos. Si prefieres correr, alójate cerca de un parque para tener todas las facilidades: te dará menos pereza hacer deporte.

Aprovecha la soledad del viaje para hacer cosas que habitualmente no puedes hacer. Lleva un par de libros, revistas, juegos, etc. Sal de la habitación del hotel, da un paseo o trata de planificar alguna visita lúdica… En casi todas las ciudades hay museos y exposiciones diversas; incluye la visita en tu agenda. Si estás fuera del país y echas de menos a amigos y familiares, procura llevarte algunas fotos; te ayudarán a sentirte más cerca de los tuyos.

Adaptado de www.euribor.com.es

PREGUNTAS

1. Según el texto, el entusiasmo por los viajes depende…
   a) de la edad de la persona.
   b) de los años que lleve trabajando en una empresa.
   c) de si se viaja solo o acompañado.

2. En el texto se señala que…
   a) se puede ahorrar más de la mitad del precio del viaje si se reserva con tiempo.
   b) el precio del billete de avión es más bajo si se paga con tarjeta.
   c) la planificación del trabajo en el destino debe ser posterior a la compra del billete de avión.

3. En el texto se advierte de que…
   a) es necesario hacer el visado, como mínimo, seis meses antes del viaje.
   b) es válido llevar fotocopia de algunos documentos si se pierden antes del viaje.
   c) es conveniente fotocopiar algunos documentos como medida de precaución.

4. En el texto se recomienda…
   a) no llevar las facturas de algunos objetos personales para evitar su pérdida.
   b) llevar algunos objetos dentro del avión.
   c) llevar copias de seguridad de la información importante.

5. Según el texto…
   a) es importante hacer deporte en los viajes de trabajo.
   b) no debe romperse la rutina del ejercicio físico en los viajes de trabajo.
   c) es recomendable alojarse cerca de un parque con instalaciones deportivas.

6. En el texto se indica que…
   a) los viajes ofrecen oportunidades de romper con la rutina.
   b) hay que romper con la rutina de los viajes.
   c) en los hoteles se puede contratar una visita a la ciudad.

TAREA 2

(Ver características y consejos, p. 254)

A continuación va a leer cuatro textos en los que cuatro personas hablan sobre el cambio climático. Después, tendrá que relacionar las preguntas, 7-16, con los textos, a), b), c) y d),

PREGUNTAS

		a) Blas	b) Elisa	c) Antonio	d) Marina
7.	¿Quién señala que es posible que el hombre modifique levemente el clima?				
8.	¿Quién indica que el calor ha subido de forma gradual desde hace treinta años?				
9.	¿Quién advierte, de forma explícita, que es esencial no caer en el pesimismo respecto al cambio climático?				
10.	¿Quién juzga que no hay pruebas de la intervención del hombre en el cambio climático?				
11.	¿Quién afirma que debe considerarse el nivel de desarrollo de cada país para solucionar los problemas ambientales?				
12.	¿Quién considera que los datos sobre la subida de temperaturas son pesimistas y no justificados?				
13.	¿Quién precisa que los cambios en el clima son atribuibles únicamente a las personas?				
14.	¿Quién señala que la subida de temperaturas no ha sido uniforme últimamente?				
15.	¿Quién menciona que hay pruebas científicas del cambio climático?				
16.	¿Quién indica que el cambio climático no es exclusivo de nuestro planeta?				

Comprensión de lectura

a) Blas

Los datos instrumentales (temperatura, precipitaciones) y las observaciones de los efectos del cambio climático (retroceso de glaciares, aumento del nivel del mar, cambios en la distribución de especies) durante el siglo xx son incontestables. Los datos meteorológicos muestran un aumento progresivo de la temperatura que ha sido especialmente acusado en las últimas tres décadas. El clima es un sistema complejo que ha variado a lo largo de la historia por causas naturales. Sabemos, sin embargo, que el impacto de la actividad humana es enorme. Los cambios que hemos observado durante este siglo solo pueden explicarse si consideramos esa ayuda extra que le hemos dado al clima para que cambie. En cuanto a España, el panorama a finales de siglo presenta unas condiciones más áridas, con un elevado aumento de la temperatura media, un descenso de precipitaciones y un mayor número de sequías e inundaciones.

b) Elisa

El clima está cambiando siempre. Lo importante es saber si ahora es cierto que está cambiando muy rápidamente, y yo creo que no. Lleva un siglo de lento e irregular calentamiento. Que la atmósfera se caliente suavemente es bueno. Quizá intervengamos un poco en este calentamiento, pero poco en comparación con los cambios naturales en la circulación de las corrientes oceánicas, en la nubosidad, la evolución de la intensidad solar, el volcanismo y otros factores no humanos. Mi interés por la naturaleza no es exactamente ecologista, sino naturalista, por mi condición de geógrafa. Para mejorar la situación, en los países desarrollados debemos enfrentarnos a los auténticos daños que infligimos al medio ambiente. El más importante es el de la sobrepesca. En los países subdesarrollados hemos de intentar que salgan de la pobreza, ligada a la contaminación del aire y de las aguas, con tecnología moderna. El desarrollo eléctrico es un medio importante.

c) Antonio

El cambio climático es un fenómeno inequívoco atribuido al impacto del ser humano. Los medios de comunicación han de informar sobre él, sobre el grado de amenaza que supone y sobre la necesidad urgente de actuar. Entendida la comunicación como servicio público, el periodismo debe asumir el reto de comunicar los impactos ya inevitables y las políticas de respuesta precisas a través de una información de calidad. Los medios de comunicación no deben convertir la información sobre el cambio climático en un falso debate entre si este existe o no. Es necesario identificar los intereses a los que sirven y valorar el rigor y la legitimidad científica de la información que llega a los medios. Es preciso evitar tanto el catastrofismo como la omisión de información. Siempre que sea posible, se debe complementar la alarma con la presentación de posibilidades de intervención y alternativas de solución.

d) Marina

Los gases de la Tierra funcionan como una manta en la atmósfera. El calor que nos llega del Sol rebota hacia el cielo y queda retenido. Las temperaturas suben, pero medio grado en dos siglos: (0,6°) es una miseria, lo que muestra el tipo de alarmismo al que nos enfrentamos. En todo el proceso interviene el Sol y los ciclos solares son matemáticos, con unas manchas cíclicas que regulan el clima del sistema solar. Hasta la NASA reconoce que la mitad de este aumento se debe al CO_2 y la otra a los ciclos solares. Es decir, 0,3° por el supuesto CO_2. ¿Medio grado es peligroso? La naturaleza es «culpable» de la situación. El calentamiento de Marte es una prueba capital. Nadie ha demostrado que el ser humano sea el culpable. Emitimos 6 000 millones de toneladas de CO_2 y en la atmósfera hay 750 000. Esto jamás podría causar un cambio climático.

Adaptado de www.diariovasco.com; www.efeverde.com; http://www.20minutos.es

Comprensión de lectura

TAREA 3

(Ver características y consejos, p. 255)

A continuación va a leer un texto del que se han extraído seis fragmentos. Después, lea los ocho fragmentos propuestos, a)-h), y decida en qué lugar del texto, 17-22, hay que colocar seis de ellos. Cuidado, hay dos fragmentos que no tiene que elegir.

El sistema de préstamo de bicis de Valladolid («Vallabici») cumple su primer mes con más de 550 usuarios

El sistema de préstamo de bicicletas de Valladolid cumple este jueves, 6 de junio, el primer mes de funcionamiento con 3 763 usos y con 556 abonados. 17. _____. Las previsiones son igualmente optimistas: se cree que en torno al mes de agosto se alcanzarán los 1 000 usuarios y que en un futuro se mantendrá una clientela estable de unas 2 000 personas.

Por franjas de edad, el mayor número de usuarios habituales se encuentra entre los 30 y los 39 años, seguidos de las personas de entre 40 y 49 años y de los jóvenes de entre 18 y 29 años. En los últimos lugares se encuentran los mayores y los menores de edad. 18. _____.

El director comercial de Campos Corporación, Santiago Sevilla, ha recalcado que las sensaciones iniciales son bastante buenas. 19. _____. Hasta el momento, funcionan 24 bases de préstamo repartidas por toda la ciudad, al tiempo que se ultima la instalación de las que cuentan con placas fotovoltaicas para generar energía.

Durante este primer mes, según la empresa, apenas se han registrado incidencias graves, salvo el hallazgo de una bicicleta abandonada en la vía pública, que se pudo recuperar sin daños. Ni se han constatado actos vandálicos ni se han tenido que retirar las bicis por la noche en ninguna estación de préstamo. 20. _____.

El horario del servicio es desde las siete de la mañana hasta las once de la noche, todos los días del año. 21. _____. En el primer caso, se trata de un abono anual, con un coste de 25 euros, mientras que en el segundo caso el coste es inferior (5 euros), y requiere de una fianza para afrontar cualquier desperfecto en la bicicleta y el exceso en el tiempo de uso. 22. _____. En el caso del Bonobici, la primera media hora de uso de la bicicleta siempre será gratuita.

Una vez que el usuario ha finalizado su paseo, únicamente debe acercarse a cualquier aparca-bicicletas de la ciudad y anclar su vehículo en uno de los módulos libres en ese momento. El sistema reconocerá la bicicleta y, por tanto, al usuario que la ha devuelto.

Adaptado de www.20minutos.es

FRAGMENTOS

a)

Por ello, podemos decir que Valladolid es un ejemplo de civismo, ha subrayado Santiago Sevilla.

b)

Las opiniones de los usuarios a través de las redes sociales y de la página web son también muy positivas.

c)

Según ha informado la empresa Campos Corporación, que presta el servicio, el balance de este primer mes es *satisfactorio*.

d)

El sistema pone a disposición de los interesados dos tipos de tarifa: Bonobici y Usuario Puntual.

e)

Asimismo, las estaciones de préstamo más utilizadas son las de la plaza de Zorrilla y la plaza de Madrid.

f)

Como ha recordado la compañía, estos últimos necesitan la autorización de los padres para abonarse al sistema.

g)

Ambos tipos de abono contarán con unas tarifas por tiempo de uso cuyos costes se irán descontando del importe del abono.

h)

Se trata de la base de préstamo de la Casa de la India, ya instalada pero aún sin suministro eléctrico.

TAREA 4
(Ver características y consejos, p. 258)

Lea el texto y rellene los huecos, 23-36, con la opción correcta, a), b) o c).

EL CUADERNO DE MAYA

Mis abuelos eran viajeros experimentados y prácticos. En los álbumes de fotos aparecemos los tres en exóticos lugares siempre con la misma ropa, porque habíamos reducido el equipaje a lo más elemental y manteníamos preparadas las maletas de mano, _____23_____ nos permitía partir en media hora, según la oportunidad. Una vez mi Popo y yo estábamos leyendo sobre los gorilas en un *National Geographic*, de cómo _____24_____ vegetarianos, mansos y con sentido de familia, y mi Nini, que pasaba por la sala con un florero en la mano, comentó a la ligera que _____25_____ ir a verlos. «Buena idea», contestó mi Popo, cogió el teléfono, llamó a mi papá, consiguió los pasajes y al día siguiente íbamos hacia Uganda con nuestras maletitas.

A mi Popo _____26_____ invitaban a seminarios y conferencias y si podía nos _____27_____, porque mi Nini temía que una desgracia nos _____28_____ separados. Chile es una pestaña entre las montañas de los Andes y las profundidades del Pacífico, con centenares de volcanes, algunos con la lava aún tibia, que pueden despertar en cualquier momento y hundir el territorio en el mar. _____29_____ explica que mi abuela chilena espere siempre lo peor, esté preparada para emergencias y ande por la vida con un sano fatalismo, apoyada _____30_____ algunos santos católicos de su preferencia y por los vagos consejos del horóscopo.

Yo faltaba con frecuencia a clases, porque viajaba con mis abuelos; solo mis buenas notas impedían que fuera expulsada. Me sobraban recursos, fingía apendicitis, migraña, y si eso fallaba, convulsiones. A mi abuelo era fácil engañarlo, pero mi Nini me curaba con métodos drásticos, una ducha helada o una cucharada de aceite de hígado de bacalao, _____31_____ le conviniera que yo faltara, por ejemplo, cuando me llevaba a protestar contra la guerra de turno, pegar carteles en defensa de los animales de laboratorio o encadenarnos a un árbol para jorobar a las empresas madereras. En más _____32_____ una ocasión, mi Popo tuvo que ir a rescatarnos a la comisaría. La policía de Berkeley es indulgente, está acostumbrada _____33_____ manifestaciones callejeras por cuanta causa noble existe, fanáticos bien intencionados capaces de acampar por meses en una plaza pública, estudiantes decididos a tomar la universidad, mendigos _____34_____ en otra vida fueron *suma cum laude* y, en fin, a cuanto ciudadano virtuoso, intolerante y combatiente existe en esa ciudad, donde casi todo está permitido, _____35_____ se haga con buenas maneras. A mi Nini y a Mike O'Kelly se les suelen olvidar las buenas maneras en el fragor de defender la justicia, pero si son detenidos nunca terminan en una celda, _____36_____ que el sargento Walczak va personalmente a comprarles *cappuccinos*.

Texto adaptado, Isabel Allende

23. a) las que	b) el que	c) lo que
24. a) son	b) sean	c) fueran
25. a) debimos	b) deberíamos	c) habíamos debido
26. a) se	b) lo	c) Ø
27. a) llevaría	b) llevara	c) llevaba
28. a) pillara	b) pillaría	c) pillaba
29. a) Eso	b) Ese	c) Esa
30. a) para	b) a	c) por
31. a) a no ser que	b) a condición de que	c) con tal de que
32. a) con	b) de	c) que
33. a) de	b) para	c) a
34. a) los cuales	b) que	c) quienes
35. a) por si	b) siempre que	c) si
36. a) sino	b) pero	c) salvo

Anote el tiempo que ha tardado:

Recuerde que solo dispone de **70 minutos**

PRUEBA 2

Comprensión auditiva

40 min

Tiempo disponible
para las 5 tareas.

**CD II
Pistas
35-40**

TAREA 1

(Ver características y consejos, p. 259)

A continuación va a escuchar seis conversaciones breves. Oirá cada conversación dos veces seguidas. Después, tendrá que seleccionar la opción correcta, a), b) o c), correspondiente a cada una de las preguntas, 1-6.
Dispone de 30 segundos para leer las preguntas.

PREGUNTAS

Conversación 1   Pista 35
1. En esta conversación…

   a) el hombre propone acampar cerca de un río con mucha vegetación.
   b) el hombre sugiere hacer un viaje con la intención de subir a una montaña.
   c) la mujer preferiría hacer un viaje en barco o a un país asiático.

Conversación 2   Pista 36
2. En esta audición escuchamos que…

   a) la mujer encuentra dentro de una bolsa un objeto que usa el niño para bañarse.
   b) a la mujer le da asco el agua porque está llena de bichos.
   c) el hombre propone jugar a las cartas porque no se pueden bañar.

Conversación 3   Pista 37
3. En este diálogo se dice que la mujer…

   a) quiere escribir una queja por el mal servicio del hotel.
   b) había reservado una cama extra.
   c) tenía una reserva de habitación con acceso directo al mar.

Conversación 4   Pista 38
4. En esta conversación…

   a) la mujer cuenta que se ha salido de la carretera y se ha dado un golpe con el coche.
   b) el hombre dice que el seguro le enviará a un mecánico para arreglar la rueda.
   c) la mujer le pide a su marido que le cambie la rueda de repuesto.

Conversación 5   Pista 39
5. En la audición se dice que…

   a) el principal objetivo de la excursión es escalar montañas.
   b) los cuatro amigos van a viajar en tren.
   c) hará sol, pero se pronostica lluvia a partir de la tarde del sábado.

Conversación 6   Pista 40
6. En esta conversación escuchamos que…

   a) el navegador les dice que en la rotonda giren a la derecha en dirección Burgos.
   b) el navegador les dice que den la vuelta en cuanto cojan la autovía A1.
   c) el hombre le pide a su mujer que no disminuya la velocidad del coche en la curva.

CD II
Pista 41

TAREA 2

(Ver características y consejos, p. 259-260)

A continuación va a escuchar una conversación entre dos personas que hablan sobre los viajes organizados. Después, indique si los enunciados, 7-12, se refieren a lo que dice Montse, a), Joan, b), o ninguno de los dos, c). Escuchará la audición dos veces.

Dispone de 20 segundos para leer los enunciados.

PREGUNTAS

	a) Montse	b) Joan	c) Ninguno de los dos
0. Los motivos para hacer viajes organizados no son los mismos en todas las personas.		✔	
7. Para algunos viajeros, sus compañeros constituyen parte de los inconvenientes del viaje organizado.			
8. La relación siempre será agradable con todos los compañeros si el viajero está motivado.			
9. Viajar es adquirir conocimientos y experimentar otras cosas diferentes a las de tu vida cotidiana.			
10. Los compañeros que cantan en el viaje suelen ser insoportables.			
11. La lengua del país de destino hace que no siempre puedas relacionarte con la gente del lugar.			
12. A todos nos gusta formar parte de un grupo y al mismo tiempo nos atrae lo que no es igual a nosotros.			

Comprensión auditiva

CD II
Pista 42

TAREA 3

(Ver características y consejos, p. 259-260)

A continuación va a escuchar parte de una entrevista a Francisco Lozano, profesor de Biología en la Universidad Ramón Llull de Barcelona y director del Centro de Estudios de la Biosfera, hablando de los viajes en el tiempo. Escuchará la entrevista dos veces. Después, conteste a las preguntas, 13-18. Seleccione la respuesta correcta, a), b) o c).
Dispone de 30 segundos para leer las preguntas.

PREGUNTAS

13. En la audición escuchamos que…
   a) desde el punto de vista teórico es posible viajar al pasado.
   b) se puede afirmar rotundamente que es imposible viajar en el tiempo.
   c) el tiempo es algo que muchos expertos siempre han tratado de dominar.

14. El entrevistado dice que un científico ruso…
   a) descubrió que el presente fluye hacia el pasado.
   b) dedujo que no se puede viajar al pasado.
   c) sacó varias conclusiones sobre el flujo presente-futuro.

15. Desde el punto de vista científico…
   a) sin duda se puede viajar al futuro.
   b) teóricamente se podría viajar al futuro.
   c) los viajes en el tiempo serían demasiado costosos.

16. El doctor Lozano dice que…
   a) no cree posible que hoy en día podamos comunicarnos con otros universos.
   b) se han descubierto universos y dimensiones diferentes a los nuestros.
   c) la *transcomunicación* sirve para viajar en el tiempo.

17. Los experimentos con el tiempo…
   a) no son seguros.
   b) abren muchos agujeros espacio-temporales.
   c) pertenecen a la vanguardia científica exclusivamente.

18. En la audición escuchamos que…
   a) se han hecho muchos experimentos con macropartículas.
   b) hay un abismo impresionante espacio-tiempo.
   c) muchos científicos han experimentado con el concepto espacio-temporal.

Especial DELE B2 Curso completo

CD II
Pistas
43-49

TAREA 4

(Ver características y consejos, p. 259-260)

A continuación va a escuchar a seis personas hablando sobre lo que estaban haciendo o dónde estaban el 16 de julio de 1969, día en el que el hombre puso el pie en la Luna por primera vez. Escuchará a cada persona dos veces.
Después, seleccione el enunciado, a)-j), que corresponde al tema del que habla cada persona, 19-24. Hay diez enunciados incluido el ejemplo. Seleccione únicamente seis.

Dispone de 20 segundos para leer los enunciados.
Escuche el ejemplo:
   Persona 0
   La opción correcta es el enunciado i.

ENUNCIADOS

a) Una persona de su familia no terminaba de creerse que el hombre hubiera llegado a la Luna.
b) Estaba seducido por los temas relacionados con los descubrimientos y el espacio exterior.
c) Ella y su familia estuvieron todo el día impresionados con la noticia.
d) Tenía diez años y estaba veraneando en Málaga.
e) Estaba de vacaciones con su familia en la playa.
f) La llegada a la Luna dejó en esta persona una huella que nunca se ha borrado.
g) Esta persona creía que todo era un engaño y que los que parecían estar en la Luna estaban, en realidad, de vacaciones.
h) Para esta persona el ser humano es maravilloso, capaz de experiencias increíbles.
i) *La retransmisión de la llegada del hombre a la Luna fue un pretexto para que sus padres estuvieran juntos.*
j) Por un lado quería ver la televisión y por otro se sentía en la obligación de no hacerlo.

	PERSONA		ENUNCIADO
	Persona 0	Pista 43	i)
19.	Persona 1	Pista 44	
20.	Persona 2	Pista 45	
21.	Persona 3	Pista 46	
22.	Persona 4	Pista 47	
23.	Persona 5	Pista 48	
24.	Persona 6	Pista 49	

CD II
Pista 50

TAREA 5

(Ver características y consejos, p. 259-260)

A continuación va a escuchar a un hombre que habla de Cristóbal Colón y de los enigmas sobre su vida. Escuchará la audición dos veces. Después, conteste a las preguntas, 25-30. Seleccione la respuesta correcta, a), b) o c).
Tiene 30 segundos para leer las preguntas.

PREGUNTAS

25. En esta audición se dice que el acercarnos a la figura de Cristóbal Colón…
   a) puede resultar atrayente.
   b) se trata de una encrucijada.
   c) es un poco contradictorio.

26. Este locutor se pregunta…
   a) por qué eran motivo de discusión los datos de identidad de Colón hace 500 años.
   b) cómo sería Colón físicamente.
   c) si Colón nació en Génova hace 500 años.

27. En el audio…
   a) se cuestiona si tal vez alguien fue a América antes que Colón.
   b) se afirma que Colón conocía las rutas que se habían hecho antes a América.
   c) se dice que en la Antigüedad había rutas de poniente a occidente.

28. En la audición nos cuentan que…
   a) Holberg se refiere a un viaje que hizo a América en 1347.
   b) Colón llegó a la península del Labrador.
   c) hay referencias escritas de viajes a América anteriores a Colón.

29. En este audio escuchamos que…
   a) Colón se planteó muchos interrogantes.
   b) Colón respetó la cultura indígena.
   c) es raro que Colón desembarcara en Portugal al regresar de América.

30. El locutor dice que…
   a) está claro que Colón murió en Sevilla.
   b) se discuten muchas cosas sobre la vida de Colón.
   c) la biografía de Colón está siendo censurada.

Anote el tiempo que ha tardado:

Recuerde que solo dispone de **40 minutos**

80 min
Tiempo disponible
para las 2 tareas.

TAREA 1
(Ver características y consejos, p. 261)

Usted se ve obligado, por cuestiones de trabajo, a viajar frecuentemente en avión. En su último viaje, su vuelo se retrasó y llegó tarde a Munich, donde debía hacer escala para coger otro avión a Delhi. Como consecuencia de tal retraso, perdió la conexión y tuvo que quedarse una noche en Munich. La compañía aérea negó su responsabilidad en esta incidencia y usted tuvo que pagar una noche en un hotel de la ciudad. Ahora ha reclamado nuevamente a la compañía que le reembolse el gasto de alojamiento, pero esta ha denegado su queja. Por todo ello, ha decidido escribir una carta de reclamación con el fin de que le compensen de algún modo por todas las molestias que ha tenido que soportar. En la carta debe:

- presentarse;
- enumerar las distintas incomodidades sufridas;
- exigir una compensación por el daño ocasionado;
- proponer algunas formas de compensación que solucionen el problema.

Número de palabras: **entre 150 y 180**.

**CD II
Pista 51**

*Va a escuchar un anuncio sobre un programa televisivo que recoge **el aumento de reclamaciones y denuncias de los consumidores**.*

CARTA DE RECLAMACIÓN

CARTA DE RECLAMACIÓN
La carta de reclamación es un medio muy efectivo para exponer nuestras quejas.
Es fundamental que los datos sean concretos y que se apoyen en pruebas que confirmen la legitimidad de nuestras demandas.

1. Es conveniente centrarse en las posibles soluciones más que buscar culpables.
2. Exposición clara, ordenada.
3. Proporcionar toda la información relevante y prescindir de datos no pertinentes.
4. Es esencial dirigir las quejas a la persona con mayor autoridad para resolver el problema.
5. Dar credibilidad a la queja aportando datos concretos y su cronología exacta.
6. Evitar ataques personales o insultos.
7. Aclarar qué compensación se desea obtener.

Expresión e interacción escritas

MODELO DE CARTA DE RECLAMACIÓN

Asunto
identificativo
del problema

Identificarse

Madrid, 12 de agosto de (año)
Hotel Relajavida

Lugar y fecha

Javier González García
c/Arena, 8. 2.º C
28043 Madrid
Telf. 629 185 311

Encabezamiento
Ponemos el cargo
de la persona a la
que nos dirigimos.

Asunto: reclamación por deficiencias en el servicio

Presentación
y exposición
del problema
- Me pongo en
comunicación
con ustedes para
informarles de una
serie de incidencias
ocurridas durante mi
estancia en su hotel.
- Como máximo
responsable del
hotel, me dirijo
a usted para
comunicarle mi
descontento por el
servicio recibido en
sus instalaciones.
- En su oferta
prometían que…

Estimado Sr. Director:

La primera semana del presente mes me alojé en su hotel. Cuando hice la reserva, se me ofreció conexión wifi en la habitación, así como acceso gratuito al gimnasio y al spa del hotel. Además, me garantizaron que se trataba de un lugar tranquilo y perfecto para unos días de relajación. Sin embargo, durante mi estancia en sus instalaciones vi cómo se incumplieron, una tras otra, todas las condiciones del contrato.

Así, la conexión wifi estaba bloqueada en las habitaciones, lo que me impidió tener algunas videoconferencias muy importantes sobre incidentes que surgieron durante mi ausencia en mi trabajo. Por otra parte, cuando intenté acceder al gimnasio, me dijeron que solo era posible para ofertas especiales reservadas con un mes de antelación. Para empeorar la situación, el spa se hallaba en obras durante mi estancia, algo de lo que no se me avisó al hacer la reserva.

Descripción
detallada de los
inconvenientes
sufridos
- La habitación era
oscura y daba a una
zona de salida de
humos de la cocina
del hotel…
- Los empleados
fueron descorteses
cuando les expuse
mis quejas…
- Tuve que pagar
las bebidas, cuando
en el contrato se
especificaba que
estas se incluían en el
precio del menú.

Aportar pruebas
que apoyen
la reclamación
- Les adjunto copia
de la cuenta del
restaurante.
- Incluyo
documentación
para apoyar mi
reclamación.
- Puse en
conocimiento de
la gobernanta, la
Sra. Pérez Gómez,
la actitud de sus
empleadas, y ella les
confirmará nuestra
conversación…

Tampoco el servicio de limpieza ha sido como yo esperaba. Las camareras llamaban a la puerta cuando colgaba el cartel de «No molesten» y la reposición del jabón y del champú era insuficiente. Además, la limpieza dejaba mucho que desear.

Como prueba de todo lo dicho, les adjunto una copia de la reserva y fotos tomadas tras la limpieza de mi habitación.

Por todo ello, les reclamo una compensación por el incumplimiento de las condiciones estipuladas en la reserva. De lo contrario, me veré obligado a tomar medidas legales.

Pedir una
respuesta
y avisar de futuras
actuaciones
- En caso de no
obtener respuesta
suya en el plazo de
una semana, tomaré
medidas legales
contra ustedes.
- Si no recibo
noticias dentro de
una semana, les
denunciaré ante la
Organización de
Consumidores.
- Espero una
respuesta inmediata.
En caso contrario,
me veré obligado/a a
denunciarles.

Atentamente,
Javier González García

Despedida

Firma

TAREA 2

(Ver características y consejos, p. 262)

Elija solo una de las dos opciones que se le ofrecen a continuación:
Número de palabras: **entre 150 y 180**.

OPCIÓN A

Usted colabora como asesor en un programa español de animación turística y le han pedido que haga una presentación sobre los últimos datos en el sector. Para preparar el tema cuenta con la información que se ofrece en los siguientes gráficos.

Alojamientos turísticos. Principales resultados de la demanda 2011. Datos provisionales

	*Pernoctaciones (millones)	Estancia media (días)	Variación interanual % Pernoctaciones	
Establecimientos hoteleros	286,6	3,36	-2,2	12,7
Apartamentos turísticos	63,5	7,24	2,3	8,8
Camping	31,7	5,11	2,9 2,6	
Alojamientos turismo rural	7,7	2,83	-3,5	19,3

■ Residentes en España
■ Residentes en el extranjero

Estancia media en hoteles. 2011

España 3,36 días

■ 3,8 días o más   De 1,8 a 2,8 ▨
■ De 2,8 a 3,8   Menos de 1,8 días ░

Fuente: España en cifras 2012. www.ine.es

Redacte un texto en el que deberá:
• introducir el tema del estudio y señalar la importancia social y económica del sector turístico en el momento actual.
• resaltar los datos que considere más relevantes sobre las zonas y los tipos de alojamiento más demandados en España.
• comparar y valorar las diferencias más apreciables entre los alojamientos elegidos por extranjeros y españoles.
• dar sugerencias de inversión en el sector turístico español a partir de la información recogida en los gráficos.

*Pernoctar es pasar la noche en determinado lugar, especialmente fuera del propio domicilio.

OPCIÓN B

Usted leyó ayer la siguiente noticia sobre las causas principales de los accidentes de tráfico y ha decidido difundir esta información en un periódico local con el que colabora, ofreciendo una serie de consejos para prevenirlos.

Las distracciones son la principal causa de accidente de tráfico

Los ocupantes del vehículo y las preocupaciones son las principales fuentes de despiste

Uno de cada dos accidentes de tráfico ocurridos en las carreteras españolas durante 2012 tuvieron como factor concurrente una distracción, que es ya la primera causa de siniestralidad en España por encima de la infracción de la norma, la velocidad inadecuada y el cansancio o el sueño, según el primer barómetro elaborado por el Real Automóvil Club de España (RACE), en colaboración con BP y su marca Castrol.

Según una encuesta realizada a 4 473 conductores, la principal distracción reconocida por los automovilistas es *escuchar la radio o música* (85,3%), seguida de *hablar con algún ocupante* (77,7%) y *pensar en las preocupaciones personales* (56%). Por su parte, las distracciones que menos reconocen los conductores como propias están relacionadas con la manipulación del móvil.

En cuanto a las distracciones ajenas, los encuestados han señalado como conducta frecuente ver al resto de conductores *hablando con algún ocupante* (90,8%), *fumando* (85,3%), *mirando un accidente* (85,2%) y *hablando por teléfono*.

Más del 90% de automovilistas han identificado como las distracciones de mayor riesgo las relacionadas con la manipulación de un teléfono móvil, especialmente, *chatear por el móvil, mandar o leer un SMS* o *hablar por teléfono sin manos libres*. Además, un 45,1% considera que hablar por teléfono también es arriesgado aunque se haga con el manos libres.

Redacte un texto para publicarlo en un periódico en el que deberá:
- hacer una pequeña introducción sobre los accidentes de tráfico y sus graves consecuencias personales, familiares y sociales;
- enumerar las principales causas de los accidentes de tráfico;
- elaborar una lista de recomendaciones para prevenirlos;
- contar algún caso conocido de incidente producido por alguno de estos motivos.

Anote el tiempo que ha tardado:

Recuerde que solo dispone de **80 minutos**

PRUEBA 4

Expresión e interacción orales

20 min — Tiempo disponible para las 3 tareas.

20 min — Tiempo disponible para la preparación de la intervención oral.

TAREA 1

(Ver características y consejos, p. 266)

Debe hablar durante 3 o 4 minutos de las ventajas e inconvenientes de una serie de soluciones que se proponen para un determinado problema. Después, conversará con el entrevistador sobre el tema. Tiempo total, 6-7 minutos.

LOS PROBLEMAS MEDIOAMBIENTALES

En la última Cumbre de la Tierra celebrada en 2012 en Estocolmo y convocada por la ONU se trataron cuestiones medioambientales y se establecieron las bases de una necesaria política internacional sobre medio ambiente.

Expertos en el tema se reunieron para denunciar los principales problemas medioambientales y para discutir algunas medidas que ayuden a remediarlos.

Lea las propuestas recogidas y explique las ventajas e inconvenientes de, como mínimo, cuatro de ellas.

Después de su monólogo conversará con el entrevistador sobre el tema y las propuestas.

En su exposición debe especificar por qué le parece una buena o mala solución esa propuesta, qué inconvenientes puede tener, a quién beneficia y a quién perjudica, si puede ocasionar otros problemas o si habría que precisar algo más…

Expresión e interacción orales

> Habría que preservar los ecosistemas de especial valor medioambiental para evitar la extinción de sus especies vegetales y animales. Si no se actúa ahora desaparecerá la biodiversidad.

> Se deberían tomar medidas para preservar el medio ambiente y para favorecer el desarrollo sostenible. Los recursos naturales son limitados y muy pronto podrían agotarse si no se actúa con rapidez y eficacia.

> Hay que llevar a la cárcel a las personas que provocan intencionadamente incendios, deforestación, mareas negras…, que son la causa de desastres naturales como las sequías, la desertización y las inundaciones.

> Sería necesario llegar a acuerdos internacionales para limitar la emisión de gases de efecto invernadero, hecho que está muy relacionado con el calentamiento global y con el cambio climático

> Yo pondría multas a todas las empresas que contaminen o viertan sus residuos tóxicos y obligaría a que todas las compañías utilizasen energías limpias. Habría que exigirles también programas de reciclado.

> Yo creo que no hay que obsesionarse con el tema. En la historia del mundo siempre ha habido ciclos alternativos de calor y de frío. No hay evidencias científicas de que exista realmente un cambio climático en la actualidad.

EXPOSICIÓN

Ejemplo: *Yo estoy de acuerdo con la propuesta de que habría que preservar los ecosistemas porque…*

CONVERSACIÓN

Cuando el candidato termine su monólogo sobre las propuestas de la lámina (3 o 4 minutos), el entrevistador le hará algunas preguntas sobre el tema durante otros 3 minutos.

La duración total de esta tarea es de 6 a 7 minutos.

EJEMPLO DE PREGUNTAS DEL ENTREVISTADOR

Sobre las propuestas

- ¿Está de acuerdo con todas las propuestas? ¿Eliminaría o añadiría alguna?

Sobre su realidad

- ¿Cree que en general se protege el medio ambiente en el mundo? ¿Y en su país? Explique su respuesta.

Sobre sus opiniones

- ¿Cuáles son, en su opinión, los principales problemas medioambientales?
- ¿Cree que debe haber leyes internacionales para proteger el medio ambiente o piensa que eso depende de los gobiernos de cada país?
- ¿Qué pueden hacer las personas en su vida diaria para mejorarlo? ¿Qué medidas tomaría al respecto si fuese político?

TAREA 2

(Ver características y consejos, p. 269)

Usted debe imaginar la situación que se está produciendo en la fotografía y, a continuación, tiene que describirla durante 2 minutos aproximadamente, a partir de unas preguntas que se le ofrecen en la lámina. Puede haber más de una respuesta.
Después, hablará con el entrevistador y expresará sus opiniones sobre ese tema.
Tiene que elegir una de las dos opciones que se le ofrecen.

VIAJE CON MAL TIEMPO

Las personas que aparecen en esta fotografía se encuentran de turismo en una ciudad. Imagine la situación y hable sobre ella durante 2 minutos aproximadamente. Para ello puede centrarse en los siguientes aspectos:

- ¿Dónde cree que se encuentran estas personas? ¿Por qué piensa eso?
- ¿Cree que existe alguna relación entre ellas? ¿Por qué?
- Seleccione dos o tres personas de la fotografía e imagine cómo son, dónde viven, a qué se dedican…
- ¿Puede explicar, a partir de los gestos y movimientos, qué está sucediendo en ese momento?
- ¿Cómo cree que va a continuar la escena?¿Qué cree que van a hacer a continuación las personas que están en primer término en la fotografía?

Después de la descripción, el entrevistador le hará algunas preguntas sobre el tema hasta completar el tiempo total de esta prueba, que es de 5-6 minutos.

EJEMPLOS DE PREGUNTAS DEL ENTREVISTADOR

- ¿Le ha ocurrido alguna vez una situación como la de la foto? En caso afirmativo, ¿puede contar dónde estaba, qué pasó, qué hizo…?
- ¿Cree que para viajar es importante que haga buen tiempo? ¿Puede poner ejemplos de destinos turísticos y de sus riesgos meteorológicos?

Expresión e interacción orales

TAREA 3

(Ver características y consejos, p. 270)

Usted tiene que dar su opinión a partir de unos datos de noticias, encuestas, etc., que se le ofrecen (2-3 minutos). Después, debe conversar con el entrevistador sobre esos datos, expresando su opinión al respecto.
Esta tarea no se prepara previamente.

DESTINOS TURÍSTICOS

¿Qué tipo de viajes suele hacer? ¿Adónde le gusta viajar? Seleccione en esta lista sus destinos turísticos preferidos y explique los motivos de su elección:

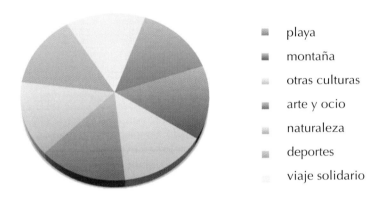

- playa
- montaña
- otras culturas
- arte y ocio
- naturaleza
- deportes
- viaje solidario

A continuación compare sus respuestas con los resultados obtenidos en España en una encuesta con las mismas preguntas.

- ¿En qué se parecen? ¿Hay alguna diferencia importante?
- ¿Quiere destacar algún aspecto? ¿Cree que hay otros indicadores que debería contener la encuesta? ¿Puede explicarlo?
- ¿Cuáles son sus actividades favoritas cuando viaja?

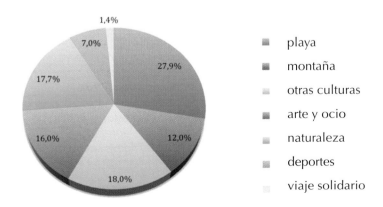

- playa
- montaña
- otras culturas
- arte y ocio
- naturaleza
- deportes
- viaje solidario

Especial DELE B2 Curso completo

PRUEBA 1 — **Comprensión de lectura**

CARACTERÍSTICAS DE LA PRUEBA

DESCRIPCIÓN
- Consta de **4 tareas** de lectura y de un total de **36 ítems** de respuesta preseleccionada.
- Su duración total es de **70 minutos**.
- Las lecturas se basan en **textos auténticos**, adaptados en ocasiones al nivel B2 en léxico y gramática.
- La extensión total de los textos es de 1750 a 1950 palabras.

MODO DE REALIZACIÓN
- Los textos se presentan en un **cuadernillo** junto con la prueba de Comprensión auditiva.
- Las respuestas deben marcarse en una **hoja de respuesta** separada.

PUNTUACIÓN
- Esta prueba supone el 25 % de la puntuación del examen y se califica junto con la de Expresión e interacción escritas, que vale otro 25 %. Para aprobar este grupo se necesita tener 30 puntos entre las dos. (Un 60 % de aciertos).
- Las respuestas acertadas valen 1 punto, la puntuación máxima es de 36 puntos y la mínima para aprobar es aproximadamente del 60 % (unas 22 respuestas correctas).

http://dele.cervantes.es/informacion/guias/guia_b2/03_prueba_comprension_lec.html

TAREA 1
- Consiste en leer un **texto informativo** complejo de ámbito público o profesional de entre 400 y 450 palabras.
- Consta de **6 ítems** de respuesta de selección múltiple con **3** opciones de respuesta: a), b) y c).
- **Su objetivo** es medir la comprensión de **ideas esenciales e informaciones específicas** de un texto.
- **El enunciado de la respuesta y el texto** pueden estar relacionados en significado, léxico y gramática.

TE PUEDE AYUDAR

Es importante determinar el tipo de relaciones entre el enunciado de la respuesta y el texto. Este análisis permite definir si la opción es correcta o incorrecta.

A. Si tiene que ver con el significado...
  ✓ Es correcta cuando el enunciado
  - **expresa con otras palabras** lo mismo que dice el texto.
  - **resume** frases o un párrafo del texto.
  ✗ Es incorrecta cuando el enunciado
  - expresa ideas lógicas verdaderas **no dichas** en el texto.
  - reproduce **las mismas palabras** del texto, **pero referidas a ideas o a periodos de tiempo distintos.**

B. Si tiene que ver con el contenido léxico...
  ✓ Es correcta cuando el enunciado contiene
  - **rodeos perifrásticos:** *conflictos armados* por *guerras.*
  - **sinónimos**: *casa* y *vivienda.*
  - **locuciones equivalentes**: *estar sin blanca* y *no tener un duro.*
  ✗ Es incorrecta cuando el enunciado contiene
  - **antónimos:** *frío* y *calor.*
  - **términos no equivalentes:** *afirmar* frente a *suponer.*

C. Si tiene que ver con aspectos gramaticales...
  Tiempos, modos y perífrasis verbales
  ✓ Es correcta cuando el enunciado ofrece formas equivalentes.
    - *Tiene que trabajar más* y *debe esforzarse más.*
  ✗ Es incorrecta cuando el enunciado ofrece formas diferentes.
    - *Está estudiando el proyecto* y *ha estudiado el proyecto.*
    - *Podría ser muy rico* y *es muy rico.*
    - *Ya es seguro que viene* y *seguramente vendrá.*
    - *Puede que venga esta tarde* y *viene esta tarde.*

  Cuantificadores, adverbios, nexos, relaciones lógicas
  ✓ Es correcta cuando el enunciado ofrece formas equivalentes.
    - *Los jóvenes van con frecuencia al cine* y *los jóvenes a menudo van al cine.*
  ✗ Es incorrecta cuando el enunciado ofrece formas diferentes.
    - *Todos los estudiantes aprobaron* y *algunos de los estudiantes aprobaron.*
    - *Aunque llueva saldré* o *cuando llueva saldré.*

¡Ojo! --
- *En cada opción de respuesta, lo normal es que haya varios tipos de relaciones: significado y/o léxico y/o gramática.*
- *Una respuesta parcialmente correcta es incorrecta.*

TAREA 1

Ahora, lee los siguientes fragmentos de textos y decide si las opciones de los enunciados son correctas o no. Justifica tu respuesta como en el ejemplo:

EJEMPLO

TEXTO	ENUNCIADO DE LA RESPUESTA
«Cuando en un mercadillo vemos unas gafas de firma que son una ganga, tenemos que sospechar de ellas e imaginar que son falsas».	En el texto se dice que… a) si vemos unas gafas de marca muy baratas, tenemos que desconfiar de ellas.

RESPUESTA

Es correcta la opción **a)** porque este enunciado es **equivalente** al texto en:

A) **el significado**: se dice lo mismo con otras palabras.

B) **el léxico**: *de marca* es sinónimo a *de firma y baratas* es similar a *son una ganga. Desconfiar* es lo mismo que *sospechar.*

1. «Seguramente en aquel campo donde fui tan feliz en mi infancia habrá ahora un centro comercial».

En el texto la autora afirma que:
a) un lugar especial de su infancia se ha convertido en un centro comercial.

2. «En aquella época Ana y María eran como dos gotas de agua, tanto que era difícil distinguirlas cuando estaban juntas».

En el texto se dice que:
a) las dos mujeres se parecían mucho y estaban muy unidas en el pasado.

3. «En la mayor parte de los países europeos está prohibido fumar en público».

Según este texto:
a) la mayoría de los europeos fuma únicamente en su casa.

4. «Los recientes conflictos armados han ocasionado en nuestra empresa graves problemas en la distribución de sus pedidos y en el abastecimiento de materias primas».

En este texto se explica que:
a) las guerras han causado serias dificultades en la distribución de las materias primas de la empresa.

5. «Los alimentos demasiado blandos no solo evitan el beneficioso efecto de la masticación, sino que, a menudo, al estar compuestos por azúcares, se adhieren a los dientes contribuyendo a la aparición de caries».

De este texto se desprende que los alimentos blandos:
a) deben ser eliminados de la dieta.

TAREA 2

- Consiste en leer **4 textos expositivos** personales, de ámbito público y profesional (130-150 palabras cada uno) que contienen puntos de vista, comentarios, opiniones o anécdotas.
- Consta de **10 ítems** en los que hay que relacionar los 4 textos con **10** enunciados o preguntas.
- **Su objetivo** es medir la capacidad de localizar **información específica y relevante** y también comprender **actitudes, sentimientos y valoraciones** que contienen los textos.

OTRAS CARACTERÍSTICAS

- Los textos desarrollan diferentes aspectos de **un tema común**: cómo buscar trabajo, el cambio climático…
- En cada texto **una persona distinta** manifiesta su opinión y pueden ser hombres y mujeres, o solo hombres, o solo mujeres.
- A cada texto le puede corresponder un número desigual de enunciados: 1, 2, 3 o 4.
- Los enunciados están formulados siempre con la misma pregunta: «¿Quién dice que…?».
- Los enunciados no siguen un orden lineal, sino que suelen estar desordenados respecto a los textos.

TE PUEDE AYUDAR

- Lee **los enunciados y los textos** y subraya las palabras **clave**. También puedes resumir el tema esencial de cada uno.
- **Lee despacio** prestando atención a sinónimos, antónimos, expresiones, rodeos, conectores, tiempos verbales…
- **Relaciona** después los enunciados con los textos asegurándote de que significan lo mismo.
- **Empieza por los más obvios** y deja para el final los más dudosos, para releerlos despacio.
- Se pueden **tachar** las respuestas ya resueltas. Conviene **repasarlo** todo al final.

EJEMPLO
de una muestra de esta tarea correspondiente al Examen 1 de este libro

Lee estos enunciados y estos fragmentos de textos y explica en cuál de ellos está la opción correcta.

ENUNCIADOS	a) Raquel	b) Eduardo
1. ¿Quién considera que los tipos de educación tradicional y *on-line* se completan uno a otro?		
2. ¿Para quién es fundamental un cambio en la forma de pensar de los directivos de una empresa ante la enseñanza *on-line*?		

TEXTOS

a) Raquel
(…) En el ámbito empresarial, este sistema implica un cambio de mentalidad en la dirección de formación de la empresa, así como un profundo dominio de los empleados en nuevas tecnologías. No obstante, todos los que trabajamos en ámbitos formativos somos conscientes de que la formación virtual no sustituirá en el futuro a la tradicional; ambas se complementarán y apoyarán. (…)

b) Eduardo
(…) Estoy convencido de que la educación virtual cada vez tendrá más porcentaje de participación dentro del campo educativo porque sus fundamentos son sólidos y coincidentes con la evolución tecnológica del mundo y su presencia significativa será inevitable. No es *hija* de la educación tradicional, es *hermana*, llevan la misma sangre, se ayudan, se complementan, se necesitan, pero son dos vidas distintas.

Comprensión de lectura

TAREA 3

- Consiste en completar los párrafos extraídos de un texto (400-450 palabras) seleccionando **6 enunciados breves** (15-20 palabras) entre **8 opciones** propuestas.
- El texto puede ser un artículo de opinión, una noticia, una carta al director, una guía de viaje, etc., del ámbito público, profesional o académico.
- **Su objetivo** es medir la capacidad de reconstruir **la estructura de un texto** e **identificar las relaciones** que se establecen entre las ideas del mismo.

TE PUEDE AYUDAR

- Se puede **empezar leyendo el texto**, **resumiendo cada párrafo** e imaginando el contenido del texto extraído.
- Se puede **comenzar** por los fragmentos **subrayando las palabras clave** y señalando el contenido básico de cada uno.
- **Las oraciones anteriores y siguientes** al fragmento extraído **pueden ayudarnos a identificarlo** correctamente, así como las referencias internas y las relaciones lógicas entre las ideas del texto.
- **Se empieza** a completar el texto a partir de **los fragmentos** que resulten **más evidentes**.
- Hay que **leer con detenimiento** e ir completando el resto del texto. Siempre hay una razón de tipo léxico, gramatical o lógica para elegir un fragmento en lugar de otro. Al final conviene revisarlo todo.
- Recordamos que **hay dos fragmentos que no pertenecen al texto**. Suelen estar relacionados con el tema, pero repiten contenidos o no tienen lógica en ningún contexto.

Los elementos que ayudan a **estructurar un texto** y le dan **coherencia y cohesión** son los siguientes.

GRAMATICALES

- **Cuantificadores:** *Juan tuvo <u>dos</u> hijos, <u>el segundo</u> se llamaba…*
- **Adverbios:** *aquí, allí, encima…*
- **Pronombres personales:** *<u>A Juan</u> le gusta que hablen bien de <u>él</u>.*
- **Demostrativos:** *Ana fue a <u>Vigo</u>… En <u>esa</u> ciudad conoció a…*
- **Posesivos:** *Le voy a dar <u>la receta</u>. <u>Sus</u> principales ingredientes son…*

Otros:
- Signos de puntuación: (: , .)
- Ejemplos, aclaraciones…

RECURSOS LÉXICOS

- **Sinónimos:** *causa* y *motivo.*
- **Rodeos:** *el autor del "Quijote"* en lugar de decir *Cervantes.*
- **Palabras relacionadas:** *rosa* y *flor; mueble* y *mesa.*
- **Repeticiones** como: *La policía <u>lo detuvo</u>… <u>La detención</u> se produjo…*

MARCADORES DEL DISCURSO

- **Conectores:** *ni… ni; no solo… sino también; además; asimismo…*
- **Conectores adverbiales:** *así que; de modo que; puesto que; a pesar de; mientras que…*

Estructuradores de la información
- *Para empezar…*
- *Por su parte, de otra parte…*
- *Para finalizar, en suma…*
- *En otras palabras…*
- *Resumiendo…*
- *Por cierto, a propósito…*

EJEMPLO
de una muestra de esta tarea correspondiente al examen 1 de este libro

1. *Lee estos fragmentos y explica la relación que tienen con el texto: gramatical, léxica, lógica…*

La revista de la Asociación Estadounidense de Psicología se ha tomado en serio los resultados del efecto de la publicidad subliminal.
1. _____ a) _____. Es decir, si tienes sed, te dan aún más ganas de beber.

2. _____ b) _____. Sin embargo, nuestro cerebro sí es capaz de hacerlo.

Nuestras elecciones se originan de acuerdo con nuestra formación, dependiendo de lo que hayamos aprendido, de la educación que hayamos recibido en la familia y en el colegio.
3. _____ c) _____

FRAGMENTOS

a)
En un artículo demuestra que un anuncio de estas características potencia el efecto y refuerza una determinada conducta.

b)
Al emitirse un vídeo con una cadencia de catorce imágenes por segundo, no podemos percibir conscientemente cada una por separado.

c)
Por lo tanto, elegimos nuestras conductas en función de lo que hemos vivido, de aquello que ha ido formando parte de nuestra experiencia.

2. *Esta es la actividad, intenta hacerla con la ayuda que acabamos de facilitarte.*

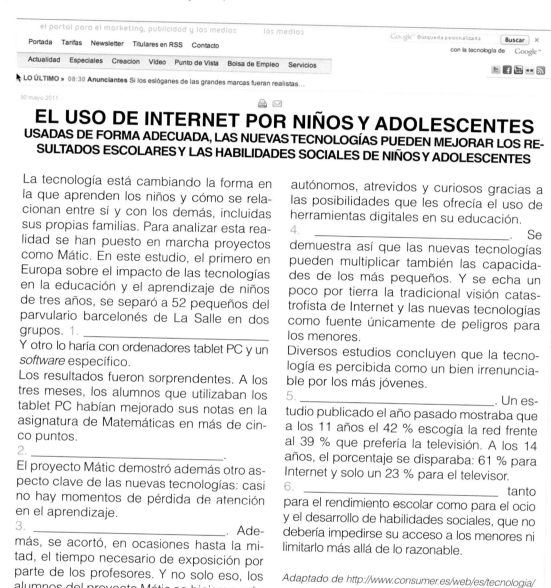

3. Ahora, explica la relación que existe entre los fragmentos seleccionados y el texto en el que se encuentran.

EL USO DE INTERNET POR NIÑOS Y ADOLESCENTES

USADAS DE FORMA ADECUADA, LAS NUEVAS TECNOLOGÍAS PUEDEN MEJORAR LOS RESULTADOS ESCOLARES Y LAS HABILIDADES SOCIALES DE NIÑOS Y ADOLESCENTES

La tecnología está cambiando la forma en la que aprenden los niños y cómo se relacionan entre sí y con los demás, incluidas sus propias familias. Para analizar esta realidad se han puesto en marcha proyectos como Mátic. En este estudio, el primero en Europa sobre el impacto de las tecnologías en la educación y el aprendizaje de niños de tres años, se separó a 52 pequeños del parvulario barcelonés de La Salle en dos grupos. **1. Uno de ellos aprendería de la forma tradicional: con cuadernos, libros de texto, pizarras, etc.** Y otro lo haría con ordenadores tablet PC y un *software* específico. Los resultados fueron sorprendentes. A los tres meses, los alumnos que utilizaban los tablet PC habían mejorado sus notas en la asignatura de Matemáticas en más de cinco puntos. **2. Además, el 84,6 % de estos pequeños lograban calificaciones de notable o sobresaliente.**

El proyecto Mátic demostró además otro aspecto clave de las nuevas tecnologías: casi no hay momentos de pérdida de atención en el aprendizaje.

3. Eso facilitó que los alumnos con ordenador realizaran cuatro veces más ejercicios que los que seguían una educación tradicional sin ellas. Además, se acortó, en ocasiones hasta la mitad, el tiempo necesario de exposición por parte de los profesores. Y no solo eso, los alumnos del proyecto Mátic se hicieron más autónomos, atrevidos y curiosos gracias a las posibilidades que les ofrecía el uso de herramientas digitales en su educación.

4. En definitiva, mejoraron sus resultados académicos y también sus habilidades sociales. Se demuestra así que las nuevas tecnologías pueden multiplicar también las capacidades de los más pequeños. Y se echa un poco por tierra la tradicional visión catastrofista de Internet y las nuevas tecnologías como fuente únicamente de peligros para los menores. Diversos estudios concluyen que la tecnología es percibida como un bien irrenunciable por los más jóvenes.

5. De hecho, si deben elegir entre distintas formas de ocio, la mayoría prefiere Internet al televisor. Un estudio publicado el año pasado mostraba que a los 11 años el 42 % escogía la red frente al 39 % que prefería la televisión. A los 14 años, el porcentaje se disparaba: 61 % para Internet y solo un 23 % para el televisor.

6. De esta investigación se puede concluir, sin lugar a dudas, que la tecnología ofrece tantas ventajas, tanto para el rendimiento escolar como para el ocio y el desarrollo de habilidades sociales, que no debería impedirse su acceso a los menores ni limitarlo más allá de lo razonable.

Adaptado de http://www.consumer.es/web/es/tecnologia/internet/2008/11/12/180713.php#sthash.v06mXstl.dpuf

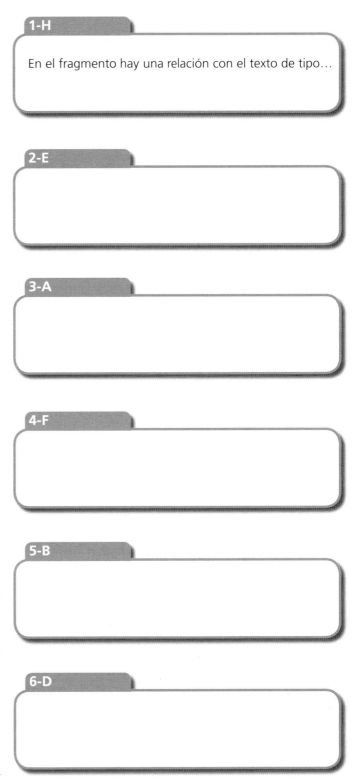

1-H

En el fragmento hay una relación con el texto de tipo…

2-E

3-A

4-F

5-B

6-D

TAREA 4

- Consiste en **leer un texto** (400-450 palabras) literario, histórico, biográfico… de ámbito público, profesional o académico y en **completar los 14 huecos o ítems** que le faltan seleccionando una de las **3 opciones** propuestas: a), b) y c).
- Su objetivo es medir la capacidad del candidato para identificar **estructuras gramaticales** apropiadas para completar un texto extenso complejo.

TE PUEDE AYUDAR

- En esta tarea es fundamental tener en cuenta **el contexto**: quizá la clave de una respuesta está al principio de una frase compleja y extensa. Y es posible que el uso de un pronombre determinado esté condicionado por una información aparecida en la frase anterior.

TEMAS GRAMATICALES

Partes de la oración
- Género, número, persona
- Pronombres personales
- Indefinidos
- Pronombres relativos
- Interrogativos
- Adverbios
- Preposiciones

El verbo
- Tiempos verbales
- Modo indicativo
- Modo subjuntivo
- Imperativo
- Perífrasis verbales
- Verbos de cambio
- Correlación de tiempos

Relaciones sintácticas
- Coordinación
- Subordinación
- Conjunciones
- Conectores o nexos
- Estilo indirecto
Otros:
- Diferencias entre *ser* y *estar*

EJEMPLO
de una muestra de la tarea 4 del Examen 1 de este libro

Elige la opción correcta e identifica qué tema gramatical aparece en cada ítem. Justifica tu elección.

MUERTE ENTRE POETAS

Doña Agustina estaba sentada en una mecedora alfonsina de finales del siglo XIX, de madera tan brillante _____1_____ los ojos de su dueña. Un secreter de líneas sencillas estaba abierto a su lado, pegado a la pared junto a una chimenea de azulejos pintados _____2_____ mano. En el ambiente anticuado de la habitación solo desentonaba un ordenador portátil Macintosh de última generación que lucía encima de una mesa camilla. No _____3_____ extrañó que la vieja señora _____4_____ informatizada. Su propia tía Pau era una forofa de las nuevas tecnologías, y le resultaba de una gran utilidad en la gestión de la revista electrónica. Nacho sospechaba que tía Pau mantenía relaciones a través de Internet no del todo apropiadas para su edad y condición. Su tía no estaba para muchos trotes sentimentales, _____5_____ también era perfectamente consciente de las ventajas de mantener líos amorosos en la distancia del ciberespacio.

1. a) que   b) como   c) de

2. a) a   b) por   c) en

3. a) le   b) lo   c) se

4. a) estuvo   b) estaba   c) estuviera

5. a) sino   b) más   c) pero

PRUEBA 2   Comprensión auditiva

CARACTERÍSTICAS DE LA PRUEBA

DESCRIPCIÓN
- Consta de **5 tareas** y de un total de **30 ítems** de respuesta preseleccionada.
- Su duración es de **40 minutos** aproximadamente.
- Los textos auditivos están grabados en un estudio y simulan ser reales. Se basan en **textos auténticos**, adaptados al nivel B2 en léxico y gramática.
- La extensión total de los textos es de 1590 a 1980 palabras.

MODO DE REALIZACIÓN
- Los enunciados con las preguntas se presentan en un **cuadernillo** junto con la prueba de Comprensión de lectura.
- Cada texto **se reproduce 2 veces** seguidas.
- Las respuestas deben marcarse en una **hoja de respuesta** separada.
- Se realizan **pausas antes y después de las audiciones** para que dé tiempo a leer las preguntas y a marcar las respuestas.

PUNTUACIÓN
- Esta prueba supone el 25 % de la puntuación del examen y se califica junto con la de Expresión e interacción orales, que vale otro 25 %. Para aprobar este grupo se necesita tener 30 puntos entre las dos. (Un 60 % de aciertos).
- Las respuestas acertadas valen 1 punto, la puntuación máxima es de 30 puntos y la mínima para aprobar es aproximadamente el 60 % (unas 18 respuestas correctas).

TE PUEDE AYUDAR PARA TODA LA PRUEBA 2

Durante la prueba
- Lee las preguntas o enunciados antes de escuchar los diálogos y subraya las palabras **clave y las ideas importantes** que debes tener en cuenta cuando escuches el audio.
- **Antes** de la audición hay una pausa de 20 o 30 segundos para **leer las preguntas**.
- Durante la audición puedes **tomar nota** de datos e ideas relevantes al lado de cada pregunta.
- En **la primera audición** puedes **ir marcando** las respuestas que estén claras.
- Deja para **la segunda audición** las **respuestas** que sean **más dudosas**.
- Al final de cada audición hay **40 segundos** de pausa, por eso es importante ir contestando mientras se **escucha**.

Otras cuestiones
- Las preguntas generalmente siguen **el orden** del texto, pero no siempre.
- Es muy importante mantener **la concentración** durante toda la prueba.
- Algunas audiciones pueden ofrecer **acentos** de las distintas variedades del español como el andaluz, el español de América… Conviene escuchar estas variantes para habituarse a los distintos acentos y que no reduzca nuestra capacidad de comprensión.
- **Todas las estrategias sobre la relación entre los textos y los enunciados** (de significado, léxicas y gramaticales) para realizar **la Prueba 1 se pueden aplicar a toda la Prueba 2, ver p. 252**.

TAREA 1
- Consiste en **escuchar 6 conversaciones formales e informales** de ámbito personal, profesional, público o académico de entre 40 y 60 palabras.
- Las respuestas constan de **6 ítems** de selección múltiple con **3 opciones** de respuesta: a), b) y c).
- **Su objetivo** es medir la capacidad para captar **ideas esenciales** y extraer **informaciones específicas** de textos auditivos.

TE PUEDE AYUDAR

- En los diálogos informales aparece un léxico coloquial, sinónimos, antónimos, locuciones y frases hechas, etc., que muchas veces son la clave de la respuesta.
- Los elementos pragmáticos y algunos recursos como el uso de interrogaciones, exclamaciones, entonaciones, frases que quedan interrumpidas, etc., también son importantes en esta tarea.

Especial DELE B2 Curso completo

TAREA 2

- Consiste en **escuchar una conversación entre 2 personas** (250-300 palabras) de ámbito personal y público y en identificar qué enunciados dice la persona a), cuáles la b) y cuáles ninguna de las dos, c).
- Consta de 6 ítems con 3 opciones de respuesta: a), b) y c).
- **Su objetivo** es medir la capacidad para localizar **información específica** en conversaciones formales e informales.

TE PUEDE AYUDAR

- En esta tarea la mayor dificultad está en **identificar lo que no dice ninguno de los dos**, porque pueden ser ideas muy lógicas o verdaderas en la vida real, pero que no se mencionan en el texto.
- La primera persona que habla siempre corresponde a la opción a), la segunda, a la b) y la c) a lo que no dicen ninguno de los dos.
- A cada opción a), b) y c) le puede corresponder el mismo número de respuestas (dos para cada una) o diferente (3, 2, 1 o 1, 3, 2…).

TAREA 3

- Consiste en **escuchar una entrevista de radio o televisión** (400-450 palabras) de ámbito público, profesional o académico en la que se expone, se describe o argumenta; y en responder a unas preguntas.
- Consta de 6 ítems con 3 opciones de respuesta: a), b) y c).
- **Su objetivo** es medir la capacidad para localizar **información detallada y concreta** y en reconocer las implicaciones en una conversación.

TAREA 4

- Consiste en **escuchar 6 conversaciones o monólogos cortos** (50-70 palabras) del ámbito profesional o académico, en los que se cuentan experiencias, se expresan opiniones, consejos o valoraciones.
- La tarea consiste en relacionar lo que dice cada persona con sus enunciados correspondientes.
- En total hay que seleccionar 6 ítems entre 9 propuestos. Hay 3 ítems que no se eligen.
- **Su objetivo** es captar **ideas esenciales de conversaciones o monólogos breves** formales o informales.

TE PUEDE AYUDAR

- Al principio de la audición se ofrece un ejemplo del formato de la tarea que aparece en el cuadernillo como el enunciado 0 y que viene con la respuesta ya marcada.
- Los **6 textos** de esta prueba suelen desarrollar **aspectos diferentes del mismo tema**: el trabajo…
- Un enunciado puede referirse a algo que dicen varias personas. En este caso hay que escuchar con detenimiento para elegir la opción que más se ajuste a la pregunta.

TAREA 5

- Consiste en **escuchar un texto** (400-450 palabras) **de una conferencia, un discurso o un monólogo** en el que se describen o narran proyectos o experiencias del ámbito público, profesional o académico.
- Después hay que responder a 6 ítems con 3 opciones de respuesta: a), b) y c).
- **Su objetivo** es medir la capacidad para extraer **información concreta y detallada** y deducir posibles implicaciones en el texto.

CARACTERÍSTICAS DE LA PRUEBA

DESCRIPCIÓN

- Consta de **2 tareas**, una de interacción y otra de expresión.
- Consiste en redactar 2 textos con una extensión de 300 a 360 palabras entre los dos.
- Su duración total es de **80 minutos**.

MODO DE REALIZACIÓN

- Esta prueba se presenta en un **cuadernillo** en el que aparecen las 2 tareas y en el que hay que escribir a mano los textos que se piden.

PUNTUACIÓN

- Esta prueba supone el 25 % de la puntuación del examen y se califica junto con el de Comprensión de lectura, que vale otro 25 %. Para aprobar este grupo, se necesita tener 30 puntos entre las 2. (Un 60 % de aciertos).
- Cada texto escrito tiene el mismo valor y recibe una doble calificación subjetiva: una analítica (60 %) y otra holística (40 %).

TE PUEDE AYUDAR PARA TODA LA PRUEBA 3

- Conocer muy bien las características de los distintos **géneros textuales** como: cartas, informes, artículos, reseñas, críticas, etc., así como de las formas de tratamiento y de la expresión de cortesía.
- Tener un buen dominio de los distintos **tipos de discurso**: la descripción, la narración, la argumentación y la exposición.
- Mostrar un uso adecuado al nivel B2 de los **mecanismos de coherencia y cohesión** de los textos, como conectores discursivos, ordenadores del relato, elementos argumentativos…; y también pronombres, adverbios, demostrativos, sinónimos, etc.
- El **uso correcto de la gramática y la ortografía** adecuadas al nivel B2.
- Dominar **el léxico específico** de cada tema, así como el uso de expresiones coloquiales y otras formas léxicas.

NO OLVIDES

- ✓ Leer despacio las instrucciones de cada tarea y seguir todos los puntos del enunciado.
- ✓ Controlar el tiempo: solo dispones de 80 minutos en total.
- ✓ Escribir los 2 textos seguidos cuando practiques en casa y anotar el tiempo que has tardado en hacerlo.
- ✓ Contar el número de palabras.
- ✓ Hacer un borrador y pasarlo a limpio.
- ✓ Revisar bien la gramática y la ortografía.
- ✓ Demostrar todo lo que sabes.

TAREA 1

- Consiste en **redactar una carta o un correo electrónico de 150 a 180 palabras**, de registro formal o informal.
- El texto debe seguir las convenciones y rasgos propios del género epistolar y en él deben exponerse ideas y argumentos de forma clara, detallada y bien estructurada.
- Para elaborar el texto se parte de una audición de 200 a 250 palabras de ámbito personal, público, académico o profesional, que contiene noticias, anuncios, ofertas, comentarios, etc., sobre la que se tomarán notas que luego se incluirán en la carta.
- **Su objetivo** es medir la capacidad del candidato para redactar un **texto que recoja la información relevante de un texto auditivo** y que dé una opinión clara sobre el tema.

MODELOS DE CARTAS

Dispones en este libro de un modelo de carta en cada examen:

Examen 1 (pág. 31): modelo de **carta de reclamación** (Telefonía).
Examen 2 (pág. 67): modelo de **carta dirigida a un organismo oficial**.
Examen 3 (pág. 101): modelo de **carta de candidatura**.
Examen 4 (pág. 139): modelo de **solicitud de información**.
Examen 5 (pág. 177): modelo de **carta al director**.
Examen 6 (pág. 207): modelo de **carta de presentación**.
Examen 7 (pág. 245): modelo de **carta de reclamación** (Turismo).

TAREA 2

- Consiste en redactar **un artículo de opinión** (150-180 palabras) de ámbito público, académico o profesional, para un periódico, revista, blog…
- En él se deben **exponer las ideas** principales y las secundarias de manera clara, detallada y bien estructurada.
- Se puede elegir una de estas 2 opciones:
  - **Opción A:** un artículo en el que se debe comentar un gráfico o una tabla con datos estadísticos.
  - **Opción B:** un artículo en un blog sobre una noticia, una información… o una reseña sobre un libro, una película, una obra teatro…
- **Los temas** de los textos pueden tratar sobre medio ambiente, medios de comunicación, turismo, economía, trabajo, cultura…
- **Su objetivo** es medir la capacidad del candidato para **redactar un artículo a partir de un texto** (200-250 palabras) **o de un gráfico** o una tabla, en el que se argumente, se valore y se dé una opinión sobre el tema.

OPCIÓN A

Usted colabora con una revista universitaria y le han pedido que escriba un artículo sobre la evolución del tiempo que dedican los españoles al consumo diario de medios de comunicación. En él debe incluir y analizar la información que se ofrece en el siguiente gráfico.

Número de palabras: entre 150 y 180.

Redacte un texto en el que deberá:
- hacer referencia a los datos más relevantes del gráfico;
- señalar la evolución del uso de estos servicios en los últimos 5 años;
- resaltar los datos que considere más relevantes del estudio y hacer una valoración;
- expresar su opinión sobre la información recogida en el gráfico;
- realizar una breve conclusión y hacer una previsión sobre este consumo en España.

EVOLUCIÓN DE LA AUDIENCIA GENERAL DE LOS MEDIOS

Consumo diario. Minutos

	Total	Diarios	Suplementos	Total revistas	Revistas semanales	Revistas quincenales	Revistas mensuales	Revistas Bimestrales	Radio	Televisión	Internet	Cine
2010	411,6	15,2	1,2	3,4	1,9	0,1	1,4		107,1	226,8	57,2	0,7
2011	430,7	14,9	1,1	3,2	1,8	0,1	1,3		110,4	237,1	63,4	0,6
2012	447,1	13,8	1,0	2,8	1,6	0,1	1,2		114,0	242,0	72,9	0,6
2013	461,1	12,3	0,9	2,9	1,7	0,0	1,2	0,0	110,9	243,1	90,5	0,5
2014	461,6	11,0	0,8	2,7	1,5	0,1	1,1	0,0	108,3	237,8	100,3	0,7
2015	459,5	10,5	0,7	2,4	1,4	0,0	1,0	0,0	105,1	237,7	102,6	0,6

http://www.aimc.es/-Descarga-Marco-General-Asociados-.html

Expresión e interacción escritas

EJEMPLO

Observa que los tiempos verbales varían según sean los marcadores de tiempo.

INTRODUCCIÓN
- Presentación del tema.
- Datos del gráfico: lugar, fecha, quién lo ha realizado.

RESALTAR DATOS
- Destacar 2 o 3 datos importantes.
  COMPARAR Y CONTRASTAR

VALORACIÓN DE DATOS
- Me sorprende que haya…
- Me llama la atención que haya…

OPINIÓN
- En mi opinión…
- Yo considero que…
- A mi modo de ver…

CONCLUSIÓN
- En conclusión…
- Para concluir…

En los últimos 5 años se ha producido en España un cambio muy significativo en el consumo de medios, según un estudio realizado en 2015 por AIMC.

Como vemos en el gráfico, entre 2010 y 2015 disminuyó el tiempo de lectura de prensa escrita: diarios, revistas, etc.; en cambio, casi se duplicó (de 57 minutos pasó a 102) el dedicado a Internet.

A pesar de este aumento, me sorprende que todavía los españoles dediquen casi 4 horas diarias a ver la televisión y que ese tiempo haya aumentado en los últimos 5 años.

Otro dato que llama la atención es que se haya mantenido el consumo de cine y, sobre todo, que la gente oiga la radio más de 1 hora al día. Creo que es algo que no sucede en otros países.

Para concluir, podemos decir que Internet está cambiando rápidamente nuestros hábitos. Antes dedicábamos más tiempo a leer periódicos y revistas mientras que ahora preferimos estar conectados a la red. Y la previsión es que estos cambios aumenten a medio plazo.

TE PUEDE AYUDAR CON LA TAREA DEL GRÁFICO…

1. Lee la información de estos cuadros y después subraya en el ejemplo anterior las palabras que se han usado de estas listas.

1. Cantidad numérica
- La cifra es del 1 %, 20 %...
- El índice es del 1 %, 20 %...
- El porcentaje es del/no llega al...
- El 1 %, el 2 %, el 10 %...
- El uno, el dos, el diez por ciento...

2. Cantidad relativa
- El conjunto
- En conjunto
- La mayor, menor parte
- La mayoría de
- Abundante
- Escaso/a
- Limitado/a
- Insuficiente
- Como máximo
- Como mínimo
- Alrededor de
- Al menos
- Entre dos y cinco…
- El mismo, la misma, los mismos, las mismas…
- Ser superior, inferior a
- Casi

7. Proporción
- La proporción
- La distribución
- El reparto
- Proporcional
- Proporcionalmente
- La tercera…/la sexta parte de…
- Un, dos… tercio/s de…
- Dividir
- Distribuir
- Repartir

3. Aumento
- Aumentar
- El aumento
- Crecer
- El crecimiento
- Duplicarse
- Triplicarse
- Dos, cinco veces más…
- Más de dos, tres horas, veces al día/diario…
- Cada vez + *verbo* + más…

4. Disminución
- Disminuir
- La disminución
- Caer
- La caída
- Reducirse a la mitad
- Dos, cinco veces menos…
- Menos de dos, tres horas/ veces al día…
- Cada vez + *verbo* + menos…

5. Orden
- La fila
- La columna
- Ocupar la primera, la segunda posición...
- Estar en primera, segunda posición...
- Por orden

6. Futuro
- A corto, a medio, a largo plazo
- A partir de ahora; la previsión

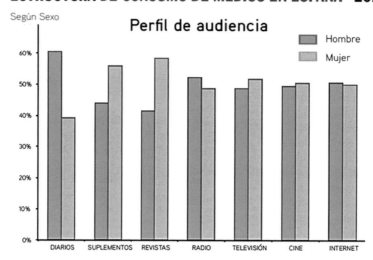

ESTRUCTURA DE CONSUMO DE MEDIOS EN ESPAÑA - 2015

2. Completa estas frases sobre este gráfico y el de la página 262 con las palabras adecuadas de su grupo (ver cuadros 1-7, página 263) sin repetir ninguna. Los verbos tienen que estar en el tiempo correcto.

a. Casi dos _____7_____ de los hombres leyeron periódicos durante 2015.

b. Sin embargo, el _____1_____ de mujeres que lee diarios no llega al _____1_____

c. Entre 2010 y 2015 el número de personas que leen suplementos _____4_____ casi a la mitad.

d. El _____1_____ de mujeres que lee revistas es _____1_____

e. Entre 2010 y 2015 se puede ver un _____3_____ del tiempo dedicado a los medios en España.

f. Las mujeres ocupan la _____5_____ en la lectura de revistas y suplementos.

g. La _____7_____ de hombres que lee diarios y escucha la radio _____2_____a la de mujeres.

h. La cifra de hombres y mujeres que van al cine es casi _____2_____ .

OPCIÓN B

ESCRIBIR UNA RESEÑA

¿QUÉ ES?

La reseña es un escrito breve donde se resume o se describe lo más importante de un libro, de una película, de una obra de teatro, etc. Debe contener una evaluación crítica, una opinión personal y una valoración que permita conocer si la obra merece la pena ser vista o leída.

PARTES

Introducción

Título, autor o director, género, época, tiempo, espacio, corriente literaria o artística, contexto histórico-cultural…

Desarrollo

Debe contener los aspectos más importantes de:

- **Argumento:** 2 o 3 líneas máximo. (*Trata de, sobre; Cuenta la historia, el relato de…*)
- **Temas generales.** Los objetivos de la obra descritos de forma clara y con palabras abstractas: la falta de libertad, la deshumanización de la sociedad, la corrupción…
- **Desarrollo** de la acción, problema o conflicto. Está narrado en primera o tercera persona.
- **La estructura:** en capítulos, en actos, en escenas. Cronológica, retrospectiva. Lógica…
- **Los actores, personajes:** características principales, la interpretación…
- **El desenlace:** abierto, cerrado, triste, trágico, feliz, previsible, no previsible, su efecto permanece en la memoria…
- **El estilo:** cuidado, poético, ágil, descriptivo…
- **La puesta en escena:** escenografía, decorado, vestuario, iluminación, efectos especiales…

Conclusión

Opinión justificada: importancia de la obra, su aportación, transcendencia de tema, relación con otras obras semejantes…
Valoración y recomendación a otras personas.

Lee esta reseña e identifica cada una de las partes que contiene.

EJEMPLO

RESEÑA DE *LA CASA DE BERNARDA ALBA*

La casa de Bernarda Alba es una obra de teatro de Federico García Lorca, autor de la Generación del 27, escrita en 1936 y representada actualmente en el Teatro Español.

Trata de la situación de cinco mujeres jóvenes, que tienen que estar ocho años encerradas en casa y de luto, porque lo ha decidido así su madre, Bernarda Alba, tras la muerte de su marido. En esta obra se denuncia una moral antigua inflexible, la falta de libertad de la mujer y se defiende la libertad del amor.

La obra está dividida en tres actos en los que la tensión del conflicto va subiendo hasta llegar a un desenlace trágico e inesperado. El personaje de Bernarda representa un sistema de valores basado en la apariencia y no en el amor o los sentimientos. Todas las hijas obedecen a su madre, menos la pequeña, Adela, que se rebela. Las actrices interpretaron muy bien el papel, especialmente Adela, que supo transmitir la juventud y la pasión.

La escenografía, la iluminación, los efectos acústicos etc., ayudaron a intensificar el conflicto y a mostrar las emociones y los sentimientos.

Recomiendo a todo el mundo que vea esta obra por su carácter simbólico y porque transmite unos valores universales válidos en cualquier época y sociedad.

PRUEBA 4  Expresión e interacción orales

CARACTERÍSTICAS DE LA PRUEBA

DESCRIPCIÓN
- Consta de **3 tareas**, 2 de expresión e interacción y una de interacción.
- Su duración total es de **20 minutos** de entrevista, **más** otros **20 minutos** de preparación.

MODO DE REALIZACIÓN
- **Preparación:** el candidato dispone de 20 minutos previos al examen para preparar las tareas 1 y 2, para tomar notas y hacer un esquema, que puede consultar, pero no leer, durante la entrevista.
- **Entrevista:**
  - Se comienza con unas preguntas de contacto que no puntúan en las que se preguntará si se prefiere el trato de *tú* o de *usted*. Después de 1 o 2 minutos se realizan las 3 tareas de la prueba.
  - En la sala hay 2 examinadores: uno hace la entrevista y facilita la interacción con el candidato; el otro solo califica.

PUNTUACIÓN
- Esta prueba supone el 25 % de la puntuación del examen y se califica junto con el de Comprensión auditiva, que vale otro 25 %. Para aprobar este grupo se necesita tener 30 puntos entre las dos. (Un 60 % de aciertos).
- La calificación se realiza durante la prueba. Cada tarea recibe una doble calificación subjetiva: una analítica (60 %), por parte del calificador y otra holística o general (40 %), dada por el entrevistador.
- Las tareas 1 y 2 tienen un valor del 35 % cada una y la tarea 3, del 30 %.

TAREA 1
- Consiste en mantener un **breve monólogo sostenido** (entre 3 y 4 minutos) y en **conversar** durante unos 2 o 3 minutos sobre un tema. Esta tarea dura en total entre 6 y 7 minutos.
- Para llevarla a cabo el candidato debe **elegir 1 de las 2 opciones** de un material que se le ofrece y que plantea **un tema problemático** y **varias propuestas** (entre 5 y 7) para solucionarlo.
- El tiempo de preparación de esta tarea, junto con la tarea 2, es de 20 minutos.
- Su objetivo es medir la capacidad del candidato para **valorar** las ventajas e inconvenientes de **unas propuestas** sobre **una cuestión problemática** y para **conversar** y **dar su opinión** sobre ella.

EJEMPLO
de planteamiento o presentación del problema

LOS MEDIOS DE COMUNICACIÓN

Desde la invención de Internet se están produciendo grandes cambios en los medios de comunicación que están ocasionando serios problemas en la difusión de la información, desigualdades entre países pobres y ricos, censura, piratería... Expertos en medios de comunicación se han reunido para discutir algunas medidas que ayuden a remediarlos.

Lea las siguientes propuestas y explique las ventajas e inconvenientes de, como mínimo, cuatro de ellas. Después de su monólogo conversará con el entrevistador sobre el tema y las propuestas.

En su exposición debe especificar por qué le parece buena o mala esa propuesta, qué inconvenientes puede tener, a quién beneficia o perjudica, si puede ocasionar otros problemas o si habría que precisar algo más.

http://dele.cervantes.es/informacion/guias/guia_b2/06_prueba_expresion_or.html

Propuestas para resolver el problema

A mi modo de ver debería regularse el periodismo, especialmente en Internet. Solo los profesionales garantizan una información fiable, objetiva y de calidad.

La prensa en papel va a desaparecer en un plazo corto de tiempo y por eso los periódicos deberían adaptarse pronto al periodismo digital, que es el futuro.

Yo considero que debería existir la libertad de expresión en todo el mundo sin ningún tipo de censura, porque es un derecho humano reconocido.

Los países ricos deberían ayudar a los pobres para que no haya tanta distancia digital y para favorecer la igualdad de oportunidades.

Habría que actuar contra el grave problema de las descargas ilegales en la red. Los responsables de la piratería deberían ir a prisión y los usuarios tendrían que pagar multas.

Se deberían hacer campañas para fomentar en los jóvenes las actividades reales, como pasear, hacer deporte, quedar con amigos, etc., para prevenir el uso excesivo de las redes sociales y el sedentarismo.

Valorar las propuestas y opinar sobre ellas

Lee este ejemplo e identifica la introducción, cada uno de los argumentos, las formas usadas para opinar, valorar, mostrar acuer-do y desacuerdo.

EJEMPLO de intervención

Voy a hablar del problema de los medios de comunicación. Hoy en día hay un grave problema por el exceso y por la falta de control de estos medios de comunicación y voy a dar mi opinión sobre las propuestas de los expertos.

En primer lugar, yo estoy de acuerdo con la idea de que se regule el periodismo, porque me parece que no todo el mundo tiene la preparación y los conocimientos para usar la información… Creo que la información debe ser fiable y debe estar controlada porque solo los profesionales pueden garantizar que esta sea objetiva y que no sea falsa o interesada.

Respecto a la idea de que se debería ayudar a los países pobres para reducir la distancia digital, yo diría que eso está muy bien, me parece una buena idea, pero antes habría que ayudarlos económicamente para que salgan de la pobreza y para evitar las desigualdades, vamos, para que puedan acceder a una vivienda, para que tengan una alimentación adecuada, etc.

En tercer lugar, no estoy en absoluto de acuerdo con que no exista ningún tipo de censura. Creo que hay contenidos que deberían estar regulados o controlados porque hacen mucho daño, como, por ejemplo, la pornografía infantil, la violen-cia, la incitación al terrorismo… Entonces, en mi opinión, no todo vale, tiene que existir cierto control.

Y estoy completamente a favor de que se hagan campañas para evitar el uso excesivo por parte de los jóvenes de los me-dios de comunicación social, especialmente las redes sociales, porque estoy viendo casos de compañeros míos que están todo el día encerrados en casa, que tienen auténtica adicción, y que han dejado de salir a la calle, de hacer deporte, de relacionarse de una manera real con sus amigos. Y eso no es bueno.

Y por último, creo que la prensa digital va a acabar sustituyendo a la prensa de papel, pero creo que esta no desaparecerá del todo, porque no en todas partes existe un acceso fácil a Internet, entonces creo que convivirán las dos, aunque, en general, aumentará la prensa digital.

http://dele.cervantes.es/informacion/guias/guia_b2/06_prueba_expresion_or.html

EJEMPLOS DE PREGUNTAS DEL ENTREVISTADOR

¿Está de acuerdo con estas propuestas? ¿Eliminaría alguna? ¿Cree que en su país existen los mismos problemas? ¿Cómo serán los medios en el futuro? ¿Por qué?

TE PUEDE AYUDAR PARA REALIZAR LA TAREA 1

EXPRESAR ACUERDO
(Pues…)
- **Yo creo/pienso**/opino/considero **que** la gente está…
- **Yo comparto la opinión**/el punto de vista de que hay…
- **Yo estoy de acuerdo** con/en que existe…
- **Es verdad que hay gente** que prefiere…
- **A mí sí/también me parece** importante que la gente tenga…

ACUERDO ROTUNDO
(Pues…)
1. **¡Claro que sí**/no…!/¡Por supuesto…! ¡Desde luego…!
2. **Sin duda…** Sin duda alguna…
3. **Estoy completamente**/absolutamente/totalmente **de acuerdo** con/en que hay…

DAR OPINIÓN
1. **A mi modo de ver**/En mi opinión es una buena idea…
2. **Yo considero**/opino/creo/veo que es…
3. **Yo diría que tienen razón** los que creen…
4. **Según lo que dicen** los expertos, **habría que…**
…
1. **A mi modo de ver**/En mi opinión no es una buena idea que hagan…
2. **Yo no considero**/no opino/no creo/no veo **que**… sea … /**que** haya sido… /fuera…
3. **Yo no diría que** tienen/tengan razón los que proponen…

EXPRESAR DESACUERDO
(Pues…)
1. **Yo no**… **creo**/pienso/opino/considero… que la gente esté obsesionada…
2. **Yo no comparto la opinión** de que…
3. **Yo no estoy de acuerdo** con/en que la anorexia sea…
4. **No es verdad que** la gente esté…

DESACUERDO ROTUNDO
(Pues…)
1. **No tienen ninguna razón**/ Creo que están completamente equivocados los que dicen que…
2. **No, no, eso de que… haya…** no es verdad.
3. **No estoy en absoluto de acuerdo** con/en que… se use…

VALORAR
1. **Me parece bien**/mal… que haya…
2. **Es/Me parece una buena idea** que hagan…
3. **Me resulta raro**/sospechoso… que digan que…
4. **Veo una tontería** que quieran…
5. **No es una buena idea lo de que** habría que…
6. **Estaría muy bien**/genial/fenomenal… que hicieran…

TAREA 2

- Consiste en mantener un **monólogo sostenido** (entre 2 o 3 minutos) sobre una situación y conversar sobre la misma (otros 3 minutos). En total, 5 o 6 minutos.
- Para llevarlo a cabo **se ofrece** al candidato **una foto, un enunciado** que describe la situación y **unas pautas** para su intervención.
- **El tiempo de preparación**, junto con la tarea 1, es de **20 minutos**.
- Su objetivo es medir la capacidad del candidato para **describir una situación imaginada a partir de un enunciado, una foto** y unas pautas dadas; y para **conversar** sobre sus experiencias y opiniones respecto a ese tema.

EJEMPLO

Usted debe imaginar la situación que se está produciendo en la fotografía y, a continuación, tiene que describirla durante 2 o 3 minutos aproximadamente a partir de unas preguntas que se le ofrecen en la lámina. Puede haber más de una respuesta. Después hablará con el entrevistador y expresará sus opiniones sobre ese tema.

GRUPO DE PERSONAS VIENDO LA TELEVISIÓN

Las personas de la fotografía están viendo la televisión. Imagine la situación y hable de ella durante, aproximadamente, 2 minutos. Estos son algunos aspectos que puede comentar:

- ¿Dónde cree que están? ¿Por qué?
- ¿Qué relación cree que hay entre estas dos personas? ¿Por qué?
- ¿Cómo imagina que es cada una de estas personas? ¿Por qué?
- ¿Qué cree que están viendo? ¿Por qué?
- ¿Qué creen que siente cada uno? ¿Por qué?
- ¿Qué cree que va a ocurrir después?
- ¿Cómo va a terminar la situación?

EJEMPLO de intervención

  Voy a hablar sobre esta foto en la que aparece un grupo de personas viendo la televisión.
  En mi opinión se trata de un grupo de amigos que están reunidos en casa de alguno de ellos y que están viendo juntos un programa de televisión. No parece que sean hermanos ni familiares porque son de edades muy parecidas y de aspecto diferente… En mi opinión son jóvenes menores de veinte años, que posiblemente estén terminando bachillerato o estén en el primer año de universidad. Creo que están viendo un espectáculo deportivo, que puede que sea la final de una competición deportiva, un partido de fútbol o de baloncesto, etc. O quizá sea el final de su serie favorita, por las palomitas del centro, o un concurso en el que participen otros amigos, por ejemplo. Yo creo que todos están muy emocionados, especialmente el chico de la izquierda que hace un gesto como para animar a los jugadores o compañeros. La chica que está con la boca abierta está sorprendida y el chico de la camiseta morada está un poco nervioso por lo que está viendo. La chica de la camisa azul clara está a punto de aplaudir, pero se ha quedado sin saber cómo reaccionar. En cambio, la chica que está de frente está divirtiéndose mucho, se lo está pasando muy bien. Yo creo que esta situación va a terminar con la victoria de su equipo. Si están viendo a sus amigos, tal vez ganen el concurso porque no se les ve disgustados, algunos incluso están sonriendo. Yo diría que el programa terminará bien.

EJEMPLOS de preguntas del entrevistador

¿Suele reunirse con otras personas para ver la televisión? ¿Puede especificar cuándo o para qué? ¿Suele ver la televisión? ¿Qué tipos de programas prefiere? ¿Qué función debe tener la televisión, en su opinión? ¿Cree que la televisión está cambiando? ¿Cómo cree que evolucionará en el futuro?

TE PUEDE AYUDAR PARA REALIZAR LA TAREA 2

EXPRESAR PROBABILIDAD
- **Quizá(s)/Tal vez** esta foto... **es/sea... representa/represente...**
- **Puede (ser) que...** estén/hayan estado/estuvieran en el campo...
- **Podría ser que** se encuentren/se encontrasen en...
- **Es (bastante/muy) posible/probable que** tengan/hayan tenido/tuvieran...
- **Es improbable/poco probable/imposible** que... estén en...
- **Seguramente/Posiblemente/Probablemente...** están, estarán, habrán estado, estarían, habrían estado...
- **Hay (muchas/bastantes/pocas) probabilidades de que** estén, se encuentren, hayan ido...
- **Lo más seguro/probable es que** sean/se trate de/hayan ido...
- **Yo diría que...** están/les ha pasado algo...
- **Igual** están en.../tendrían que haberse ido...
- **Deben de** estar en...
- **Tiene que ser** un grupo que está...
- **Se habrán perdido.**

TAREA 3

- Esta tarea consiste en **conversar** a partir de un estímulo gráfico, encuesta o noticia.
- Para llevar a cabo esta tarea se ofrecen **2 láminas** de las que hay que **elegir solo una**.
- Esta tarea **no se prepara previamente** y su duración es de 3 o 4 minutos.
- Su objetivo es medir la capacidad del candidato para **mantener una conversación de modo informal** a partir de un estímulo escrito o gráfico.

Explicación de la tarea
Usted tiene que dar su opinión a partir de unos datos de noticias, encuestas, etc., que se le ofrecen, durante 3 o 4 minutos. Después debe conversar con el entrevistador sobre esos datos, expresando su opinión.

EJEMPLO de preguntas del entrevistador

¿Por qué ha escogido esa opción? ¿Podría poner un ejemplo? ¿Con qué opción está menos de acuerdo? ¿Por qué?

TEMA ELEGIDO: PRINCIPALES USOS DE LOS TELÉFONOS INTELIGENTES EN ESPAÑA

¿Cuáles son los principales usos de los teléfonos inteligentes de esta lista? ¿Cree que hay alguna diferencia de uso entre unos países y otros?

✓ Redes sociales	✓ Información	✓ Comunicación	✓ Ocio
✓ Entretenimiento	✓ Correo electrónico	✓ Localización	✓ Otros

Ahora mire este gráfico y compare sus respuestas con esta información:

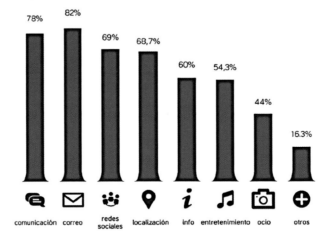

- ¿En qué se parecen? ¿Hay alguna diferencia importante?
- ¿Hay algún dato que le llame especialmente la atención? ¿Por qué?

NO OLVIDES

✓ Elaborar **un monólogo** o discurso controlado, **claro y coherente**.
✓ Hacer un **uso adecuado de mecanismos de cohesión**.
✓ Mantener una **conversación de forma adecuada y colaborar** con el entrevistador.
✓ Mantener un **ritmo del discurso uniforme**, con pocas pausas largas.
✓ Usar una **pronunciación que permita entender** lo que se dice, aunque se pueda cometer algún error de vez en cuando.
✓ Mostrar un **control gramatical relativamente alto** y adecuado al nivel B2.
✓ **Cometer pocos errores gramaticales** y en ocasiones **saber corregirlos**.
✓ Dominar **el léxico específico de temas generales**, así como **el uso de expresiones coloquiales** y otras formas léxicas, aunque se pueda cometer alguna imprecisión o incorrección.
✓ Hacer **descripciones claras y expresar puntos de vista mostrando facilidad** para buscar las palabras.

E PUEDE AYUDAR PARA TODA LA PRUEBA 4

Consejos para la preparación
✓ Lee despacio las instrucciones de cada tarea y sigue **todos los puntos del enunciado**.
✓ Ten en cuenta todos los elementos que se evalúan: la coherencia, la fluidez, la corrección y el léxico.
✓ Toma notas, haz esquemas claros en un papel que te proporcionarán.
✓ Controla el tiempo de cada tarea.
✓ No escribas en las láminas del examen.
✓ No se pueden usar diccionarios ni móviles.

Consejos para la entrevista
✓ Muestra una actitud tranquila y relajada.
✓ Sigue las instrucciones del entrevistador.
✓ Decide si prefieres que te traten de *tú* o de *usted*.
✓ Mira a la persona con la que hablas.
✓ No leas las notas o apuntes. Solo puedes mirarlas ligeramente para recordar las ideas.
✓ No repitas los enunciados de las propuestas. Da tu opinión y valoración sobre ellas.
✓ No tienes que expresar tus opiniones reales si no quieres.
✓ Controla los gestos y las posturas que indiquen inseguridad.
✓ Puedes corregir si te confundes.
✓ Deja claro a los entrevistadores que eres de nivel B2.

Es posible que en próximas convocatorias se realice la grabación de la Prueba 4, por eso recomendamos que el candidato se prepare realizando previamente sus propias grabaciones.

PRUEBA 2 Comprensión auditiva

Audio descargable en **www.edelsa.es**.

CD I

Examen 1	Pista	Examen 2	Pista	Examen 3	Pista	Examen 4	Pista
Prueba 2		Prueba 2		Prueba 2		Prueba 2	
Tarea 1		Tarea 1		Tarea 1		Tarea 1	
Conversación 1	1	Conversación 1	18	Conversación 1	35	Conversación 1	52
Conversación 2	2	Conversación 2	19	Conversación 2	36	Conversación 2	53
Conversación 3	3	Conversación 3	20	Conversación 3	37	Conversación 3	54
Conversación 4	4	Conversación 4	21	Conversación 4	38	Conversación 4	55
Conversación 5	5	Conversación 5	22	Conversación 5	39	Conversación 5	56
Conversación 6	6	Conversación 6	23	Conversación 6	40	Conversación 6	57
Tarea 2	7	Tarea 2	24	Tarea 2	41	Tarea 2	58
Tarea 3	8	Tarea 3	25	Tarea 3	42	Tarea 3	59
Tarea 4		Tarea 4		Tarea 4		Tarea 4	
Persona 0	9	Persona 0	26	Persona 0	43	Persona 0	60
Persona 1	10	Persona 1	27	Persona 1	44	Persona 1	61
Persona 2	11	Persona 2	28	Persona 2	45	Persona 2	62
Persona 3	12	Persona 3	29	Persona 3	46	Persona 3	63
Persona 4	13	Persona 4	30	Persona 4	47	Persona 4	64
Persona 5	14	Persona 5	31	Persona 5	48	Persona 5	65
Persona 6	15	Persona 6	32	Persona 6	49	Persona 6	66
Tarea 5	16	Tarea 5	33	Tarea 5	50	Tarea 5	67
Prueba 3		Prueba 3		Prueba 3		Prueba 3	
Tarea 1	17	Tarea 1	34	Tarea 1	51	Tarea 1	68

CD II

Examen 5	Pista	Examen 6	Pista	Examen 7	Pista
Prueba 2		Prueba 2		Prueba 2	
Tarea 1		Tarea 1		Tarea 1	
Conversación 1	1	Conversación 1	18	Conversación 1	35
Conversación 2	2	Conversación 2	19	Conversación 2	36
Conversación 3	3	Conversación 3	20	Conversación 3	37
Conversación 4	4	Conversación 4	21	Conversación 4	38
Conversación 5	5	Conversación 5	22	Conversación 5	39
Conversación 6	6	Conversación 6	23	Conversación 6	40
Tarea 2	7	Tarea 2	24	Tarea 2	41
Tarea 3	8	Tarea 3	25	Tarea 3	42
Tarea 4		Tarea 4		Tarea 4	
Persona 0	9	Persona 0	26	Persona 0	43
Persona 1	10	Persona 1	27	Persona 1	44
Persona 2	11	Persona 2	28	Persona 2	45
Persona 3	12	Persona 3	29	Persona 3	46
Persona 4	13	Persona 4	30	Persona 4	47
Persona 5	14	Persona 5	31	Persona 5	48
Persona 6	15	Persona 6	32	Persona 6	49
Tarea 5	16	Tarea 5	33	Tarea 5	50
Prueba 3		Prueba 3		Prueba 3	
Tarea 1	17	Tarea 1	34	Tarea 1	51